Del autor
de libros de
gran éxito
de ventas les
presentamos...

Lo mejor de

MAX LUCADO

DOS LIBROS EXTRAORDINARIOS EN UN SOLO VOLUMEN

EDITORIAL UNILIT

Publicado por
Editorial Unilit
Miami, Fl. 33172 EE.UU.
Derechos reservados
© 2001 Editorial Unilit (*Spanish translation*)
Primera edición 2001

© 1992 *And the Angels Were Silent* y © 1986 *No Wonder They Call Him Savior*
por Max Lucado. Originalmente publicados en inglés por:
Multnomah Publishers, Inc.
204 W. Adams Avenue,
P O Box 1720,
Sisters, Oregon 97759 USA.

Todos los derechos de publicación con excepción del idioma inglés son contratados
exclusivamente por:
Gospel Literature International,
P O Box 4060,
Ontario, CA 91761-1003, USA.

Traducido al español por:

Alicia Arrate de Valdéz-Dapena
(*Y los ángeles guardaron silencio*)

Guillermo Vázquez
(*Con razón lo llaman el Salvador*)

Citas bíblicas tomadas de la Santa Biblia, revisión 1960
© Sociedades Bíblicas en América Latina.
Otras citas marcadas B.d.l.A "Biblia de las Américas"
© 1986 The Lockman Foundation.
Usadas con permiso.

Producto 495118
ISBN 0-7899-0216-8

Impreso en Colombia
Printed in Colombia

A Denalyn,

con amor eterno

Juan Manuel Juárez

Sn José C. .004

Contenido

PARTE III
LA CRUZ: SU SABIDURÍA

Reconocimientos

Un caluroso agradecimiento a:

Doctor Tom Olbricht, por mostrarme lo que en verdad importa.

Doctor Carl Brecheen, por las semillas plantadas en un corazón hambriento.

Jim Hackney, por su discernimiento en los sufrimientos de nuestro Maestro.

Janine, Sue, Doris y Paul, por sus escrituras a máquina y estímulos.

Bob y Elsie Forcum, por su compañerismo en el evangelio.

Randy Mayeux y Jim Woodroof, por sus comentarios constructivos y apoyo fraternal.

Liz Heaney y Multnomah Press, por sus agudas habilidades editoriales y creatividad.

Y más que todo a *Jesucristo.* Por favor , acepta esta ofrenda de gratitud.

La parte
que importa

Quiero saber qué es lo que cuenta —Profundo acento irlandés. Profundos ojos negros. La afirmación era sincera—. No me hable de religión; ya he ido por ese camino. Y por favor, déjese de teologías; tengo un título en eso. Vaya al corazón del asunto, ¿entendido? Quiero conocer lo que en verdad cuenta.

Su nombre era Ian. Era estudiante en la universidad canadiense que me encontraba visitando. A través de una serie de detalles él descubrió que yo era cristiano y por ciertas charlas me di cuenta de que él quería serlo, pero que estaba desencantado.

—Yo crecí en la iglesia —explicó— Quise entrar en el ministerio. Tomé todos los cursos, la teología, los idiomas bíblicos, la exégesis. Pero yo renuncié. Justamente algo no calzaba.

—Algo que está allí, en alguna parte —habló con ansiedad—. Por lo menos pienso que está.

Levanté la mirada desde mi café cuando él comenzó a menear el suyo. Entonces resumió su frustración con una pregunta.

—¿Qué es lo que *realmente* importa? ¿Qué cosa es la que cuenta? Dígame. Deje de andar por la periferia. Vaya a la esencia. La parte que importa.

Miré a Ian por largo tiempo. La pregunta quedó flotando en el aire. ¿Qué debería haber dicho? ¿Qué podía haber dicho? Podría haberle hablado sobre la Iglesia. O tal vez haberle dado una respuesta doctrinal o haberle leído algo clásico como el Salmo 23: «El Señor es mi pastor...» Pero todo eso parecía demasiado pequeño, tal vez algunos pensamientos sobre la sexualidad, o la oración, o la Regla de Oro. No; Ian quería el tesoro. Él quería lo fundamental.

Deténgase un momento y póngase en su lugar por un segundo. ¿Puede oír su pregunta? ¿Puede sentir el sabor de su frustración?

—No me dé religión —estaba diciendo—. Déme lo que importa.

¿Qué cosa importa?

En la Biblia de usted, de más de mil páginas, ¿qué es lo importante? Entre todos los «haga esto y aquello no lo haga», los «debe y no debe», ¿qué es esencial? ¿Qué es indispensable? ¿El Antiguo Testamento? ¿El Nuevo? ¿La gracia? ¿El bautismo? ¿Qué le hubiera dicho usted a Ian? ¿Le hubiera hablado del diablo en el mundo o de la eminencia del cielo? ¿Le habría citado Juan 3:16, o Hechos 2:38, o tal vez leído la I Corintios 13?

¿Qué importa, realmente?

Estoy seguro de que usted también habría luchado con esta pregunta. Tal vez también ha ido a través de los hechos, de la religión y de la fe, y ha encontrado usted mismo, más a menudo, que no es más que un pozo seco. Las oraciones parecen vacías. Las metas suenan inalcanzables. El cristianismo llega a ser un complicado registro de altos y bajos, y de notas que no suenan como deberían.

¿Es esto todo lo que hay? Asistencia del día domingo. Hermosas canciones. Diezmos llenos de fe. Cruces doradas. Vestidos de tres piezas. Grandes coros. Biblias de cuero. Esto es bonito y todo, pero... ¿Dónde está el corazón, la esencia de todo esto?

Revolví mi café. Ian revolvió el suyo. Yo no tenía respuesta. Todos mis versículos tan obedientemente memorizados parecían inapropiados. Todas mis respuestas «enlatadas» parecían pobres, chatas.

Sin embargo, ahora, muchos años más tarde, sé qué compartiría con él.

Piense sobre estas palabras de Pablo en I Corintios, capítulo 15.

«Porque, primeramente os he enseñado lo que asimismo recibí: Que Cristo murió por nuestros pecados, conforme a las Escrituras.[1]

«Porque primeramente...», dice.

Siga leyendo: «Y que fue sepultado, y que resucitó al tercer día, conforme a las Escrituras, y que apareció a Cefas, y después a los doce».[1]

Aquí está. Casi muy simple. Jesús fue muerto, enterrado y resucitado. ¿Sorprendido? Lo que importa es la cruz. Ni más, ni menos.

La cruz.

Cristo descansa en la cronología de la historia como un refulgente diamante. Su tragedia resume la de todos los que sufren. Su absurdo atrae a todos los cínicos. Su esperanza anima a todos los buscadores.

Y según Pablo, la cruz es lo que cuenta.

¡Madre mía! ¡Qué pedazo de madera...! La historia la ha idolatrado y la ha despreciado, la ha hecho una cruz de oro o plateada y hasta la ha quemado, la ha usado y la ha tirado. La historia ha hecho todo con ella, menos pasarla por alto.

Esa es la única opción que la cruz no ofrece.

¡Nadie puede dejarla de lado! Usted no puede pasar por alto un pedazo de madera que sostiene la más grande proclamación en la historia. ¿Un carpintero crucificado proclamando que Él es Dios en la tierra? ¿Divino? ¿Eterno? ¿El destructor de la muerte?

No se sorprenda entonces que Pablo llame a esto «la locura del evangelio». Su afirmación es sensata: si el relato es verdadero, es el eje de la historia. Punto. Si no, es el engaño de la historia.

Es por esa razón que la cruz es lo que importa. Esa es la razón por la que si yo tuviera esa taza de café para beber con Ian otra vez, le hablaría acerca de esto. Le contaría el drama de ese día de abril en que soplaba el viento, el día cuando el reino de la muerte fue recuperado y la esperanza alzó la recompensa. Le diría acerca de la caída de Pedro, de la vacilación de Pilato y de la lealtad de Juan. Veríamos sobre ese jardín de la decisión lleno de tinieblas y del cuarto incandescente de la resurrección. Discutiríamos las últimas palabras pronunciadas tan deliberadamente por este autosacrificante Mesías.

Y finalmente, miraríamos al Mesías mismo. Un obrero judío cuya proclama alteró a todo un mundo, y cuya promesa nunca ha sido igualada.

No se sorprenda de que lo llamen el Salvador.

Me estoy preguntando si no podría estarme dirigiendo a algunos lectores que tengan la misma pregunta que Ian tenía. Oh, la cruz no es nada nuevo para usted. Usted la ha visto. Usted la ha usado. Ha pensado en ella. Usted ha leído acerca de ella. Tal vez haya orado ante ella. Pero, ¿la conoce?

Cualquier estudio serio de la proclama cristiana es, en su esencia un estudio de la cruz. Aceptar o rechazar a Cristo sin un cuidadoso examen del Calvario es como decidirse por un automóvil sin considerar el motor. Ser religioso sin conocer la cruz es como poseer un Mercedes sin motor. Bonita carrocería, pero ¿dónde está su poder?

¿Quiere hacerme un favor? Consígase un poco de café, póngase cómodo, déme una hora de su tiempo y dé conmigo una buena mirada a la cruz. Examinemos esta hora de la historia. Miremos a los testigos. Escuchemos las voces. Miremos las caras. Y por sobre todo, observemos a uno a quien llaman el Salvador. Y veamos si podemos encontrar la parte que en verdad importa.

---

1.   I Corintios 15:3,4; VRV60, itálicas mías.

La cruz:
Sus palabras

1

Palabras finales, hechos finales

En un reciente viaje a mi pueblo natal me tomé el tiempo para ir a ver un árbol. «Un roble vivo», como lo llamaba mi padre (acentuando «vivo»). No era nada más que un árbol joven, tan delgado que podía poner la mano alrededor de él y tocar el dedo medio con el pulgar. Los vientos del oeste de Texas levantaban las hojas que habían caído en el otoño y me hacían cerrar completamente mi chaqueta. No hay nada más frío que un viento de la llanura, especialmente en un cementerio.

«Un árbol especial», dije para mí mismo, «con un trabajo especial». Miré a mi alrededor. El cementerio estaba alineado con olmos pero no con robles. El terreno estaba sembrado de lápidas en vez de árboles. Solamente éste. Un árbol especial para un hombre especial.

Tres años atrás, papá había comenzado a notar cierta debilidad de sus músculos. Comenzó en sus manos. Luego la sintió en sus tobillos. Luego sus brazos adelgazaron un poco.

Él mencionó su condición a mi cuñado que era médico, quien alarmado lo envió a un especialista. El especialista le hizo una gran cantidad de exámenes —hemograma, estudios neurológicos

15

y muscular— y llegó a su conclusión: la enfermedad Lou Gehrig. Una parálisis devastadora. Nadie sabe la causa o la cura. La única cosa segura acerca de ella es su crueldad y su paso implacable. Miré el lote de terreno en el que algún día enterraría a mi padre. Papá siempre quiso ser enterrado bajo un árbol de roble, así que compró éste. «Orden del valle», manifestó. Tuvo que conseguir un permiso especial del municipio para ponerlo aquí. (Eso no fue difícil en este polvoriento pueblo de región petrolera, donde todos conocen a todos.)

Se me hizo un nudo en la garganta. Otro en su lugar podría haberse enojado. O podría haberse dado por vencido. Pero Papá no lo hizo. Él sabía que sus días estaban contados, así que comenzó a poner su casa en orden.

El árbol era sólo uno de los preparativos que hizo. Mejoró la casa para mamá, instalando un sistema de riego para el jardín, una cerradura de la puerta del garaje y pintó la podadora. Tenía el testamento sin fecha. Verificó el seguro y los planes financieros. Compró algunas acciones para continuar con la educación de sus nietos. Planeó su funeral. Compró lotes en el cementerio tanto para él como para mamá. Preparó a sus hijos a través de palabras de fortaleza y cartas de amor. Y al final de todo, compró el árbol. Un árbol de roble vivo (pronunciado con un acento especial en «vivo»).

Actos finales. Horas finales. Palabras finales.

Estos reflejaban una vida bien vivida. Así fueron las últimas palabras de nuestro Maestro. Cuando estaba en el umbral de la muerte, Jesús también puso su casa en orden:

Una oración final de perdón.

Una plegaria concedida.

Una petición de amor.

Una pregunta de sufrimiento.

Una confesión de humanidad.

Un pedido de liberación.

Un grito de consumación.

¿Palabras musitadas de casualidad por un mártir desesperado? No; palabras de profundidad descritas por el Divino Libertador en los lienzos del sacrificio.

Palabras finales. Actos finales. Cada uno es una ventana a través de la cual la cruz puede ser mejor comprendida. Cada uno abre un tesoro de promesas. «Así que allí es donde lo aprendiste», dije en alta voz, como hablándole a mi padre. Sonreí para mis adentros y pensé: «Es mucho más fácil morir como Jesús si has vivido como Él durante toda la vida».

Las horas finales están pasando ahora. La débil llama de su candelero es cada vez más y más débil. Él está en paz. Su cuerpo se está muriendo, pero SU espíritu continúa viviendo. Nunca más se levantará de la cama. Él ha escogido vivir sus últimos días en casa. No será por mucho tiempo. El viento de la muerte pronto soplará y apagará el candelero y todo terminará.

Miré otra vez el frágil roble. Lo toqué como si hubiera estado oyendo mis pensamientos.

—¡Crece! —le dije en voz baja—. Crece fuerte. Hazte alto. El tuyo es un tesoro valioso.

Cuando conducía hacia la casa a través del trecho de un campo de petróleo me quedé pensando en ese árbol. Aunque débil, las décadas lo encontrarán fuerte. Aunque enjuto, los años añadirán firmeza y fortaleza. Sus últimos años serán los mejores. Tal como los de mi padre. Tal como los de mi Maestro. «Es mucho más fácil morir como Jesús si tú has vivido como Él durante toda la vida».

—Crece, joven árbol —Mis ojos estaban empeñándose—. Permanece fuerte. El tuyo es un valioso tesoro.

Papá estaba despierto cuando llegué a casa. Me apoyé sobre su cama:

—He visto el árbol —le dije—. Está creciendo.

Él sonrió.

2

Palabras que hieren

«*Padre, perdónalos*».
Lucas 23:34

El diálogo en la mañana de ese viernes era amargo.
De los espectadores:
—¡Si eres el hijo de Dios bájate de la cruz!
De los líderes religiosos:
—A otros salvó, pero a sí mismo no se puede salvar.
De los soldados:
—Si tú eres el rey de los judíos, sálvate a ti mismo.
Palabras amargas. Ácido con sarcasmo. Odio. Irreverencia.
¿No era suficiente que Él estaba siendo crucificado? ¿No era suficiente que estaba siendo avergonzado como un criminal? ¿No eran suficientes los clavos? ¿Fue la corona de espinas demasiado suave? ¿Habían sido muy pocos los azotes?
Para algunos, aparentemente, sí.
Pedro, un escritor no dado normalmente a usar muchos verbos descriptivos, dice que quienes pasaban cerca «le lanzaban» insultos al Cristo crucificado.[1]
Ellos no sólo insultaban, hablaban o blasfemaban. «Le lanzaban» piedras verbales. Tenían toda la intención de herir y lastimar.

19

«¡Hemos quebrantado el cuerpo, ahora rompamos el espíritu!» De esa manera «templaban sus arcos con las flechas de su autojusticia y lanzaban torturantes dardos de puro veneno.

De todas las escenas alrededor de la cruz, ésta es la que más me enoja. ¿Qué clase de personas —me pregunto— se burlará de un hombre agonizante? ¿Quién sería tan indolente como para poner sal en las heridas abiertas? ¿Cuán bajo y pervertido es hablar con desprecio a uno que está atado con dolor? ¿Quién se burlaría de una persona que está sentada en la silla eléctrica? ¿O quién señalaría con el dedo y se reiría de un criminal que tiene la cuerda de la horca alrededor de su cuello?

Puede estar seguro de que Satanás y sus demonios fueron la causa de tal inmundicia.

Y luego el criminal en la cruz número dos lanza su golpe.

—¿No eres tú el Cristo? ¡Sálvate a ti mismo y a nosotros!

Las palabras lanzadas ese día tenían el propósito de herir. Y no hay nada más doloroso que las palabras que tienen el propósito de herir. Esa es la razón por la que Santiago llama a la lengua un fuego. Sus llamas son tan malignas y destructoras que destrozan como las de una gran antorcha.

Pero no le estoy diciendo nada nuevo. Sin lugar a dudas usted ha tenido que soportar palabras que hieren. Usted ha sentido la tortura de un escarnecimiento bien apuntado. Tal vez usted está sintiéndolo. Alguien que usted ama o respeta lo azota en el piso con un látigo o con el fuego de la lengua. Y allí yace usted; herido y sangrando. Tal vez las palabras fueron dirigidas para herirlo, tal vez no; pero eso no importa. La herida es profunda. Los daños son internos. Corazón quebrantado, orgullo herido, sentimientos lastimados.

O tal vez su herida es vieja. Aunque la flecha fuera extraída hace mucho tiempo, la punta aún permanece... escondida debajo de su piel. El viejo dolor aflora impredecible y decisivamente recordándole las lacerantes palabras aún no perdonadas.

Si usted ha sufrido —o está sufriendo— debido a las palabras de alguien, estará contento de saber que hay un bálsamo para esta laceración. Medite en las palabras de 1 Pedro 2:23:

«Quien cuando le maldecían, no respondía
dición; cuando padecía, no amenazaba,
mendaba la causa al que juzga justamente

¿Ve usted qué no hizo Jesús? Él no se desquitó. Él no devolvió la ofensa. Él no dijo: «¡Ya verás!» «¡Ven acá y di eso mismo en mi cara!», «¡Sólo espérate hasta después de la resurrección, bobo! No, estas declaraciones no se encontraron en los labios de Cristo.

¿Vio lo que Jesús sí hizo? Él «encomendó su causa al que juzga justamente. O dicho más simplemente, dejó el juicio a Dios. Él no se hizo cargo de la tarea de buscar revancha. Él no demandó explicaciones. Él no pagó a ningún emisario ni envió a nadie con ninguna propuesta. Él, al contrario de la reacción normal, asombrosamente, habló en defensa de ellos: «Padre, perdónalos porque no saben lo que hacen».[2]

Sí, el diálogo en esa mañana del viernes fue amargo. Las piedras verbales fueron destinadas a atormentar y torturar. Cómo Jesús —con un cuerpo quebrantado por el dolor, los ojos cegados por su propia sangre y los pulmones inflándose ansiosamente en busca de aire pudo hablar en favor de malvados sin corazón, es algo que va más allá de mi comprensión. Nunca he visto tal amor. Si alguna vez una persona mereció una buena oportunidad para la revancha, Jesús fue esa persona. Pero Él no la tomó. En vez de eso murió por sus adversarios. ¿Cómo pudo hacerlo? Yo no sé. Pero sí sé que todas mis heridas parecen insignificantes. Mis rencores y duros sentimientos se vuelven repentinamente infantiles.

Algunas veces me sorprendo al ver el amor de Cristo, no tanto por la gente que toleró como por el dolor que soportó.

Maravillosa gracia.

1. I Pedro 2:23
2. Lucas 23:34

3

La venganza del ciudadano "vigilante"

«Ellos no saben lo que hacen».
Lucas 23:34

Treinta y siete años de edad. Delgado, casi frágil. Calvo y con anteojos. Tez pálida. Ciudadano modelo y tímido. Ciertamente no es una descripción que usted daría sobre un «vigilante». Seguramente no era la persona que usted utilizaría para representar a Robin Hood o al Llanero Solitario.

Pero eso no molestó al público americano. Cuando Bernhard Hugo Goetz mató a cuatro maleantes que iban a ser sus asesinos en un tren subterráneo de Nueva York, instantáneamente se convirtió en un héroe. Una popular actriz le envió un telegrama de «amor y besos». Camisetas con la leyenda «Aniquilador de asesinos» comenzaron a aparecen en las calles de Nueva York. Un grupo de rock escribió una canción en su honor. La gente recolectó dinero para su defensa. Los programas de radio fueron bombardeados con cantidad de llamadas telefónicas. «No deben dejarlo ir a la cárcel», dijo uno de los locutores de radio.

No es difícil ver por qué.

Bernhard Goetz era una fantasía americana hecha realidad. Hizo lo que todo ciudadano quiere hacer. Peleó defendiéndose. «Tomó el toro por las astas». «Golpeó al villano en la nariz». «Aplastó al diablo en la cabeza». Este héroe poco común encarnó el sentir de una nación entera, inclusive de un sentimiento mundial: la pasión por la venganza.

La efusión de respaldo da evidencia clara. La gente está fuera de sí. Está enojada. Hay un hirviente coraje enjaulado que nos hace enaltecer a un hombre que sin temor (o temerosamente) dice «¡No voy a soportarlo más!», y luego viene con una pistola caliente en cada mano.

Estamos cansados. Estamos cansados de ser baleados, asustados e intimidados. Ya no podemos más con los asesinatos en serie, los violadores y los asesinos a sueldo.

Estamos enojados con alguien, pero no sabemos con quien. Tenemos miedo de algo, pero no sabemos de qué. Queremos defendernos, pero no sabemos cómo. Y entonces, cuando un *vaquero del oeste al estilo Wyatt Earp* de nuestros días entra en escena, lo aplaudimos. Él está hablando por nosotros. «¡Ese es un camino que hay que seguir, defiéndase como pueda; esa es la manera en que hay que hacerlo!»

¿Es así? ¿Es ésa realmente la manera de hacerlo? Pensemos en nuestra ira por sólo un minuto. Ira. Es una peculiar y, sin embargo, predecible emoción. Comienza como una gota de agua. Como una irritación. Como una frustración. Nada grande, sólo algo que se hace cada vez más grave. Alguien ocupa su puesto de estacionamiento. Alguien se le atraviesa en la autopista. Una camarera es lenta y usted está de prisa. La tostada se quema. Gotas de agua. Drip, drip, drip, drip.

Sin embargo, obtenga suficientes de estas aparentemente inocentes gotas de ira y antes de que pase mucho tiempo habrá conseguido un balde lleno de furia. Venganza que viene. Amargura ciega. Odio desbocado. No confiamos en nadie y mostramos nuestros dientes a cualquiera que esté cerca. Nos convertimos en ambulantes bombas de tiempo que, precisamente dada la tensión y el temor, podrían explotar como el señor Goetz.

Ahora, ¿es esa una manera saludable de vivir? ¿Qué bien ha traído alguna vez el odio? ¿Qué esperanza ha creado alguna vez la ira? ¿Qué problemas han sido resueltos por la venganza? Nadie puede culpar al público americano por aplaudir al hombre que peleó y se defendió. Sin embargo, a medida que el atractivo va desapareciendo de tales actos, la realidad nos lleva a preguntarnos: ¿Qué bondad fue hecha? ¿Es esa realmente la manera de reducir la tasa de criminalidad? ¿Serán seguros, después de esto, los trenes subterráneos? ¿Están ahora las calles libres de temor? No. La ira no hace eso. La ira sólo alimenta un instinto primitivo de venganza que alimenta nuestro enojo que a su vez alimenta nuestra venganza que alimenta nuestra ira —usted ya tiene el cuadro. Los ciudadanos «vigilantes» no son la respuesta. Sin embargo, ¿qué debemos hacer? No podemos negar que nuestra ira existe. ¿Cómo podremos ponerle freno? Una buena opción se encuentra en Lucas 23:34. Aquí Jesús habla sobre la turba que lo mató. «Padre, perdónalos porque no saben lo que hacen».

¿Se ha preguntado usted alguna vez cómo fue que Jesús pudo mantenerse sin tomar represalias? ¿Se ha preguntado alguna vez cómo hizo para no perder los estribos? Aquí está la respuesta. Es la segunda parte de su declaración: «Porque no saben lo que hacen». Es como si Jesús considerara a esa multitud sedienta de sangre, hambrienta de muerte, como si fueran víctimas y no como asesinos. Es como si en sus rostros Él viera confusión en vez de odio. Es como si Él los considerara no como una turba militante, sino tal como Él los llamó: como «ovejas sin pastor».

«Ellos no saben lo que hacen».

Y cuando usted piensa sobre esto se da cuenta de que ellos no pensaron. No tenían ni la más leve idea de lo que estaban haciendo. Era una turba enloquecida, fuera de control, furiosa con algo que no podía ver, así que llevó las cosas demasiado lejos, toda la gente. Pero ellos no sabían lo que estaban haciendo.

Y lo que es peor, nosotros tampoco lo sabemos. Todavía, a pesar de que aborrezcamos reconocerlo, somos ovejas sin pastor. Todo lo que sabemos es que nacimos en algún momento del tiempo y estamos temerosos de la eternidad. Jugamos con las realidades del dolor y de la muerte. No podemos contestar nuestras propias preguntas sobre el amor y el sufrimiento. No podemos resolver el problema de envejecer. No sabemos cómo curar nuestros cuerpos o seguir junto a nuestra pareja. No podemos mantenernos fuera de la guerra. No podemos siquiera mantenernos alimentados.

Pablo habló por la humanidad cuando confesó: «Yo no sé qué es lo que estoy haciendo».[1]

Ahora, sé que eso no justifica nada. Eso no justifica a los conductores que se fugan de la escena de un accidente o a los vendedores de pornografía infantil o a los traficantes de heroína. Pero ayuda a explicar por qué ellos hacen esas cosas repugnantes.

Mi punto es este: Una ira descontrolada no hará mejor a nuestro mundo, pero un entendimiento sabio sí lo hará. Una vez que vemos al mundo y a nosotros mismos tal como somos, entonces podemos ayudar. Una vez que nosotros nos entendemos, comenzamos a vivir no desde una posición de ira sino de compasión y preocupación. No miramos al mundo con seños fruncidos sino con manos extendidas. Nos damos cuenta de que las luces están opacadas y que una cantidad de gente está tropezando en las tinieblas. Así que prendemos candeleros.

Como dijo Miguel Ángel: «Criticamos siendo creativos». En vez de defendernos, ayudamos. Vamos a los ghettos. Enseñamos en las escuelas. Construimos hospitales y ayudamos a los huérfanos... Y ¡claro! deponemos nuestras armas.

«Ellos no saben lo que hacen».

Una comprensión adecuada del mundo nos lleva a querer salvarlo, aun hasta morir por él. ¿Ira? La ira nunca hizo nada bueno a nadie. ¿Entendimiento? Bien, los resultados no son tan rápidos como la bala del ciudadano vigilante, pero son ciertamente mucho más constructivos.

---

1. Romanos 7:15, paráfrasis del autor.

4

El cuento del ladrón crucificado

«De cierto te digo que hoy estarás
conmigo en el paraíso».
Lucas 23:43

S i esta petición fue sorprendente, la respuesta concediéndola lo fue aun más. El sólo tratar de describir la escena es suficiente para hacer un cortocircuito en la más activa imaginación: ¿un ex convicto de aspecto rudo, pidiendo al Hijo de Dios vida eterna? No obstante trate de imaginar que la apelación haya sido concedida. Esto va mucho más allá del plano de la realidad, ingresando en lo absurdo.

Pero tan absurdo como pueda parecer, eso es exactamente lo que sucedió. El que merecía el infierno logró el cielo, y nos quedamos perplejos. ¡Dios mío! ¿Qué estaba tratando de enseñarnos Jesús con eso? ¿Qué estaba tratando de probar perdonando a este malhechor, quien con toda probabilidad nunca había mencionado la gracia, y mucho menos había hecho nada para merecerla?

Bueno, he llegado a formular a una teoría. Pero para explicarla debo contarle un cuento que usted tal vez no crea. Se trata de dos vagos que penetraron a un almacén en una gran ciudad. Entraron sin problemas, permaneciendo en ella lo suficiente para hacer lo que se habían propuesto, y escaparon sin ser vistos. Lo que es inusual acerca de la historia es lo que estos tipos hicieron. No tomaron nada, absolutamente nada. Ninguna mercancía fue robada. Ningún artículo fue removido. Pero lo que ellos hicieron fue tremendo.

En vez de robar, cambiaron el valor de todas las cosas. Las etiquetas con los precios fueron arrancadas. Los valores fueron cambiados. Estos hábiles malhechores quitaron la etiqueta de $395 de una cámara fotográfica y pegaron en ella la etiqueta de $5 de una caja de papelería. La etiqueta de $5.95 de un libro en empastado rústico fue removida y colocada en un motor fuera de borda. ¡Ellos revaloraron todas las cosas de la tienda!

¿Locos? Usted lo apostaría. Pero la parte más loca de esta historia tuvo lugar la mañana siguiente (usted no lo va a creer). La tienda abrió como de costumbre. Los empleados asistieron. Los clientes comenzaron a comprar. El lugar funcionó como de costumbre por cuatro horas antes de que alguien notara lo que había sucedido.

¡Cuatro horas! Algunas personas consiguieron grandes baratillos. Otros fueron estafados. Por cuatro largas horas nadie notó que todos los valores habían sido alterados.

¿Difícil de creer? No debería serlo; vemos suceder algo parecido todos los días. Estamos dominados por un distorsionado sistema de valores. Vemos las cosas más valiosas de nuestras vidas vendidas por centavos y los artículos más baratos costando millones.

Los ejemplos son abundantes y contundentes. He aquí unos pocos que he encontrado en la última semana. Un vendedor defendió sus prácticas ilegales diciendo: «No confundamos los negocios con la ética». Unos militares vendieron información de seguridad nacional por seis mil dólares, junto con su integridad. Un miembro de gabinete de una gran nación fue atrapado comerciando ilegalmente con piedras semipreciosas. ¿Su posición en el gabinete? Ministro de Justicia. Un padre confesó haber asesinado a su hija de doce años de edad. ¿La razón? Ella rehusó acostarse con él.

¿Por qué hacemos lo que hacemos? ¿Por qué tomamos lo que es a todo color y lo pintamos de blanco y negro? ¿Por qué son aceptadas las costumbres desacreditadas, mientras que las normas saludables parecen no tener sentido?

¿Qué hace que nosotros demos tanta importancia al cuerpo y degrademos el alma? ¿Qué hace que cuidemos el pie mientras contaminamos el corazón?

Nuestros valores están tergiversados. Alguien ha entrado en la tienda y ha cambiado todas las etiquetas de los precios. Las emociones aumentan en prioridad, pero la importancia de los seres humanos está todo el tiempo en niveles bajos.

Uno tiene que ser un filósofo para descubrir qué causó tal problema en las prioridades humanas. Todo comenzó cuando nos dejamos convencer de que el ser humano sólo vive el momento presente. Que el hombre no tiene sentido. Que nosotros estamos en un ciclo. Que no hay ninguna razón o rima para esta absurda existencia. De algún modo obtuvimos la idea de que carecemos de significado, atrapados en un pantano que no tiene destino. La tierra no es más que un mausoleo giratorio y el universo es algo sin propósito. La creación resultó por casualidad y la humanidad no tiene dirección.

Perfectamente sombrío, ¿verdad?

El segundo enunciado es aun peor. Si el hombre no tiene *destino*, entonces no tiene *deber*, obligación ni responsabilidad. Si el hombre no tiene destino, entonces no tiene una dirección o meta. Si el hombre no tiene destino, entonces ¿quién puede decir qué es lo correcto o qué está equivocado? ¿Quién se atreve a decirle a un esposo que no puede dejar a su esposa y su familia? ¿Quién va a decirle a usted que no puede abortar un feto? ¿Qué hay de malo en desecharlo? ¿Quién dice que no puedo pisotear a otro para llegar a la cima? ¿Está su sistema de valores contra el mío? El mundo proclama que no hay absolutos. Que no hay principios ni ética. No hay normas. La vida está reducida a los fines de semana, a los cheques de pago y a las emociones rápidas. El saldo de todo esto es un desastre.

«El existencialista —escribe Jean Paul Sartre— encuentra extremadamente embarazosa la idea de que Dios no exista, porque al desaparecer él, desaparece toda posibilidad de encontrar valores en un cielo inteligible... todo es en verdad permitido si Dios no existe, y el hombre está, en consecuencia, abandonado, porque no puede encontrar nada en qué depender ni dentro ni fuera de sí mismo».[1]

Si el hombre no tiene deber ni destino, el resultado lógico es que no tiene *valor*. Si el hombre no tiene futuro, no vale mucho. Vale, en efecto, tanto como un árbol o una roca. No hay diferencia. No hay razón de estar aquí, por eso no tiene sentido.

Y usted ha visto los resultados de esta filosofía. Nuestro sistema está descompuesto. Lo sentimos inútil y sin valor. Nos amontonamos. Jugamos juegos. Creamos falsos sistemas de valores. Decimos que usted es valioso si es hermoso. Decimos que usted es valioso si puede producir. Decimos que usted es valioso si puede hacer una buena jugada de baloncesto o producir música popular contemporánea pegajosa. Usted es valioso si su nombre comienza con un «Dr.» o tiene un «Ph.D» al final. Usted es valioso si gana un nutrido salario mensual y maneja un carro extranjero.

El valor de una persona es ahora medido bajo dos criterios: apariencia física y éxito financiero.

Hermoso sistema, ¿verdad? ¿Dónde deja a los retardados, a los feos o mal educados? ¿Dónde coloca a los viejos o a los minusválidos? ¿Qué esperanza ofrece al niño que todavía está por nacer? No mucha, después de todo. Llegamos a ser números sin nombre, listas extraviadas.

Ahora, por favor, entienda: este es el sistema de valores del hombre; no el de Dios. Su plan es mucho más brillante. Dios, con ojos relampagueantes, llega hasta el pizarrón del filósofo, borra el interminable y siempre repetitivo círculo de historia y lo reemplaza con una línea; una línea llena de esperanza, prometedora, una línea que se extiende. Y, observando sobre su hombro para ver si la clase está mirando, dibuja una flecha al final.

En el libro de Dios, el hombre es de suma importancia. Tiene un destino sorprendente. Estamos siendo preparados para desfilar por el pasillo central de la fe y llegar a ser la novia de Jesús. Vamos a vivir con Él. A compartir el trono con Él. A reinar con Él. Nosotros contamos. Somos valiosos. Y lo que es más, ¡nuestro valor es edificado desde adentro! Nuestro valor nace en nuestro interior.

Mire, si había algo que Jesús quería que todos entendiéramos era esto: una persona vale algo simplemente porque es una persona. Ese es el porqué Él trató a la gente como lo hizo. Piense acerca de esto. La muchacha sorprendida en inmoralidad a escondidas con quien nunca debía hacerlo, fue perdonada por Él. El leproso intocable que pidió ser tocado, lo fue por Él. Y el caso del ciego que pedía ayuda y que estorbaba en el camino, fue atendido por Él. Y aquel viejo nacido jorobado y paralítico adicto a la autocompasión cerca del estanque de Siloé, también fue curado por Él!

Y no olvide el caso clásico del estudio hecho por Lucas sobre el valor de una persona. El llamado «Cuento del ladrón crucificado».

Si alguna vez había algún hombre sin valor, era éste. Si alguien, alguna vez, mereció morir, probablemente haya sido este hombre. Si alguna vez existiera un perdedor, este tipo encabezaba la lista.

Tal vez esa es la razón por la cual Jesús lo escogió para mostrarnos lo que piensa sobre la raza humana.

Tal vez este criminal había oído hablar al Mesías. Tal vez lo había visto amar a los más humildes. Tal vez lo había visto comer con las prostitutas, los rateros y los malhablados en las calles. O tal vez no. Tal vez la única cosa que sabía sobre este Mesías era lo que ahora vio. Un predicador golpeado, azotado y colgado con unos clavos. Su rostro sucio de sangre seca, sus huesos visibles a través de la carne, sus pulmones procurando respirar.

Por alguna razón le pareció que nunca había estado en mejor compañía. Y de alguna manera se dio cuenta de que sólo le quedaba la opción de una oración, y él había encontrado finalmente a Quien él podía orar.

—¿No es posible que me bendigas? (Traducción libre.)

—Considéralo hecho.

Ahora, ¿por qué hizo Jesús eso? ¿Qué ganaría por prometer a este desesperado un lugar de honor en la mesa del banquete? ¿Qué podría ofrecer este desdichado y miserable en retribución? Si me refiero a la mujer samaritana, lo puedo entender. Ella podría regresar y contar el cuento. Y Zaqueo tenía algún dinero que podía dar, pero ¿y éste tipo? ¿Qué podía hacer? ¡Nada!

Precisamente. Escuche. Escuche atentamente. El amor de Jesús no depende de lo que nosotros hagamos por Él. No, de ninguna manera. Ante los ojos del Rey usted tiene valor simplemente porque usted existe. No tiene que lucir bonito o cumplir bien. Su valor es interno e intrínseco.

Punto.

Piense precisamente sobre esto por espacio de un minuto. Usted es valioso, no por lo que hace o por lo que ha hecho, sino simplemente porque usted es. Recuérdelo. Recuérdelo la próxima vez que alguien procure estorbar su claridad espiritual. Recuérdelo la próxima vez que algún travieso manipulador trate de colgarle el precio de una caneca de basura del sótano en su valor como persona. La próxima vez piense acerca de la manera en que Jesús lo honra... y sonría.

Yo lo hago. Sonrío porque sé que no merezco un amor como ese. Ninguno de nosotros lo merece. Ningún esfuerzo que nosotros hiciéramos sería suficiente. Todos nosotros —por puros que seamos— no merecemos el cielo como tampoco ese ladrón lo merecía. Pero nosotros hacemos valer la "tarjeta de crédito" de Jesús, no la nuestra.

Y esto también me hace sonreír; pensar que hay exconvictos caminado las calles de oro que conocen más acerca de la gracia que miles de teólogos. Esa insólita oración del ladrón en la cruz representaba lo único que tenía, pero fue lo único necesario, y Jesús lo recibió.

¡No se sorprenda de que lo llamen el Salvador!

---

1. Walter Kaufman. ed., *Existentialism from Dostoyevsky to Sartre*, New York, Meridian Books, 1956, (pp. 294-295).

5

Dejar es amar

«Mujer, he ahí tu hijo».
Juan 19:26

El evangelio está lleno de retóricos desafíos que prueban nuestra fe y chocan contra la naturaleza humana.

«Más bienaventurado es dar que recibir».[1]

«Porque todo el que quiera salvar su vida, la perderá; y todo el que pierda su vida por causa de mí, este la salvará».[2]

«No hay profeta sin honra, sino en su propia tierra y en su casa».[3] Pero ninguna afirmación es tan abrumadora o que cause miedo como aquella de Mateo 19:29. «Y cualquiera que haya dejado casas, o hermanos, o hermanas, o padre, o madre, o mujer, o hijos, o tierras, por mi nombre, recibirá cien veces más, y heredará la vida eterna».

La parte acerca de dejar tierras y campos, yo la puedo entender. Es la otra parte la que me causa confusión. Es la parte acerca de dejar padre y madre, decir adiós a hermanos y hermanas, provocar un beso de despedida en un hijo o hija. Es fácil relacionar el seguir a Cristo con la pobreza o la deshonra pública, pero ¿dejar mi familia? ¿Por qué tengo que dejar a aquellos que amo?

«Mujer, he ahí a tu hijo».

María es más vieja ahora. El pelo en sus sienes es gris. Las arrugas han reemplazado su joven piel y sus manos están callosas. Ella ha levantado una casa llena de niños. Y ahora contempla, resignada, la crucifixión de su primogénito.

Uno se pregunta qué memorias ella tiene en su mente mientras contempla esa tortura. El largo viaje hacia Belén, tal vez. Una cuna de niño acolchada con heno en un pesebre. Recuerda su familia fugitiva en Egipto. El hogar en Nazaret. Pánico en Jerusalén. «¡Pensé que él estaba contigo!» Lecciones de carpintería. Alegría en la mesa del hogar.

Y entonces en la mañana Jesús viene de la tienda, temprano, sus ojos más firmes, su voz más directa. Él había oído las noticias. «Juan está predicando en el desierto». Su hijo se quita su bolsa de clavos, desempolva sus manos, y con una última mirada dice adiós a su madre. Los dos sabían que nunca sería igual otra vez. En esa última mirada compartieron un secreto, lo inmensamente grande y doloroso que era decirlo en voz alta. María aprendió ese día el dolor de corazón que viene de decir «adiós». De allí en adelante ella iba a amar a su hijo a la distancia; en el extremo de una multitud, afuera de una casa llena de gente, o en la orilla del mar. Tal vez ella estaba allí, presente cuando la enigmática promesa fue hecha: «Cualquiera que haya dejado... madre... por causa de mí».

María no era la primera en ser llamada a decir adiós a los seres queridos por causa del reino. José fue llamado para ser un huérfano en Egipto. Jonás fue llamado para ser un extranjero en Nínive. Ana envió a su primer hijo a servir en el templo. Daniel fue enviado desde Jerusalén a Babilonia. Nehemías fue enviado de Susa a Jerusalén. Abraham fue enviado a sacrificar a su único hijo. Pablo tuvo que decir adiós a su herencia. La Biblia relaciona la huella de los adioses y las lágrimas de los adioses que manchan sus páginas.

En verdad parece que *adiós* es una palabra demasiado recurrente en el vocabulario cristiano. Los misioneros la conocen bien. Aquéllos que los envían también. El doctor que deja su consultorio de la ciudad para trabajar en el hospital de la selva la ha dicho. Igualmente el traductor de la Biblia que vive muy lejos del hogar. Aquellos que alimentan al hambriento. Los que enseñan a los perdidos. Los que ayudan a los pobres. Todos conocen la palabra «adiós».

Aeropuertos. Equipaje. Abrazos. Luces de cola. «¡Hazle señas a la abuela!» Lágrimas. Terminales de buses. Equipajes de barco. «Adiós, Papito». Gargantas apretadas. Controladores de boletos. Ojos empañados. «¡Escríbeme!»

Pregunta: ¿Qué clase de Dios pondría a la gente a pasar tal agonía? ¿Qué clase de Dios le daría a usted una familia y luego le pediría que la dejara? ¿Qué clase de Dios le daría amigos y luego le pediría que les dijera adiós?

Respuesta: Un Dios que sabe que el amor más profundo se edifica no en la pasión ni en el romance sino en la misión común y en el sacrificio.

Respuesta: Un Dios que sabe que somos solamente peregrinos y que la eternidad está tan cerca y que sabe que cualquier «adiós» es en verdad un «hasta mañana».

Respuesta: Un Dios que Él mismo pasó por la experiencia de decir «adiós».

«Mujer, he aquí tu hijo».

Juan puso su brazo alrededor de María un poco más apretadamente. Jesús le estaba pidiendo ser el hijo que una madre necesita y que en muchas maneras Él nunca fue.

Jesús miró a María. El dolor de su rostro provenía de uno mucho más grande que ese de los clavos y las espinas. En sus silenciosas miradas ellos una vez más compartieron un secreto. Y Él dijo adiós.

1. Hechos 20:35
2. Lucas 9:24
3. Mateo 13:57

6

El grito de la soledad

«*¿Dios mío, Dios mío,
por qué me has abandonado?*».
Mateo 27:46

Para aquellos de nosotros que lo soportamos, el verano de 1980 en Miami no era nada para sonreír. El calor de la Florida abrazaba la ciudad durante el día y la horneaba durante la noche. Motines, saqueos y la tensión racial amenazaban con desbordar las ya rebosantes emociones de la gente. Todo atormentaba: desempleo, inflación, la tasa de criminalidad, y especialmente el termómetro. En alguna parte, en medio de todo esto, un reportero del Miami Herald captó una historia que dejó a toda la costa de oro sin respiración. Era la historia de Judith Buckmell. Atractiva, joven, triunfadora ... y muerta.

Judith Buckmell era el homicidio número 160 de ese año. Ella fue asesinada en la calurosa noche del 9 de junio. Edad: 38. Peso: 50 kilos. Apuñalada siete veces. Estrangulada.

Ella guardaba un diario. Si ella no hubiera guardado ese diario, tal vez su memoria hubiera sido enterrada con su cuerpo. Pero el diario existe; un epitafio doloroso para una vida solitaria. El corresponsal que tomó su caso hizo este comentario sobre sus escritos:

«En sus diarios, Judith creó un personaje y una voz. El personaje es ella misma, melancólica, luchadora, abrumada; la voz es anhelante. Judith Buckmell has fallado en la realidad. Edad 38, muchos amantes, mucho amor ofrecido, ninguno retribuido».[1]

Sus luchas no eran inusuales. Se preocupaba de envejecer, de engordar, de casarse, de quedarse embarazada, y de ir pasando. Ella vivió en Coconut Grove (Coconut Grove es donde usted vive si es solitario, pero actúa como si fuera feliz).

Judith fue el parangón del ser humano confundido. La mitad de su vida era fantasía, la otra mitad una pesadilla. Exitosa como secretaria, perdedora en el amor. Su diario estaba repleto con cosas tales como las siguientes:

«¿Dónde están los hombres con las flores, la champaña y la música? ¿Dónde están los hombres que llaman y piden una cita verdadera y genuina? ¿Dónde están los hombres que quisieran compartir algo más que mi cama, mis bebidas, mi comida...? Me gustaría tener en mi vida, antes de pasar por ella, la clase de relación sexual que es parte de una relación de amor.[2]

Ella nunca la tuvo.

Judith no era una prostituta. Ella no estuvo involucrada en drogas o recibiendo asistencia social. Nunca fue a la cárcel ni fue una resentida social. Era respetable. Trotaba por los parques. Daba fiestas. Usaba vestidos de diseñador y tenía un apartamento desde el cual se admiraba la bahía. Y ella estaba muy solitaria.

«Veo a la gente junta y estoy tan celosa que quiero tirarme encima. ¿Qué me pasa? ¿Qué pasa conmigo?»

Aunque rodeada de gente, ella estaba en una isla. Aunque ella tenía muchas amistades, tuvo pocos amigos. Aunque tuvo muchos amantes (cincuenta y nueve en cincuenta y seis meses), ella tuvo poco amor.

«¿Quién va a amar a Judith Buckmell? —continúa el diario—. Me siento tan vieja. Sin amor. Sin nadie que me quiera. Abandonada. Usada. Quiero llorar y dormir para siempre».[3]

Un claro mensaje venía de sus dolorosas palabras. Aunque su cuerpo murió aquel 9 de junio por las heridas de un cuchillo, su corazón había muerto hacía mucho tiempo antes... de soledad.

«Estoy sola —describió— y quiero compartir algo con alguien».[4]

Soledad.

Es un grito. Un lamento, un gemido; es un alarido cuyo origen está en el fondo de nuestras almas.

¿Puede oírlo? El niño abandonado. El divorciado. El hogar silencioso. El buzón vacío. Los días largos. Las noches más largas. El que se queda solo una noche. Un cumpleaños olvidado. Un teléfono silencioso.

Gritos de soledad. Escuche nuevamente. Silencien el tráfico y apaguen el televisor. El grito está allí. Nuestras ciudades están llenas de Judith Buckmell. Usted puede oír sus gritos. Usted puede oírlos en el hogar de los convalecientes entre los suspiros y los torpes pies. Usted puede oírlos en las prisiones entre los lamentos de vergüenza y las peticiones de misericordia. Usted puede oírlos si camina por las arregladas calles de una América suburbana, entre las ambiciones abortadas y las reinas envejecientes que vuelven a casa. Escúchenlo en los vestíbulos de nuestras escuelas y colegios donde la fuerza de la presión se cambian las expresiones de «no tienes que hacerlo» por las de «tienes que hacerlo».

Este lamento en clave menor conoce todos los espectros de la sociedad. Desde el tope hasta el fondo. Desde los fracasados hasta los famosos. Desde los pobres hasta los ricos. Desde los casados hasta los solteros. Judith Buckmell no estaba sola.

Muchos de ustedes han podido pasar por alto este cruel grito. Oh, han tenido nostalgia o se han sentido mal una vez o dos. Pero ¿desesperación? Lejos de eso. ¿Suicidio? Por supuesto que no. Sea agradecido de que esto no ha golpeado su puerta. Ore que nunca suceda. Si todavía no ha peleado esta batalla usted es bienvenido para continuar leyendo si lo desea, pero yo realmente estoy escribiendo para alguien más.

Estoy escribiendo para aquellos que conocen este grito de primera mano. Estoy escribiendo para aquellos de ustedes cuyos días están ya en las últimas páginas del libro de los corazones rotos y noches largas. Lo estoy haciendo para aquellos que pueden encontrar una persona solitaria simplemente mirándose en el espejo. Para quienes la soledad es un estilo de vida. Las noches sin sueño. La cama solitaria. La desconfianza. El temor del mañana. La herida interminable.

¿Cuándo comenzó esto? ¿En su infancia? ¿En el divorcio? ¿En el retiro? ¿En el cementerio? ¿Cuando los hijos se fueron de la casa? Tal vez usted, como Judith Buckmell, ha engañado a todos. Nadie sabe que usted está solo. Por afuera se ve perfectamente. Su sonrisa es rápida. Su trabajo es estable. Sus vestidos son bien cortados. Su cintura es delgada. Su calendario está lleno. Su caminar enérgico y su conversación impresionante. Pero cuando usted mira en el espejo, usted no engaña a nadie. Cuando usted está solo la doble cara no existe y la realidad aflora.

O tal vez usted no trata de esconderlo y todos lo saben. Su conversación es un poco torpe, su compañerismo es rara vez solicitado. Sus vestidos son insulsos. Su apariencia es común. El Pato Donald es su héroe y Mark Twain su mentor. ¿Estoy en lo cierto? Si es así, si usted ha asentido o suspirado en señal de entendimiento, tengo un importante mensaje para usted.

El más desgarrador y escalofriante grito de soledad de la historia vino no de un prisionero o una viuda o un paciente. Vino de una colina, de una cruz, de un Mesías.

«¡Dios mío, Dios mío! —gritó— ¿por qué me has desamparado?»[5]

Nunca las palabras han llevado tanto dolor. Nunca alguien se ha sentido tan solitario.

La multitud se aquieta mientras el sacerdote recibe el cabrito; el puro, sin mancha. En solemne ceremonia él coloca sus manos sobre el joven animal. Mientras el pueblo observa, el sacerdote hace su proclamación. «Los pecados del pueblo sean sobre ti". El inocente animal recibe los pecados de los israelitas. Toda la lujuria, el adulterio y el engaño son transferidos de los pecadores a este cabrito, a este chivo expiatorio.

Él es entonces llevado a la orilla del bosque y soltado allí. Luego desaparece. El pecado debe ser purgado, por lo tanto el cabrito expiatorio es abandonado. «¡Corre, cabrito! ¡Corre!»

El pueblo es aliviado.

Jehová es apaciguado.

El que lleva el pecado está solo.[6]

Y ahora el que lleva el pecado está nuevamente solo. Toda mentira todo hurto, toda promesa quebrantada están sobre sus hombros. Él es hecho pecado.

Dios se voltea y se aleja. «¡Corre, cabrito! ¡Corre!»

La desesperación es más oscura que el cielo. Los que han sido uno, ahora son dos. Jesús, que había estado con Dios por la eternidad, está ahora solo. El Cristo, que fue una expresión de Dios, está abandonado. La Trinidad está desmantelada. El Dios Padre está desunido. La unidad está disuelta.

Esto es más de lo que Jesús puede llevar. Él soportó los golpes y permaneció fuerte ante los juicios de burla que le hacían. Observó en silencio cómo todos los que lo amaron corrieron lejos. No se desquitó cuando los insultos fueron lanzados contra Él, ni gritó cuando los clavos perforaron sus manos. Pero cuando Dios volteó su cabeza, eso era más de lo que podía soportar.

«¡Dios mío!» El grito sale de labios partidos e hinchados. El corazón santo está roto. El que lleva el pecado grita a medida que entra en la eterna tierra vacía. Del silencioso cielo vienen las palabras gritadas por todos los que caminan en el desierto de la soledad: «¿Por qué? ¿Por qué me has abandonado?»

No puedo entenderlo. Honestamente no puedo. ¿Por qué Jesús lo hizo? Oh, lo sé, lo sé; he oído las respuestas oficiales. «Para cumplir la vieja ley». «Para cumplir la profecía». Y estas respuestas son correctas. Lo son. Pero hay algo más aquí. Algo muy apasionante. Algo que es un lamento. Algo personal.

¿Qué es?

Puedo estar equivocado, pero me mantengo pensando en aquel diario. «Me siento abandonada —escribió ella. —¿Quien va a amar a Judith Buckmell? Y me mantengo pensando en los padres del niño muerto. O del amigo en la otra cama del hospital. O del anciano en el hogar de ancianos. O de los huérfanos. O de los cancerosos.

Me mantengo pensando en toda la gente que abre desesperadamente sus ojos buscando en las tinieblas de los cielos y gritando: «¿Por qué?»

Y me lo imagino a Él. Me lo imagino escuchando. Me hago un cuadro de sus ojos empañándose y de una mano limpiándose una lágrima. Y aunque Él no ofrece ninguna respuesta, aunque no resuelve ningún dilema, aunque la pregunta pueda quedar congelada dolorosamente en medio del aire, Él, quien también estuvo una vez solo, entiende.

1. Madeleine Blais, "Who's Going to Love Judy Bucknell? (Parte 1), Tropic Magazine, The Miami Herald 12 de octubre de 1980.
2. Ibid.
3. Ibid
4. Ibid
5. Mateo 27:46 Buenas Nuevas
6. Levítico 16:22 (Paráfrasis del autor)

7

Tengo sed

Después de esto, sabiendo Jesús
que todo ya estaba consumado, dijo,
para que la Escritura se cumpliese.
«Tengo sed».
Juan 19:28

I.

«Estoy cansado», suspiró. Así que se detuvo. «Anda tú adelante y consigue la comida. Yo descansaré aquí». Él estaba cansado. Los huesos se hacían sentir. Sus pies estaban inflamados, hinchados y heridos. Su cara estaba caliente. El sol del mediodía era calcinante. Él quería descansar. Por lo tanto se detuvo en el pozo, despidió a sus discípulos, se estiró un poco y se sentó. Pero antes de que pudiera cerrar sus ojos, he aquí que vino una mujer samaritana. Estaba sola. Tal vez eran las bolsas debajo de sus ojos o la manera en que ella se detuvo lo que hizo que Él se olvidara de cuán agotado estaba. «Cuán extraño que ella estuviera aquí al mediodía».

II.

«Tengo sueño. Estiró los brazos. Bostezó. Había sido un largo día. La multitud había sido grande; tan grande que predicando en la playa había probado que era una ocupación muy dura, así que había enseñado desde el borde de un barco de pesca. Y ahora la

43

noche había caído, y Jesús tenía sueño. «Si a ustedes no les importa, muchachos, voy a dormir un poco». Y así lo hizo. En una noche cubierta de nubes en el mar de Galilea, Dios se fue a dormir. Alguien le alcanzó una almohada y Él se fue al punto más seco del barco y se acostó a dormir. Tan profundo era su sueño que el trueno no lo despertó. Ni lo hizo el bamboleo del bote. Ni lo hizo el salpicar salado de las olas sacudidas por la tormenta. Solamente los gritos ahogados de algunos discípulos podían penetrar en su sueño.

III.

«Estoy enojado». Él no tuvo que decirlo; usted podía verlo en sus ojos. La cara roja. Las venas hinchadas. «¡Yo no voy a tolerar esto nunca más!» Y lo que era un templo se convirtió en una desigual pelea de taberna. Lo que hasta ahí había sido un día normal en el mercado llegó a ser un tumulto de un hombre. Y lo que era una sonrisa en el rostro del Hijo de Dios llegó a ser un gesto de disgusto. «¡Fuera de aquí!» La única cosa que voló más alto que las mesas fueron los pichones buscando su camino hacia la libertad. Un enojado Mesías dejó en claro su punto: «¡No continúen haciendo dinero de la religión, o Dios hará piel de vaca de ustedes!»

Estamos endeudados con Mateo, Marcos, Lucas y Juan por incluir estos rasgos de humanidad. Ellos no tenían que hacerlo, ustedes saben. Pero lo hicieron —y en el tiempo preciso.

Así como su divinidad es irreprochable, su santidad intocable y cuando su perfección llega a ser inimitable, suena el teléfono y una voz murmura: «Él era humano... no lo olviden... Él tenía carne».

Justamente en el preciso momento se nos recuerda que Aquél al cual oramos conoce nuestros sentimientos. Conoce la tentación. Se ha sentido desanimado. Ha tenido hambre, sueño y cansancio. Sabe lo que nosotros sentimos cuando suena el reloj de alarma. Sabe lo que nosotros sentimos y cómo nos sentimos cuando nuestros hijos quieren diferentes cosas al mismo tiempo. Él asiente con su cabeza en señal de entendimiento cuando oramos enojados. Él se conmueve cuando decimos que hay más que hacer que lo que puede ser hecho. Sonríe comprensiblemente cuando confesamos nuestra fatiga.

Pero estamos más endeudados con Juan por incluir el versículo 28 del capítulo 19. Dice, simplemente: «Tengo sed». Ese no es el Cristo. Ese es el sediento. Es el carpintero. Y esas son palabras de humanidad en medio de la divinidad.

Esta frase nos da el bosquejo preparado de nuestro sermón. Las otras seis afirmaciones son más de «carácter». Son gritos que nosotros esperaríamos: perdonar a los pecadores, prometer el paraíso, cuidar a su madre, aun el grito «Dios mío, Dios mío, ¿por qué me has abandonado?» es uno de poder. Pero, «¿tengo sed?

Justamente cuando teníamos ya todo figurado. Precisamente cuando la cruz estaba toda empacada y definida. Cuando el manuscrito estaba finalizado. Cuando habíamos inventado todas aquellas bonitas palabras terminadas en «ción» —santificación, justificación, propiciación y purificación. Justamente cuando pusimos nuestra gran cruz dorada en la cadena de oro, Él nos recuerda que el verbo se hizo carne.

Él quiere que nosotros recordemos que también era humano. Y quiere que nosotros conozcamos que también conocía la fatiga que viene con los días largos. Él quiere que nosotros recordemos que nuestra chaqueta de trabajo no usa chalecos a prueba de balas o guantes de caucho o un impenetrable traje de armadura. No; fue el pionero de nuestra salvación, a través del mundo que usted y yo encaramos diariamente.

Él es el Rey de reyes, el Señor de señores y la Palabra de Vida. Más que nunca Él es la estrella de la mañana, el cuerno de la salvación, y el Príncipe de paz.

Pero hay algunas horas cuando somos restaurados recordando que Dios se hizo carne y habitó entre nosotros. Nuestro Maestro sabía que esto significaba ser un carpintero crucificado que tuvo sed.

8

Compasión creativa

«Consumado es».
Juan 19:30

En el principio Dios creó los cielos y la tierra».[1] Eso es lo que dice. «Dios creó los cielos y la tierra». No dice: «Dios hizo los cielos y la tierra». Ni dice que Él «copió», «construyó», «desarrolló» o «produjo en masa» los cielos y la tierra. No, la palabra es «creó».

Y esa sola palabra dice mucho. Crear es algo muy diferente que construir. La diferencia es precisamente obvia. Construir algo compromete solamente las manos. Mientras que crear algo compromete el corazón y el alma.

Usted ha notado probablemente esto en su propia vida. Piense en algo que usted ha creado. Una pintura tal vez. O una canción. Esas líneas de poesía que usted nunca mostró a nadie. O aun la casa del perro en el patio trasero.

¿Cómo se siente acerca de esa creación? ¿Bien? Ojalá. ¿Orgulloso? ¿Inclusive protector? Debería. Una parte de usted vive en ese proyecto. Cuando usted crea algo, está poniéndose a usted mismo en ello. ¡Es mucho más grande que una asignación o tarea ordinaria; es una expresión suya!

Ahora, imagine la creatividad de Dios. De todo lo que nosotros no sabemos acerca de la Creación, hay una cosa que nosotros sí sabemos: Él lo hizo con una sonrisa. Él debe haber tenido una especie de estallido creativo. Pintar las rayas en la cebra, colgar las estrellas en el cielo. Poner el oro en la caída del sol. ¡Qué creatividad! Estirar el cuello de la jirafa. Poner la trepidación en las alas del pájaro burlón. Poner la risa en la hiena.

Qué tiempo tuvo Él. Como un carpintero silbador en su taller, amó cada parte de esto. Se puso a sí mismo en el trabajo. Tan intensa fue su creatividad que se tomó un día libre al final de la semana sólo para descansar.

Y luego, como final de un brillante acto, hizo al hombre. Con su típica sagacidad creativa comenzó con un montón de polvo sin ninguna utilidad, y terminó con una invalorable especie llamada «ser humano». Un ser humano que tuvo el único honor de usar el sello «a su imagen».

En este punto de la historia uno estaría tentado de saltar y aplaudir. «¡Bravo!» «¡Otra vez!» «¡Inigualable!» ¡Hermoso!» Pero el aplauso sería prematuro. El artista divino tiene todavía que quitar el velo a su más grande creación.

A medida que la historia se desarrolla, el demonio en forma de serpiente alimenta al hombre con una directiva y una manzana, y el glotón de Adán engulle ambas. Este único acto de rebelión pone en movimiento un dramático y errático cortejo entre Dios y el hombre. Aunque los personajes y las escenas cambian, el escenario se repite interminablemente. Dios, todavía el Creador apasionado, favorece a su creación. El hombre, la creación, alternativamente llega en arrepentimiento y corre en rebelión.

Es dentro de este simple escrito que la creatividad de Dios florece. Si usted pensó que Él era imaginativo con el mar y con las estrellas, ¡sólo espérese hasta ver lo que hace para conseguir que su creación lo escuche!

Por ejemplo:

Una mujer de noventa años queda embarazada.

Una mujer se convierte en sal.

Una inundación cubre la tierra.

Un arbusto arde ¡pero no se quema!

El Mar Rojo se abre en dos.

Las murallas de Jericó caen.

Desde el cielo llueve fuego.

Un asno habla.

¡Diga algo acerca de estos actos especiales!

Pero a pesar de ser tan ingeniosos, todavía no se pueden comparar con lo que está por venir.

Llegando al clímax de la historia, Dios, motivado por el amor, y dirigido por la divinidad, sorprende a todos. Se hace hombre. En un misterio intocable, se disfraza como un carpintero y vive en una polvorienta aldea de Judá. Determinado a probar su amor por su creación, camina de incógnito en su propio mundo. Las manos encallecidas tocan heridas, y sus palabras compasivas tocan corazones. Él llega a ser uno de nosotros.

¿Ha visto alguna vez tal determinación? ¿Ha sido alguna vez testigo de tal deseo de comunicarse? Si una cosa no funciona, Él trataría otra. Si un acercamiento fallara, Él trataría uno nuevo. Su mente nunca se detuvo. «Dios, habiendo hablado muchas veces y de muchas maneras —escribe el autor de Hebreos—, en estos postreros días nos ha hablado por el Hijo».

Pero, hermoso como fue este acto de encarnación en su comienzo, no lo fue así en el cenit. Como un pintor maestro, Dios reservó su obra de arte hasta el fin. Todos los anteriores actos de amor lo habían conducido a éste. Los ángeles se detuvieron y los cielos hicieron una pausa para contemplar el final. Dios corre el lienzo y el último acto de compasión creativa es revelado.

Dios en una cruz.

El Creador siendo sacrificado por la Creación.

Dios convenciendo al hombre una vez y por todas de que el perdón todavía sigue al fracaso.

Yo me pregunto si mientras estaba en la cruz el Creador permitió que sus pensamientos volvieran al principio. Uno se pregunta si Él permitió que miríadas de rostros y de actos desfilaran por su memoria. ¿Hizo Él reminiscencias de la creación del cielo y del mar? ¿Revivió Él las conversaciones con Abraham y Moisés? ¿Recordó Él las plagas y las promesas, el desierto y los viajes? No sabemos.

Sabemos, sin embargo, lo que dijo: «Consumado es».

La misión estaba terminada. Todo lo que el pintor maestro necesitaba hacer ya estaba hecho, y todo estaba hecho en esplendor. Su creación podía ahora venir a casa.

«¡Consumado es!», gritó.

El gran Creador fue a casa.

Él no está descansando. Sus incansables manos están preparando una ciudad tan gloriosa que aun lo ángeles disputarán entre sí para verla. Considerando lo que Él ha hecho, esa es una creación que yo pienso ver.

1. Génesis 1:1, itálicas del autor
2. Hebreos 1:1-2, itálicas del autor

9

Consumado es

«*Consumado es*».
Juan 19:30

Hace varios años, Paul Simon y Art Garfunkel nos encantaron a todos con la canción de un pobre muchacho que fue a Nueva York en busca de su sueño, y cayó víctima de la vida dura de la ciudad. Sin un centavo, con sólo extraños como amigos, «pasó sus días tirado, buscando los lugares donde se reunían los más pobres, buscando los lugares que sólo ellos conocían».[1]

Es fácil pintar un cuadro de este joven ladronzuelo, cara sucia y vestidos usados, buscando trabajo sin encontrar ninguno. Él camina trabajosamente por las aceras y se bate con el frío, y sueña con ir a cualquier lugar, «adonde los inviernos de Nueva York no me hagan sangrar, al dirigirme a casa».

Él acaricia el pensamiento de desistir, de regresar a su tierra. De darse por vencido; algo que nunca antes pensó hacer.

Pero justamente cuando él está dispuesto a «tirar la toalla», encuentra a un boxeador. ¿Recuerda estas palabras?

En el "ring" está el boxeador y peleador espontáneo. Lleva el recuerdo del viento que lo tiró al suelo o que lo cortó hasta que tuvo que gritar en su ira y vergüenza: «¡Me voy! ¡Me voy!» Pero el peleador aún permanece.[2]

«El peleador todavía permanece». Hay algo magnético en esa frase. Suena a franqueza.

Raros son aquellos que pueden permanecer como el boxeador. No necesariamente quiero decir ganar, sólo quiero decir permanecer. Estar allí. Fin. Pegarse a eso hasta que sea hecho. Pero desgraciadamente, muy pocos de nosotros lo hacemos. Nuestra tendencia es detenernos antes de cruzar la línea final.

Nuestra incapacidad de terminar lo que comenzamos es vista en las cosas más pequeñas:

Un césped parcialmente cortado.

Un libro a medio leer.

Cartas comenzadas pero nunca terminadas.

Una dieta abandonada.

Un auto subido sobre bloques.

O se muestra en las áreas más dolorosas de la vida:

Un niño abandonado.

Una fe fría.

Un trabajo inestable.

Un matrimonio destruido.

Un mundo no evangelizado.

¿Estoy tocando algunas heridas dolorosas? ¿De cualquier manera me estoy dirigiendo a alguien que está considerando darse por vencido? Si lo estoy haciendo así, quiero animarle a permanecer, quiero animarle a recordar la determinación de Jesús.

Jesús no desistió. Pero no piense ni por un minuto que Él no fue tentado a hacerlo. Mírelo retroceder cuando oye a sus apóstoles maldecir y reñir. Mírelo llorar cuando se sienta en la tumba de Lázaro u óigalo gemir mientras se postra en el suelo de Getsemaní.

¿Nunca quiso Él desistir? Usted gana.

Por eso es que sus palabras son tan espléndidas.

«Consumado es».

Deténgase y escuche. ¿Puede usted imaginar ese grito desde la cruz? El cielo está oscuro. Las otras dos víctimas están lamentándose. Las bocas blasfemas están calladas. Tal vez hay truenos. Tal vez llanto. Tal vez silencio... Entonces Jesús exclama. En un profundo suspiro empuja sus pies hacia abajo sobre ese clavo romano y grita:

«¡Consumado es!»

¿Qué fue consumado? La larga historia del plan de redención del hombre estaba terminada. El mensaje de Dios al hombre estaba concluido. Las obras hechas por Jesús como hombre en la tierra estaban ahora terminadas. La tarea de seleccionar y entrenar embajadores estaba finalizada. El trabajo estaba terminado. La canción había sido cantada. La sangre había sido derramada. El sacrificio había sido hecho. El aguijón de la muerte había sido quitado.

Estaba concluido.

¿Un grito de derrota? Difícilmente. Si sus manos no hubieran estado amarradas a la cruz, me atrevería a decir que un puño elevado y triunfante hubiera golpeado el oscuro cielo. No; este no es un grito de desesperación. Es un grito de finalización. Un grito de victoria. Un grito de cumplimiento. Sí, inclusive un grito de alivio.

El peleador permaneció. Y gracias a Dios que lo hizo. Gracias a Dios que soportó.

¿Está usted a punto de desistir? Por favor, no lo haga. ¿Está usted desanimado como padre? permanezca allí. ¿Está usted fatigado de hacer lo bueno? Hágalo un poco más. ¿Está usted pesimista acerca de su trabajo? Arremánguese y hágalo otra vez. ¿No hay comunicación en su matrimonio? déle un toque más. ¿No puede resistir la tentación? Acepte el perdón de Dios y diríjase a otro «round». ¿Está su día abrumado con pesar y desilusión? ¿Están sus «mañanas» convirtiéndose en «nuncas» ¿Es «esperanza» una palabra olvidada?

Recuerde, el que termina no es el que no tiene heridas o el que no está fatigado. Todo lo contrario; como el boxeador, está maltratado y sangrante. A la madre Teresa se le acredita el decir: «Dios no nos llamó para ser exitosos, sino para ser fervorosos». El peleador, como nuestro Maestro, está herido y lleno de dolor. Como Pablo, puede aun ser atado y golpeado, pero permanece.

La tierra de la promesa, dice Jesús, espera a aquellos que soportan. Esta no es solamente para aquellos que dan la vuelta de la victoria o beben champaña. No, señor. La tierra de la promesa es para aquellos que simplemente permanecen hasta el fin.

Soportemos.

Escuche a este coro de versos diseñado para darnos el poder que permanece:

«Hermanos míos, tened por sumo gozo cuando os halléis en diversas pruebas, sabiendo que la prueba de vuestra fe produce paciencia.»[4]

«Por lo cual, levantad las manos caídas y las rodillas paralizadas; y haced sendas derechas para vuestros pies, para que lo cojo no se salga del camino sino que sea sanado.»[5]

«No nos cansemos, pues, de hacer bien, porque a su tiempo segaremos si no desmayamos».[6]

«He peleado la buena batalla, he acabado la carrera, he guardado la fe. Por lo demás, me está guardada la corona de justicia, la cual me dará el Señor, como es justo, en aquel día, y no es sólo a mí, sino a todos los que aman su venida».[7]

Bienaventurado el varón que soporta la tentación; porque cuando haya resistido la prueba, recibirá la corona de vida que Dios ha prometido a los que le aman».[8]

Gracias a ti, Paul Simon. Gracias a ti, apóstol Pablo. Gracias a ti, apóstol Santiago. Pero más que todo, gracias a ti, Señor Jesús, por enseñarnos a permanecer, a soportar, y en el fin, a terminar.

1. «The Boxer» por Paul Simon (©) 1968
2. Ibid
3. Mateo 10:12
4. Santiago 1:2-3
5. Hebreos 12:12-13 RSV
6. Gálatas 6:9
7. 2 Timoteo 4:7-9
8. Santiago 1:12

10

Llévame a casa

*«Padre, en tus manos
encomiendo mi espíritu».*
Lucas 23:46

Si fuera una guerra —éste sería el resultado.
Si fuera una sinfonía —éste sería el instante entre
    la nota final y el primer aplauso.
Si fuera un viaje —ésta sería la vista del hogar.
Si fuera una tormenta este sería el sol rompiendo
    las nubes.
Pero no fue esto. Fue un Mesías. Y este fue un suspiro
    de sumo gozo.

«¡Padre!» (La voz está enronquecida).
La voz que llamó a los muertos para resucitarlos.
la voz que enseñó la buena voluntad,
la voz que clamó a Dios, ahora dice:
    «¡Padre!»
    «Padre».

Los dos son nuevamente uno.
El abandonado es ahora encontrado.
El abismo tiene ahora un puente.

«Padre». Sonríe débilmente. «Consumado es».
Los buitres de Satanás han sido espantados.
Los demonios del infierno han sido encarcelados.
La muerte ha sido vencida.
El sol ha salido,
el Hijo ha salido.

Está terminado.
Un ángel suspira. Una estrella se seca una lágrima.

«Llévame a casa».
Sí, llévalo a casa.
Lleva a este príncipe a su reino.
Lleva a este hijo a su padre.
Lleva a este peregrino a su hogar.
(Merece un descanso).

«Llévame a casa».
¡Vengan diez mil ángeles! ¡Vengan y lleven
   ¡a este herido trovador a la cuna,
   a los brazos de su padre!

A Dios, pesebre de niño.
Bendito Santo Embajador.
Ven a casa, Vencedor de la Muerte.
Descansa bien, Dulce Soldado.
La batalla ha terminado.

La cruz:
Sus testigos

11

¡Quién hubiera creído!

Es viernes por la mañana. La noticia está corriendo por las calles de Jesuralén como el fuego en un bosque seco. «¡Están ejecutando al Nazareno!» Desde el pórtico de Salomón hasta la puerta de oro la gente pasa la voz. «¿Han oído? ¡Han agarrado al Galileo!» «Yo sabía que Él no iría demasiado lejos». «¿Lo han apresado? ¡No lo creo!» «Dicen que uno de sus hombres lo ha entregado».

Nicodemo está a punto de desertar de su grupo.
Las tumbas van a abrirse con un ruido seco.
Un terremoto sacudirá la ciudad.
Las cortinas del templo serán rasgadas en dos.
Sacudimiento, aturdimiento, confusión.

Unos pocos lloran. Unos pocos sonríen. Unos pocos suben a la colina para observar el espectáculo. Unos pocos están irritados porque la santidad de la pascua está siendo violada por un puñado de activistas sociales. Algunos se preguntan en voz alta si éste era el mismo hombre que fue festejado solamente hacía unos pocos días sobre una alfombra de hojas de palma. «¡Cuánto puede suceder en siete días!», comentan.

Es mucho lo que puede suceder en sólo un día.

Sólo pregúntele a María. ¿Quién podría haber convencido ayer a esta madre que el día de hoy se encontraría a unos pocos metros del rasgado cuerpo de su hijo? ¿Quién podría haber convencido a Juan el jueves que estaba sólo a veinticuatro horas de ungir el cadáver de su héroe? ¿Y a Pilato? ¿Quién podría haberlo convencido de que estaba cerca de pasar el juicio del Hijo de Dios? Es mucho lo que puede suceder en veinticuatro horas.

Pedro puede decirles. Si usted le hubiera dicho ayer a este orgulloso y devoto discípulo que esta mañana lo encontraría en el pozo de la culpa y de la vergüenza, él le habría proclamado su lealtad. Los otros diez apóstoles pueden contarles. Para ellos esas mismas veinticuatro horas les trajeron tanta ostentación como traición. Y Judas... ¡Oh, digno de lástima Judas! Ayer él era determinado y desafiante. Esta mañana está muerto, ahorcado con su propio cinturón. Su cuerpo balanceante eclipsa el sol de la mañana. Nadie ha quedado indemne. Nadie.

La inmensidad de la ejecución del Nazareno hace imposible olvidar. ¿Ven a las mujeres discutiendo en la esquina? Se dice que el sujeto es el Nazareno. ¿Aquellas dos mujeres en el mercado? Están dando su opinión sobre el autoproclamado Mesías. ¿Los incontables peregrinos que entran a Jerusalén para la pascua? Ellos regresarán a casa con una historia del «Maestro que se levantó de los muertos». Cada uno tendrá su opinión. Cada uno está escogiendo un lado. Ustedes no pueden ser neutrales en un asunto como éste. ¿Apatía? No esta vez. Es un lado o el otro. Todos tienen que escoger.

Y escogieron.

Por cada solapado Caifás había un atrevido Nicodemo. Por cada cínico Herodes había un cuestionado Pilato. Por cada ladrón bocón había alguien buscando la verdad. Por cada renegado Judas había un fiel Juan.

Había algo sobre la crucifixión que hacía que cada testigo diera un paso, o hacia ella, o alejándose de ella. Simultáneamente, la crucifixión atraía y repelía.

Y ahora, dos mil años más tarde, es lo mismo. Es la línea divisoria de vertientes de aguas. Es Normandía. Es como la guerra del Golfo. Y usted está, ya sea de un lado o del otro. Se demanda una elección. Podemos hacer lo que queremos con la cruz. Podemos examinar su historia. Podemos estudiar su teología. Podemos reflexionar sobre sus profecías. Sin embargo, la única cosa que no podemos hacer es quedarnos en neutro. Ninguna cerca es permitida. La cruz, en su absurdo esplendor, no permite eso. Eso es un lujo que Dios, en su tremenda misericordia, no permite.

¿De qué lado está usted?

12

Rostros en la multitud

Dos tipos de personas fueron tocadas por la cruz: aquéllos tocados porque lo escogieron y aquéllos tocados sin querer. Entre los últimos, algunos cuentos intrigantes todavía se narran.

I

Tomen a Malco, por ejemplo. Como sirviente del Sumo Sacerdote, él estaba sólo haciendo su trabajo en el jardín. Sin embargo, esta actividad rutinaria hubiera sido su última si él no hubiera sido rápido para esquivar. Las antorchas dieron suficiente luz para que él pudiera ver el resplandor de la espada, y «¡suash!» Malco se echó hacia atrás lo suficiente para salvar su cuello, aunque no su oreja. Pedro se ganó una reprimenda y Malco se ganó un toque de sanidad, y el evento es historia.

Historia, eso es para todos menos para Malco. Si no hubiera sido por el cuento que contaba la mancha de sangre en su capa, él podía haberse despertado a la mañana siguiente hablando de un sueño loco que había tenido. Algunos creen que Malco fue más tarde contado entre los creyentes en Jerusalén. No sabemos con seguridad. Pero podemos estar seguros de una cosa: Desde esa noche en adelante, dondequiera que Malco oyera a la gente hablar de aquel carpintero que se levantó de los muertos, él ya no se burlaría. No; él se hubiera estirado el lóbulo de su oreja y hubiera sabido que era posible.

II

Sucedió demasiado rápido. Hace un minuto Barrabás estaba en su celda de condenado a muerte, jugando «ta-te-ti» (tres en línea) en las sucias paredes. Al siguiente minuto estaba afuera, tratando de defender sus ojos del brillo del sol.

—Estás libre para irte.

Barrabás se rascó su barba:

—¿Qué?

—Estás libre. Ellos agarraron al Nazareno en tu lugar.

Barrabás ha sido a menudo comparado con la humanidad, y en verdad así es. De muchas maneras él nos representa: Un prisionero que fue liberado porque alguien a quien nunca había visto tomó su lugar. Pero yo creo que Barrabás fue probablemente mucho más inteligente de lo que nosotros somos, en un aspecto.

Hasta donde sabemos, él tomó su repentina libertad como era, un don inmerecido. Alguien le había alcanzado un salvavidas y él lo agarró, sin hacer preguntas. Ustedes no podrían imaginar a este hombre haciendo algunos de nuestros absurdos. Tomamos nuestro regalo gratuito y tratamos de ganarlo, o de diagnosticarlo, o de pagar por él, en vez de simplemente decir «gracias» y aceptarlo.

Irónico como pueda parecer, una de las cosas más difíciles de hacer es ser salvado por gracia. Hay algo en nosotros que reacciona contra el don gratuito de Dios. Tenemos alguna extraña compulsión para crear leyes, sistemas y regulaciones que «nos harán dignos» del regalo.

¿Por qué hacemos esto? La única razón que puedo figurarme es el orgullo. Aceptar la gracia significa aceptar su necesidad, y a la mayoría de los individuos no les gusta hacer esto. Aceptar la gracia también significa que uno se da cuenta de su desesperación, y la mayoría de la gente no es demasiado perspicaz para hacer eso tampoco. Barrabás, sin embargo, lo sabía mejor que nadie. Sin esperanza, encerrado en la galería de la muerte, no iba a desbaratar una concedida suspensión de ejecución. Tal vez él no entendió la misericordia, y seguramente no la merecía, pero no iba a rehusarla. Nosotros podríamos hacer bien en darnos cuenta que nuestro empeño no era muy diferente que ese de Barrabás. Nosotros también somos prisioneros sin oportunidad para apelar. Pero, ¿por qué algunos prefieren permanecer en prisión mientras la puerta de la celda ha sido abierta? Es un misterio digno de ponderar.

III

Si es verdad que un cuadro pinta mil palabras, entonces hubo un centurión romano que consiguió un diccionario completo. Todo lo que él hizo fue ver sufrir a Jesús. Nunca lo escuchó predicar ni lo vio curar, ni lo siguió en medio de las multitudes. Nunca lo vio reprender al viento; él sólo vio la manera en que murió. Pero eso fue todo lo que necesitó este soldado curtido por el sol y por el viento para dar un gigantesco paso de fe. «Ciertamente, este era un hombre recto».[1]

Eso dice mucho, ¿no es verdad? Dice que la rueda de caucho de la fe encuentra el camino de la realidad solamente bajo la dureza. Dice que lo verdadero de la creencia de alguien se revela en el dolor. Lo genuino y el carácter quedan al descubierto en la desgracia. La fe no está en su mejor concepción cuando vamos vestidos de tres piezas los domingos por la mañana o a las escuelas bíblicas de verano. La fe se manifiesta en su mejor forma en las camas de los hospitales, en las salas de cáncer, y en los cementerios.

Tal vez eso fue lo que movió a este viejo y curtido soldado. La serenidad en el sufrimiento es un conmovedor testimonio. Cualquiera puede predicar un sermón en un monte rodeado por margaritas. Pero sólo alguien con unas entrañas llenas de fe puede vivir un sermón en una montaña de dolor.

1.   Lucas 23:47

13

Bueno... casi

C*asi* es una palabra triste en cualquier diccionario.
«Casi». Va junto con «cerca», «la próxima vez» «si solamente». Es una palabra que suaviza las oportunidades perdidas, los esfuerzos abortados y las oportunidades que no hemos aprovechado. Es una mención honorable, algo que aparece como correcto. Es lo que da en el punto. Y es lo que justifica las galletas quemadas.

Casi. Lo que se fue. La venta que por poco se hace. El juego que casi hacemos nuestro. Casi.

¿Cuántas personas saben que su reclamo de la fama es un casi?

«¿Les conté de aquella ocasión en la que casi fui seleccionado como el empleado del año?»

«Dicen que él casi formó parte de las Grandes Ligas».

«¡Pesqué un bagre que era más grande que yo! Bueno... casi».

Desde que ha existido gente, han habido casis. Personas que *casi* ganaron la batalla, que *casi* treparon la montaña, que *casi* encontraron el tesoro.

Uno de los más famosos «casis» se encuentra en la Biblia. Pilato. Sin embargo, lo que él perdió era algo mucho más significante que un bagre o un premio.

Él casi lleva a cabo lo que hubiera sido el más grande acto de misericordia de la historia. Él casi perdonó al Príncipe de Paz. Él casi puso en libertad al Hijo de Dios. Él casi optó por aceptar al Cristo. Casi. Él tenía el poder. Él tenía la decisión. Él usaba el anillo con el que se sellaban las órdenes. La opción de libertar al Hijo de Dios fue su..., y él casi lo hizo. ¿Cuántas veces estas cuatro feas letras encontraron su destino en epitafios de desesperación? «Él casi logró juntarlos». «Ella casi escogió no dejarlo». «Ellos casi trataron una vez más». «Nosotros casi lo hicimos funcionar». «Él casi llegó a ser un cristiano». ¿Qué es lo que hace a *casi* una palabra tan potente? ¿Por qué hay tanto espacio entre «él casi lo hizo» y «él lo hizo?» En el caso de Pilato, no tenemos que buscar mucho para encontrar una respuesta. Es el agudo comentario del doctor Lucas en el capítulo 23 que provee la razón. Veamos lo que dice en el versículo 22 y 23:

> *«El les dijo por tercera vez: ¿Pues qué mal ha hecho éste? Ningún delito digno de muerte he hallado en Él; lo castigaré, pues y lo soltaré».*

«Mas ellos estaban a grandes voces pidiendo que fuese crucificado. *Y las voces de ellos y de los principales sacerdotes prevalecieron*». *(Itálicas mías, RSV).*

Tú tienes razón, Lucas. Las voces de ellos prevalecieron. Y como resultado, el orgullo de Pilato prevaleció. El temor de Pilato prevaleció. El poder de Pilato para colgar a alguien prevaleció. «De ellos». Sus voces no fueron las únicas voces, ustedes saben. Hubo por lo menos otras tres voces que Pilato pudo haber oído.

Él pudo haber oído la voz de Jesús. Pilato lo vio, ojo a ojo. Cinco veces pospuso la decisión de agradar a la multitud con políticas de azotes.[1] Sin embargo, Jesús fue siempre enviado de vuelta a él. Tres veces lo tuvo en frente y estuvo ojo con ojo con este nazareno que había venido a revelar la verdad. «¿Qué es la verdad?», preguntó Pilato retóricamente? (¿o lo hizo honestamente?) El silencio de Jesús fue mucho más alto que las demandas de la multitud. Pero Pilato no escuchó.

Él pudo haber escuchado la voz de su esposa. Ella le pedía «no tengas nada que ver con ese justo; porque hoy he padecido mucho en sueños por causa de Él».[2] Cualquiera se hubiera detenido y se hubiera preguntado acerca del origen de tal sueño, que hacía que una dama de púrpura llamara justo a este galileo de un pequeño pueblo. Pero Pilato no lo hizo.

O él pudo haber escuchado su propia voz. Seguramente pudo ver a través del frontispicio. «Anás y Caifás cortaron la falsa lealtad, tú tratas de mantenerla; yo sé dónde están tus intereses». Seguramente su conciencia le iba a hablar.«No hay nada equivocado con este hombre. Un poco misterioso tal vez, pero esa no es una razón para colgarlo».

Él pudo haber escuchado otras voces, pero no lo hizo. Él casi lo hizo. Pero no lo hizo. Las voces de Satanás prevalecieron.

Su voz a menudo prevalece. ¿Ha oído sus galanteos?

«Una vez no hace daño».

«Ella nunca lo sabrá».

«Todo el mundo hace cosas peores».

«Al menos tú no eres un hipócrita».

Su retórica de racionalización nunca termina. El padre de mentiras canturrea y habla lisonjas como un viajero vendedor de baratijas, prometiendo la luna y entregando desastres. «Da el paso adelante. Prueba mi porción de placer y canta mi canción de sensualidad. Después de todo, ¿quién sabe lo que pasará mañana?»

Dios, mientras tanto, nunca entra en una pelea con Satanás. La verdad no necesita ser gritada. Él está allí permanente y tranquilamente defendiendo su verdad. Siempre presente. Nada de trucos, nada de espectáculos, nada de tentaciones, sólo mostrando una abierta prueba de su realidad.

Las reacciones de la gente varían. Algunos corren inmediatamente al vendedor de veneno. Otros se vuelven rápidamente al Príncipe de Paz. La mayoría de nosotros, sin embargo, somos atrapados en algún punto entre los argumentos de la multitud que pertenece a Satanás y entre lo que oímos el mensaje de Dios.

Pilato aprendió que el significado de la disculpa del «casi», es suicida. Las otras voces ganarán. Su poder es demasiado fuerte. Su llamado demasiado atractivo. Y Pilato también aprendió que no hay infierno más oscuro que el infierno del remordimiento. Lavar tus manos mil veces no te librará de la culpa de una oportunidad no tenida en cuenta. Es algo así como tratar de perdonarte a ti mismo por algo que hiciste. Es algo más que tratar de perdonarte a ti mismo por algo que tú podías haber hecho, pero que no hiciste.

Jesús sabía eso demasiado bien. Por nuestro propio bien, Él demandó y demanda absoluta obediencia. Nunca ha tenido lugar para «casi» en su vocabulario. O usted está con Él o está contra Él. Con Jesús los «casi» han llegado a ser «ciertamente». «A veces» ha llegado a ser «siempre». «Si sólo» ha llegado a ser «negligente». Y «la próxima vez», ha llegado a ser «esta vez».

No; Jesús no tuvo espacio para «casi», y todavía no lo tiene. «Casi», debe tener algún valor en los cascos de los caballos y en las granadas de mano, pero con el Maestro es como decir «nunca».

1.   Mateo 27:19, RSV
2.   Lucas 23:4, 7, 17, 20, 22

14

Los diez que corrieron

Hay algo impactante en el simple hecho de que los discípulos se volvieran a juntar. Me refiero al hecho que ellos tenían que haber estado muy avergonzados. Mientras se sentaban uno junto al otro ese domingo deben haberse sentido un poco tontos. Sólo dos noches antes la cocina se había calentado y ellos habían salido corriendo. Fue como si alguien hubiera lanzado una olla de agua hirviendo sobre un montón de gatos. ¡Bang! Todos escaparon. No pararon hasta que llegaron a todo posible hueco que había en Jerusalén.

¿Se ha preguntado alguna vez qué es lo que los discípulos hicieron ese fin de semana? Yo lo he hecho. Me he preguntado si algunos fueron por las calles o se quedaron pensando en casa. Me he preguntado qué dijeron cuando la gente les preguntó qué había pasado. «Este... bueno... como ustedes saben...» Me he preguntado si permanecieron de dos en dos o en pequeños grupos, o solos cada uno. Me he preguntado qué pensaron, qué es lo que sintieron.

«Tuvimos que correr». «¡Nos hubieran matado a todos!» «No entiendo qué pasó».

«Lo dejamos a Él allí».

«¡Él tendría que habernos advertido!»

Me he preguntado cuál de ellos estaba cuando el cielo se oscureció. Me he preguntado si estaban cerca del templo cuando la cortina se rasgó. ¿O cerca del cementerio cuando las tumbas se abrieron? Me he preguntado si algunos de ellos quisieron volver sigilosamente a la colina y mezclarse entre la multitud y contemplar las tres siluetas allí en la colina. Nadie sabe. Esas horas quedan para la especulación. Ninguna culpa, ningún temor, ninguna duda están registradas.

Pero sabemos una cosa. Ellos regresaron lentamente. Uno a uno. Regresaron. Mateo, Natanael, Andrés. Salieron de sus escondites. Salieron de las sombras. Santiago, Pedro, Tadeo. Tal vez algunos estaban ya camino de su casa, de vuelta a Galilea, pero dieron la vuelta y regresaron. Tal vez otros se habían dado por vencidos en disgusto, pero cambiaron de parecer. Tal vez otros estaban llenos de vergüenza, pero aun así volvieron.

Uno a uno apareció en el mismo aposento alto. (Tienen que haber hallado consuelo al encontrar a otros allí).

De todas las secciones de la ciudad aparecieron. Demasiado convencidos de ir a casa. Sin embargo, también demasiado confundidos para ir a casa. Cada uno con una desesperante esperanza de que todo había sido una pesadilla o una broma cruel. Cada uno esperando encontrar alguna clase de solaz. De estar juntos. Volvieron. Algo en su naturaleza se rehusaba a permitir que ellos se dieran por vencidos. Algo en aquellas palabras habladas por el Maestro los impulsó a regresar y a juntarse.

Ciertamente era una posición incómoda la que ellos tenían en ese terreno sin igual, entre el fracaso y el perdón. Suspendidos en algún lugar entre «no puedo creer lo que hice» y «nunca lo volveré a hacer». Demasiado avergonzados para pedir perdón, pero demasiado leales para darse por vencidos. Demasiado culpables para ser contados entre los discípulos; demasiado fieles para ser contados fuera de ellos. Me imagino que todos hemos estado allí. Diría que todos nosotros hemos visto nuestras promesas barridas como castillos de arena por las olas del pánico y la inseguridad. Me imagino que todos nosotros hemos visto nuestras palabras de obediencia y promesa cortadas en tirones por la sierra del temor y del miedo. Todavía no he encontrado a una persona que no haya hecho lo mismo y que juró que nunca lo haría. Todos nosotros caminamos las calles de Jerusalén.

¿Qué hizo regresar a los discípulos? ¿Qué los hizo volver? ¿Los rumores de la resurrección? Eso tenía que ser parte de la razón. Los que caminaban cerca de Jesús habían aprendido que Él haría lo inusual. Lo habían visto perdonar a una mujer que tuvo cinco esposos. Dar un trato honroso a un ladrón que era tan despreciado como un cobrador de impuestos, y había amado a un vagabundo que hubiera hecho sonrojar las caras de muchas personas. Lo habían visto sacar fuera a los demonios de algunos poseídos, y poner el temor de Dios en algunos religiosos que iban al templo. Las tradiciones se habían derrumbado, los leprosos se habían limpiado, los pecadores habían sido perdonados, los fariseos se habían esfumado, las multitudes habían sido movidas por Él. Nadie puede hacer las maletas e irse a casa tan fácilmente después de tres años como esos.

Tal vez Él realmente se había levantado de entre los muertos.

Pero fue algo más que los rumores de una tumba vacía lo que los trajo de vuelta. Había algo en sus corazones que no los dejaría con su traición. Por justificadas que fueran sus excusas, ellos no fueron lo suficientemente buenos para borrar la verdad de la historia. Habían traicionado a su Maestro. Cuando Jesús los necesitó, habían escapado. Y ahora tenían que aceptar la vergüenza.

Buscando perdón —aunque sin saber dónde hallarlo— regresaron. Volvieron al mismo aposento alto que guardaba el dulce recuerdo del pan partido y del simbólico vino. El simple hecho de que ellos regresaron dice algo de su líder. Dice algo sobre Jesús el hecho de que aquéllos que lo conocían bien no podían permanecer en su contra. Para los doce apóstoles originales habían sólo dos opciones: rendirse o suicidarse. Sin embargo, esto también dice algo sobre Jesús: aquellos que lo conocían bien sabían que aunque no hubieran hecho exactamente lo que habían prometido, podrían encontrar todavía el perdón.

Así que regresaron. Cada uno con toda una colección de recuerdos y una débil sombra de esperanza. Sabiendo cada uno que todo estaba terminado, pero esperando en su corazón que lo imposible sucediera una vez más. «Si yo tuviera sólo otra oportunidad».

Allí se sentaron. La conversación giró sobre los rumores de una tumba vacía. Alguien suspira. Alguien toca la puerta. Alguien arrastra sus pies.

Y cuando la oscuridad viene y se hace espesa, cuando su pensamiento está cayendo víctima de la lógica, cuando alguien dice: «¡Cómo daría mi alma inmortal por verlo una vez más!» un rostro familiar atraviesa la pared.

¡Oh! ¡Qué final! Mejor dicho, ¡Qué comienzo! No pierdan de vista la promesa revelada en esta historia. Para aquéllos de nosotros que, como los apóstoles, hemos dado la vuelta y hemos corrido cuando deberíamos haber permanecido y peleado, este pasaje está saturado de esperanza. Un corazón arrepentido es todo lo que Él demanda. ¡Salga de las sombras! ¡Salga de su escondite! Un corazón arrepentido es suficiente para permitir que el mismo Hijo de Dios atraviese nuestras paredes de culpa y de vergüenza. Él, que perdonó a sus seguidores, está allí listo para perdonar al resto de nosotros. Todo lo que tenemos que hacer es volver.

Con razón lo llaman el Salvador.

15

El único que
se quedó

Siempre me he imaginado a Juan como un individuo que vio la vida de una manera simple. «Lo correcto es lo correcto y lo equivocado es lo equivocado, y las cosas no son tan complicadas como nosotros las hacemos parecer».

Por ejemplo, definir a Jesús sería un desafío para el mejor de los escritores, pero Juan cumple con esta tarea con una casual analogía. El Mesías, en una palabra, era «La Palabra». Un mensaje andante. Una carta de amor. Ya sea, en momentos, un enérgico verbo, y en otros un tierno adjetivo. Él era, simple y llanamente, una palabra.

¿Y la vida? Bueno, la vida está dividida en dos secciones luz y tinieblas. Si usted está en una no está en la otra, y viceversa.

¿La siguiente pregunta?

«El diablo es el padre de mentira y el Mesías es el padre de verdad. Dios es amor y usted está de su parte si usted también ama. En realidad, la mayoría de los problemas son resueltos por amarse los unos a los otros».

Y algunas veces, cuando la teología se pone un poco más complicada, Juan hace una pausa lo suficientemente larga para ofrecer una palabra de explicación. Debido a su paciente narración de la historia, tenemos el comentario clásico: «Porque de tal manera amó Dios al mundo que ha dado a Su Hijo Unigénito».

Pero a mí me gusta más Juan por la manera en que amó a Jesús. Su relación con Jesús fue, nuevamente, bastante simple. Para Juan, Jesús fue un buen amigo con un buen corazón y una buena idea. Un narrador de historias que aparece sólo una vez en la vida, con una promesa que va más allá del arco iris.

Uno tiene la impresión de que para Juan, Jesús era ante todo un compañero leal. ¿El Mesías? Sí. ¿Hijo de Dios? En verdad. ¿Hacedor de milagros? Eso también. Pero más que cualquier cosa, Jesús era un compañero, alguien con el cual usted podría ir de paseo o con el cual podría compartir su tiempo contando las estrellas. Simple. Para Juan, Jesús no era un tratado sobre activismo social ni era un permiso para desaparecer las clínicas de aborto o vivir en un desierto. Jesús era un amigo.

Ahora, ¿qué hace usted con un amigo? (Bueno, eso es muy simple también.) Usted está junto a Él.

Tal vez por eso fue que Juan es el único de los doce que permaneció al pie de la cruz. Él vino a la cruz para decir adiós. Por sus propias declaraciones él no había podido poner todos los pedazos juntos todavía. Pero eso no importaba realmente. Hasta donde él sabía, su amigo más íntimo estaba en problemas, y él vino para ayudar. «¿Puedes cuidar de mi madre?».

«Por supuesto; para eso están los amigos».

Juan nos enseña que la más fuerte relación con Cristo no es necesariamente una relación complicada. Él nos enseña que los lazos más grandes de lealtad son tejidos, no con teologías demasiado profundas o con necias pruebas de filosofía, sino de amistad. Inquebrantable, desinteresada, gozosa amistad.

Después de testificar su inquebrantable amor, nos quedamos con un ardiente deseo de tener un amor como ese. Nos quedamos sintiendo que si pudiéramos haber estado en las sandalias de alguno ese día, habríamos estado en las del joven Juan y hubiéramos sido los únicos en ofrecerle una sonrisa de lealtad a nuestro querido Señor.

16

La colina del remordimiento

Mientras Jesús subía la colina del calvario, Judas subía otra colina; la del remordimiento.

Iba solo. Su sendero era de rocas, mezcladas con vergüenza y dolor. La cuesta estaba tan árida como su alma. Espinas de remordimiento rasgaban sus tobillos y talones. Los labios que habían besado a un rey estaban agrietados por la fricción. Y sobre sus hombros llevaba una carga que doblaba su espalda —su propio fracaso—. Por qué Judas traicionó a su Maestro no es realmente importante. Si fue motivado por ira o por la codicia, el resultado fue el mismo: remordimiento.

Hace unos pocos años visité la Corte Suprema de los Estados Unidos. Mientras estaba sentado en la sección de los visitantes, observé el esplendor de la escena en aquel cuadro mayor. El jefe de justicia estaba escoltado por sus colegas. Vestido con una túnica de honor, ellos eran la máxima expresión de la justicia. Representaban los esfuerzos de incontables mentes a través de miles de décadas. Aquí estaba el mejor esfuerzo del hombre para enfrentarse y tratar con sus propios fracasos.

¡Cuán inútil sería, pensé para mí mismo, si me aproximara a los representantes de la justicia y pidiera perdón por mis equivocaciones; perdón por hablar a las espaldas de mi profesor de quinto grado, perdón por ser desleal con mis amigos, perdón por prometer «no lo haré», en el día domingo, y decir «lo haré» el día lunes. Perdón por las incontables horas que había desperdiciado vagabundeando en las cuneta de la sociedad.

Sería inútil, porque el juez no podría hacer nada. Tal vez unos pocos días en la cárcel para calmar un poco mi culpa ¿Perdón? No estaba en él concederlo. Tal vez esa es la razón por la cual muchos de nosotros pasamos tantas horas en la colina del remordimiento. No hemos encontrado una manera de perdonarnos a nosotros mismos.

De ese modo trepamos la colina con mucha dificultad. Fatigados, con los corazones heridos, torturados con equivocaciones no resueltas. Suspiros de ansiedad. Lágrimas de frustración. Palabras de racionalización. Lamentos de duda. Para algunos el dolor está en la superficie. Para otros está sumergido, enterrado en un raro substrato de malos recuerdos. Padres, amantes, profesionales. Algunos tratando de olvidar, otros tratando de recordar, otros tratando de contender. Caminamos silenciosamente en una sola hilera con piernas de hierro por la culpa. Pablo fue el hombre que planteó la pregunta que está en todos nuestros labios: «¿Quién me librará de este cuerpo de muerte?»[1]

Cuando el sendero termina, hay dos árboles.

El uno está viejo y sin hojas. Está muerto pero todavía en pie. Su corteza se ha ido, dejando a la suave madera blanquearse con los años. Los vástagos y los cogollos ya no brotan más; sólo ramas secas penden del tronco. En la más fuerte de estas ramas está atada la cuerda de un hombre ahorcado. Fue aquí donde Judas trató su fracaso.

¡Si Judas tan sólo hubiera mirado al árbol que estaba al lado...! También estaba muerto. Su madera era también suave y lisa. Pero no había cuerda alguna atada a ninguna de sus ramas. No había más muerte en ese árbol. Una sola fue suficiente. Una muerte por todos.

Aquellos de nosotros que también hemos traicionado a Jesús sabemos lo que fue para Judas escoger el árbol que eligió. Pensar que Jesús nos ha quitado la venda de los ojos y ha desencadenado nuestras piernas —después de todo lo que le hemos hecho— no es fácil de creer. En efecto, se requiere mucha más fe para creer que Jesús puede pasar por alto mis traiciones que la requerida para creer que Él se levantó de los muertos. Ambas cosas son igualmente milagrosas.

¡Qué par de árboles éstos! Sólo a unos pocos pies de distancia del árbol de la desesperación se levanta el de la esperanza. La vida está, paradójicamente, cerca de la muerte. La bondad está al alcance de su brazo de las tinieblas. El lazo de un hombre ahorcado y el salvavidas se están balanceando a la misma sombra.

Pero aquí permanecen.

Uno no puede hacer nada más si no estar un poco asombrado por lo inconcebible de todo esto. ¿por qué Jesús permanece en la colina más representativa de la vida y me espera con manos extendidas, atravesadas por los clavos? A esto es lo que se ha llamado una «absurda y santa gracia».[2]

Un tipo de gracia que no puede ser admitida por la lógica. Pero entonces pienso que la gracia no tiene por qué ser lógica. Si lo fuera, no sería gracia.

1. Romanos 7:24
2. Frederick Buechner, *The Secred Journey,* p. 52, Harper and Row, 1982.

17

El evangelio de la segunda oportunidad

Fue como descubrir el premio en una caja de cereales, o encontrar una pequeña perla en una caja de botones —o descubrir un billete de diez dólares en un cajón lleno de papeles viejos.

Fue lo suficientemente pequeño para pasarlo por alto. Sólo tres pequeñas palabras. Sé que he leído ese pasaje cien veces. Pero nunca lo había visto. Tal vez lo pasé por alto en la emoción de la resurrección. O quizás por ser Marcos el más breve de los cuatro evangelistas en su relato de la resurrección, posiblemente no le prestaría demasiada atención. O tal vez, puesto que está en el último capítulo del evangelio, mis ojos fatigados habrían siempre leído muy rápido como para notar esta corta frase.

Pero no la perderé de vista otra vez. En mi Biblia ahora está destacada en amarillo y subrayada con rojo. Usted podría querer hacer lo mismo. Busque en Marcos, capítulo 16. Lea los primeros cinco versículos que hablan de la sorpresa de las mujeres cuando encontraron removida la piedra y puesta a un lado. Luego alégrese en esa hermosa frase dicha por el ángel «Él no está aquí, ha resucitado», pero no se detenga allí demasiado tiempo. Avance un poco más. Tenga su lápiz listo y disfrute de esta joya en el séptimo versículo (aquí viene).

El versículo dice así: «Pero id, decid a sus discípulos y a Pedro, que Él va delante de vosotros a Galilea».

¿Lo vio? Véalo otra vez. (Esta vez lo pondré en bastardillas.)

«Pero id, decid a sus discípulos y a Pedro, que Él va delante de vosotros a Galilea».

Ahora dígame si ese no es un tesoro escondido.

Me gustaría parafrasear las palabras: «No se queden aquí, vayan a sus discípulos —una pausa, luego una sonrisa —¡y digan especialmente a Pedro! que Él va delante de ustedes a Galilea».

¡Qué línea esta! Es como si todos los cielos hubieran visto la caída de Pedro —y es como si todos los cielos hubieran querido ayudarlo a levantarse de nuevo. «Estén seguros y díganle a Pedro que él no ha sido dejado a un lado. Díganle que una caída no significa que todo se vino abajo».

¡Increíble! No se maraville que lo llamen el evangelio de la segunda oportunidad.

No existen muchas segundas oportunidades en el mundo de hoy en día. No hay muchas segundas oportunidades. Ahora, más que nunca, es «ahora o nunca». «Aquí no toleramos la incompetencia». «No hay mucho espacio en la cima». «Tres golpes y usted queda afuera». «¡Este es un mundo de perro-come-perro!»

Jesús tiene una simple respuesta a nuestra manía masoquista. «¿Es un mundo de perro-come-perro?», diría Él. «Entonces no viva con los perros». Suena bien, ¿verdad? ¿Por qué dejar a un puñado de otros fracasados decirle cuán fracasado es usted?

Seguro que entre ellos usted tiene una segunda oportunidad.

Sólo pregunte a Pedro. En un minuto se sintió más bajo que una serpiente arrastrándose, y en el siguiente minuto se sintió el más sucio y egoísta sobre la tierra. Pero hasta los ángeles querían que este aturdido lanzador de redes supiera que no todo estaba terminado. El mensaje vino alto y claro del celestial Salón del Trono, a través del divino mensajero. «Estén seguros, y díganle a Pedro que él tiene que batallar otra vez».

Los que conocen este tipo de cosas dicen que el Evangelio de Marcos fue escrito en base a las notas dadas y transcritas de los pensamientos de Pedro. Si esto es verdad, entonces fue Pedro mismo quien incluyó estas palabras: «y a Pedro». Y si éstas son realmente sus palabras, yo no puedo sino imaginarme que aquel viejo pescador tuvo que limpiarse una lágrima y tragarse un nudo en la garganta cuando llegó a este punto de la historia.

No son todos los días cuando usted logra una segunda oportunidad. Pedro debe haber sabido eso. La siguiente ocasión que vio a Jesús estuvo tan excitado que no pudo contener sus emociones y hubiera querido saltar a las frías aguas del mar de Galilea. Fue también suficiente, así dicen ellos, para hacer que este galileo llevara el evangelio de la segunda oportunidad por todas partes. Hasta Roma, donde lo mataron. Si usted nunca se ha preguntado qué haría que un hombre quiera ser crucificado con la cabeza para abajo, tal vez ahora sabe la respuesta.

No todos los días usted encuentra alguien que le dará una segunda oportunidad —mucho menos alguien que le dará una segunda oportunidad todos los días.

Pero en Jesús, Pedro encontró las dos cosas.

18

Deje espacio para lo mágico

Tomás. Él amerita un juicio limpio.

Oh, ya sé que le hemos puesto una etiqueta. En alguna parte, en algún sermón, alguien lo llamó «Tomás, el incrédulo». Y este apodo pegó. Y es verdad, él dudó. Pero es que hay algo más importante que eso. Había más para su cuestionamiento que una simple falta de fe. Hubo más debido a una falta de imaginación. Usted lo ve más en la historia de la resurrección. Considere, a manera de ejemplo, la ocasión en que Jesús estaba hablando con toda la elocuencia acerca del hogar que Él iba a preparar. Aunque los ejemplos no eran muy fáciles de entender por parte de Tomás, él estaba haciendo lo que podía. Usted puede ver sus ojos muy abiertos mientras trata de imaginar una gran casa blanca en la «Avenida Santo Tomás". Y precisamente, cuando él está haciéndose la imagen, Jesús dice: «Ustedes saben el camino por el cual estoy yendo». Tomás pestañea una o dos veces, mira alrededor, a las otras caras inexpresivas, y entonces suelta una cándida pregunta: «Señor, no sabemos dónde tú vas, ¿cómo podremos ver el camino?»[1]

Tomás no se imaginó que su mente hablara. ¡Si usted no entiende algo, dígalo! Sólo así su imaginación podría ir más lejos.

Y entonces hubo aquella vez que Jesús dijo a sus discípulos que iba a estar con Lázaro aun cuando él ya estaba muerto y enterrado. Tomás no podía imaginarse a lo que Jesús estaba refiriéndose, pero Jesús quería volver al lugar donde aquellos judíos que habían tratado de apedrearlo en cierta ocasión Tomás no quería dejarlo que los enfrentara solo. Así que él dijo: «Vamos también nosotros, para que muramos con Él».[2]

Tomás había pasado su vida esperando al Mesías y ahora que el Mesías estaba aquí, quería emplear su vida para Él. No era mucha imaginación, sino mucha lealtad.

Tal vez es este ejemplo de lealtad el que explica por qué Tomás no estaba en el Aposento Alto cuando Jesús se apareció a los otros apóstoles. Como usted ve, yo pienso que Tomás tomó la muerte de Jesús muy en serio. Aun cuando él no había podido comprender suficientemente todas las metáforas que Jesús a veces empleaba, él todavía quería ir hasta el fin con Él. Pero jamás esperó que el fin viniera tan abrupta y prematuramente. Como resultado, Tomás se quedó con un crucigrama lleno de espacios vacíos, sin respuestas.

Por otro lado, la idea de un Jesús resucitado era demasiado difícil de captar por el dogmático Tomás. Su ilimitada creatividad dejaba poco espacio para lo mágico o lo sobrenatural. Además, él no iba a sentirse desilusionado otra vez. Una desilusión era suficiente, gracias. Sin embargo, por otro lado, su lealtad lo hizo anhelar creer. Aun cuando hubiera la más leve sombra de esperanza, él quería estar formando parte de ella.

Su confusión, entonces, vino de una fusión entre su falta de imaginación y su inconmovible lealtad. Él era demasiado honesto con la vida para ser crédulo, y sin embargo era demasiado leal a Jesús para no tener fe. Hasta el final, fue esta devoción realística lo que le hizo pronunciar la ahora famosa condición: «Si no viera en sus manos la señal de los clavos, y metiere mi dedo en el lugar de los clavos, y metiere la mano en su costado, no creeré».[3]

Así que, yo me imagino que ustedes podrían decir que él dudó. Pero esta fue una diferente clase de duda que no brota de la timidez o de la desconfianza, sino del rehusar a creer lo imposible y de un simple temor de ser herido dos veces.

La mayoría de nosotros somos de la misma manera ¿Verdad? En nuestro mundo de presupuestos, de planes cuidadosamente hechos y de avanzadas computadoras, ¿no nos parece muy difícil confiar en lo increíble? ¿No tenemos la mayoría de nosotros la tendencia a escudriñar la vida detrás de todos los acontecimientos con seños fruncidos y caminando con pasos cautelosos? Es difícil para nosotros imaginar que Dios pueda sorprendernos. Hacer un pequeño espacio para milagros, ahora, no suena como algo razonable.

Como resultado, nosotros, al igual que Tomás, encontramos muy difícil creer que Dios puede hacer todas las cosas como a Él le parece mejor, como por ejemplo reemplazar la muerte con la vida. Nuestras nada fértiles imaginaciones guardan poca esperanza de que lo improbable ocurrirá. Nosotros, entonces, al igual que Tomás, dejamos que nuestros sueños caigan víctimas de la duda.

Cometemos la misma equivocación que Tomás cometió: Olvidamos que lo «imposible» es una de las palabras favoritas de Dios.

¿Cómo es en su caso? ¿Qué pasa con usted? ¿Cómo es su imaginación en estos días? ¿Cuándo fue la última vez que usted dejó que alguno de sus sueños fueran anulados por su lógica? ¿Cuándo fue la última vez que usted se imaginó lo inimaginable? ¿Cuándo fue la última vez que usted soñó en un mundo unido de paz, o en todos los creyentes unidos en fraternidad? ¿Cuándo fue la última vez que usted soñó en el día en que toda boca será alimentada y toda nación orará en paz? ¿Cuándo fue la última vez que usted soñó en que toda criatura sobre la tierra oiría acerca del Mesías? ¿Ha pasado ya un buen tiempo desde que usted proclamó la promesa de Dios de que Él «es poderoso para hacer todas las cosas mucho más abundantemente de lo que pedimos o entendemos»?[4]

Aunque iba contra todos los huesos lógicos que tenía en su cuerpo, Tomás dijo que creería si sólo pudiera tener una pequeña prueba. Y Jesús (quien siempre es tan paciente con nuestras dudas) concedió a Tomás exactamente lo que quería. Extendió sus manos una vez más. Y Tomás fue sorprendido como nunca. Él cayó de rodillas, con su cara en tierra, y gritó: «¡Mi señor y mi Dios!»[5]

Jesús debe haber sonreído.

Él sabía que en Tomás tenía a un ganador. En cualquier momento que usted mezcle lealtad con un poco de imaginación, tiene a un hombre de Dios en sus manos. Un hombre que morirá por una verdad. Sólo mire a Tomás. La leyenda lo tiene a él esperando embarcarse para la India, donde sería muerto para callarlo, para que no siguiera hablando sobre su hogar preparado en el mundo por venir, y de su amigo que regresó de los muertos.

1. Juan 14:5 RSV
2. Juan 11:16
3. Juan 20:25
4. Efesios 3:20
5. Juan 20:28

19

Una candela en la caverna

Ellos vienen como amigos —amigos secretos—, pero amigos de todos modos. «Usted puede bajarlo ahora, soldado. Yo cuidaré de Él».

El sol de la tarde está alto mientras ellos permanecen silenciosamente en la colina. Está más tranquila de lo que estaba temprano. La mayor parte de la multitud se había ido. Los dos ladrones agonizan y se quejan a medida que se acerca la muerte. Un soldado arrima una escalera contra el madero central, asciende y quita la estaca que mantiene erguida la cruz. Otros soldados, contentos de que el día de trabajo esté llegando a su fin, ayudan con la tarea pesada de acostar la cruz de ciprés en el suelo, con el cuerpo colgando aún.

«Tengan cuidado ahora», dice José.

Los clavos de cinco pulgadas son arrancados de la dura madera, dejando en libertad las agujereadas manos. El cuerpo que encerraba a un Salvador es alzado y colocado yacente sobre una gran piedra.

«Es todo suyo», dice el centurión. La cruz es colocada a un lado, pronto sería llevada hasta el cuarto de los útiles hasta que fuera necesitada otra vez.

Ninguno de los dos está acostumbrado a este tipo de trabajo. Sin embargo, sus manos se mueven rápidamente mientras cumplen sus tareas.

José de Arimatea se arrodilla detrás de la cabeza de Jesús y tiernamente limpia la cara ensangrentada; con una suave y húmeda tela limpia la sangre que salió en el jardín, la que vino de los latigazos y la surgida por la corona de espinas. Con esto hecho, le cierra bien los ojos.

Nicodemo desenrolla algunas sábanas de lino que José trajo y las coloca en la piedra al lado del cuerpo. Los dos líderes judíos levantan el cuerpo sin vida de Jesús y lo colocan sobre el lino. Partes del cuerpo son ahora ungidas con especies perfumadas. A medida que Nicodemo toca las mejillas del Maestro con áloe, escapa la emoción que había estado conteniendo. Sus propias lágrimas caen sobre el rostro del Rey crucificado. Hace una pausa para limpiar otra lágrima. El judío de mediana edad mira largamente al joven galileo.

Es un poco irónico que el entierro de Jesús fuera realizado, no por aquellos que habían declarado que jamás lo dejarían, sino por dos miembros del Sanedrín —dos representantes del grupo religioso que lo mató. Pero luego, una vez más, de todos los que estuvieron en deuda con este cuerpo quebrantado, ninguno fue tanto como esos dos. Muchos habían sido librados de los profundos pozos de la esclavitud y de la enfermedad. Muchos habían sido encontrados en los túneles más oscuros. Túneles de perversión y muerte. Pero ningún túnel fue nunca más oscuro que el túnel del que estos dos habían sido rescatados: el túnel de la religión.

Ellos no vinieron de nada más oscuro. Sus cavernas son muchas y sus agujeros profundos. Sus pasadizos subterráneos están llenos con el espíritu de las buenas intenciones. Sus interminables laberintos de canales están alborotados con los desorientados. Sus senderos están cubiertos con despedazadas botas de vino y vino derramado.

Usted no querría traer a una fe joven a este túnel. Las mentes jóvenes llenas de preguntas y de deseos de pruebas caerían rápidamente en las tenebrosas tinieblas. Los frescos puntos de vista son censurados, a fin de proteger las frágiles tradiciones. La originalidad es desalentada. La curiosidad es atacada. Las prioridades son esquivadas una y otra vez.

Cristo no tuvo más que palabras de enérgica reprensión para aquellos que moran en estas cavernas. «Hipócritas», los llamó. Actores sin Dios. Constructores de cercas. Jueces inflexibles. Despreciables contemporizadores no autorizados. Observadores de las pequeñeces. «Guías ciegos» «Sepulcros blanqueados». «Serpientes». «Víboras». ¡Bang' ¡Bang! ¡Bang! Jesús no daba cabida a aquéllos especializados en hacer de la religión un conflicto, y de la fe una competencia de carreras. No aceptaba nada de eso.[1]

José y Nicodemo también estaban cansados de esto. Ellos lo habían visto por sí mismos. Habían visto la lista de reglas y regulaciones. Habían visto temblar a la gente bajo cargas insoportables. Habían oído por horas las disertaciones sin sentido sobre detalles legalísticos. Habían usado las túnicas sagradas y se habían sentado en los lugares de honor, donde la Palabra de Dios había sido convertida en algo vacío. Habían visto que la religión llega a ser la atadura que paraliza.

Y ellos quisieron salir de ella.

Era un riesgo muy grande. La alta sociedad de Jerusalén no iba a mirar muy bondadosamente a dos de sus líderes religiosos enterrando a un revolucionario. Pero para José y Nicodemo la decisión era obvia. Las verdades que este joven predicador de Nazaret les dijo se oponían o no tenían nada que ver con la verdad que ellos habían oído en la caverna. Además, a ellos les había interesado mucho más salvar sus almas que sus pieles.

Así que levantaron el cuerpo lentamente y lo llevaron a aquella tumba que no había sido usada todavía. Al hacerlo prendieron una lámpara en la cueva.

Supongamos que estos dos han estado observando el mundo religioso durante los últimos dos mil años. Probablemente han encontrado cosas que no son demasiado diferentes. Hay todavía una inmensurable cantidad de mal que sigue usando la túnica de la religión y usa la Biblia como un martillo implacable. Todavía es algo de moda tener títulos sagrados y usar símbolos sagrados. Y todavía se da el caso de que uno tiene que encontrar la fe a pesar de la iglesia, en vez de la fe en la iglesia.

Pero ellos también han observado que cuando los religiosos logran demasiada religión y los justos logran demasiada justicia, Dios encuentra a alguien en la caverna que prenderá la luz en un candelero. Fue prendida por Lutero en Wittemburg, por Latimeren Londres y por Tyndale en Alemania. John Knox prendió la llama como un galeote y Alexander Campbell hizo lo mismo como un predicador.

No es fácil encender una candela en una caverna oscura. Sin embargo, aquéllos de nosotros cuyas vidas han sido iluminadas por causa de estos valientes hombres, estamos eternamente agradecidos. Y de todos los actos de iluminación, no hay duda sobre cuál es el más noble.

«Usted puede bajarlo ahora soldado, yo cuidaré de Él».

1. Mateo 23

20

Mensajeras en miniatura

Antes de decirles adiós a los que estaban presentes en la cruz, tengo una presentación más que hacer. Esta presentación es muy especial.

Había un grupo que asistió ese día cuyo papel fue crítico. No hablaron mucho, pero estuvieron allí. Pocos los notaron, pero eso no es sorprendente. Su misma naturaleza es tan silenciosa que a menudo son pasados por alto. En realidad, los escritores del evangelio no hicieron mucha referencia de ellos. Pero nosotros sabemos que estaban allí. Tenían que estar. Tenían un trabajo que hacer.

Sí, esta representación hizo mucho más que mirar el divino drama; ellos lo expresaron. Lo captaron. Hicieron notar la desesperación de Pedro; demostraron la culpabilidad de Pilato y descubrieron la angustia de Judas. Transmitieron la confusión de Juan y tradujeron la compasión de María.

Su principal papel, sin embargo, fue que cumplieron con el Mesías. Con mucha delicadeza y ternura le ofrecieron alivio a su dolor y expresión de sus anhelos.

¿A quiénes estoy describiendo? Ustedes pueden sorprenderse.

Lágrimas.

Esas pequeñísimas gotas de humanidad. Esas redondas y húmedas esferas de fluido que brotan de nuestros ojos, descienden por nuestras mejillas y caen en el piso de nuestros corazones. Ellas estuvieron allí ese día. Están presente siempre en tales ocasiones. Tenían que estar, es su misión. Son mensajeras en miniatura; se las puede llamar veinticuatro horas al día para sustituir a las palabras paralizadas. Ellas gotean y se vierten del rincón de nuestras almas, trayendo consigo las más profundas emociones que poseemos. Resbalan por nuestros rostros anunciando toda una gama de emociones que van desde el gozo más hermoso hasta la más profunda desesperación.

El principio es simple; cuando las palabras son por demás vacías, las lágrimas son las más apropiadas.

Una mancha de lágrimas sobre una carta dice mucho más que la suma de todas sus palabras. Una lágrima cayendo sobre un féretro dice lo que un orador bien preparado nunca podría. ¿Qué resume más rápidamente la compasión de una madre y la preocupación que siente, que una lágrima en la mejilla de su niño? ¿Qué brinda mayor ayuda que una lágrima de simpatía en la cara de un amigo?

Las palabras fallaron el día que el Salvador fue azotado. Fallaron miserablemente. ¿Qué palabras podrían haber sido pronunciadas? ¿Qué frases podrían haber expresado posiblemente los sentimientos de aquellos que estaban involucrados en todo esto? Esa tarea, mi amigo, fue dejada a las lágrimas. ¿Qué hace usted cuando las palabras no vienen? Cuando todos los sustantivos y verbos yacen inútiles a sus pies, ¿con qué se comunica usted? Cuando las más elocuentes afirmaciones no son suficientes, ¿qué hace usted? ¿Es uno de los afortunados que no se avergüenza de dejar que una lágrima aparezca? ¿Puede estar tan feliz que sus ojos se hagan agua y su garganta se ponga ronca? ¿Puede usted estar tan orgulloso que sus pupilas se nublen y su visión se empañe? Y en el dolor, ¿deja usted que sus lágrimas quiten el peso que aprieta su pecho y desaten el nudo que hay en su garganta?

¿Hace usted retroceder a sus lágrimas y sólo las deja caer por dentro?

No muchos de nosotros somos buenos demostrando nuestros sentimientos, como usted sabe. Especialmente nosotros, los amigos. O podemos insultar, maldecir y tratar mal.

¡Sí, señor! Pero, ¿lágrimas? «¡Guarde eso para los tímidos y de rodillas débiles. Yo tengo un mundo para contestar!»

Haríamos bien, amigo, si hiciéramos una pausa; si miráramos las caras bañadas en lágrimas que aparecen junto a la cruz .

Pedro. El rudo pescador. Suficientemente fuerte como para sacar una red llena de peces del mar. Suficientemente valiente para capear el más fuerte de los temporales. El hombre que sólo unas horas antes había sacado su espada contra toda la guardia romana. Pero ahora mírelo, llorando, no... lamentándose. Arrinconado en una esquina con la cara escondida en las manos. ¿Estaría haciendo esto un verdadero hombre? ¿Admitiendo su falta? ¿Confesando su fracaso y rogando el perdón? ¿Se defendería un verdadero hombre? ¿Se defendería...? ¿Lo justificaría...? ¿Lo racionalizaría y permanecería en su puesto? ¿Ha perdido Pedro su hombría? Nosotros sabemos otra cosa, ¿no es verdad? Tal vez él sea menos hombre para el mundo, pero ¿menos hombre de Dios? De ninguna manera.

Y Juan. Mire sus lágrimas. Su rostro hinchado por el dolor mientras permanece con sus ojos al mismo nivel que los pies ensangrentados de su Maestro. ¿Es su emoción una falta de valor? ¿Es su desesperación una falta de agallas?

Y las lágrimas de Jesús. Vinieron en el jardín. Estoy seguro que también vinieron en la cruz. ¿Son un signo de debilidad? ¿Significan esas lágrimas sobre sus mejillas que no hay fuego en sus entrañas o entereza en su interior? Por supuesto que no.

Aquí está el punto. No es asunto sólo de lágrimas, es lo que ellas representan. Representan el corazón, el espíritu y el alma de una persona. ¡Poner una cerradura y una llave en nuestras emociones es enterrar parte de nuestra semejanza con Cristo!

Especialmente cuando usted viene al calvario. Usted no puede ir a la cruz sólo con su cabeza y no con su corazón. Esto no funciona de esta manera. El calvario no es un viaje mental. No es un ejercicio intelectual. No es un cálculo divino o un frío principio teológico.

Es una hora de emoción nacida de lo más profundo del corazón.

No se aleje de él con los ojos secos y sin ningún sentimiento de ternura. No se arregle sólo su corbata y aclare su garganta. No se permita descender del calvario frío y conforme.

Por favor... ¡deténgase! Mire otra vez.

Esos son clavos en esas manos.

Ese es Dios en la cruz.

Somos nosotros los que lo pusimos ahí.

Pedro lo sabía, Juan lo sabía. María lo sabía.

Ellos sabían que un gran precio se estaba pagando. Sabían quiénes realmente perforaron su costado. De alguna manera también sabían que la historia se estaba escribiendo de nuevo.

Esa es la razón por la que lloraron.

Vieron al Salvador.

¡Dios mío! Nunca podríamos ser tan «educados», nunca podríamos ser tan «maduros» nunca podríamos ser tan «religiosos» como para ver su pasión sin lágrimas.

La cruz:
Su sabiduría

21

¡VIVO!

Camino. Oscuridad. Estrellas. Sombras. Cuatro. Sandalias. Túnicas. Quietud. Suspenso. Arboleda. Árboles. Solo.

Preguntas. Angustia. «¡Padre!» Dulce. Dios. Hombre. Dios-hombre. Postrado. Sangre. «¡No!» «sí». Ángeles. Solaz.

Huellas. Antorchas. Voces. Romanos. Sorpresa. Espadas. Beso. Confusión. Traición. Temor. ¡Corre! Sentenciado. Muñecas. Marchar.

Explanada. Sacerdotes. Lámparas. Sanedrín. Caifás. Escarnio. Seda. Arrogancia. Barba. Conspiración. Descalzo. Manto. Calma. Empujón. Puntapié. Alas. Indignante. ¿Mesías? Juicio. Nazareno. Confidente. Pregunta. Respuesta. ¡Golpe!

Pedro. «¿Yo?» Gallo. Tres. Culpa.

Procedimientos. Corte. Rechazo. Juicio. Fatiga. Pálido. Testigos. Mentirosos. Inconsistente. Silencio. Miradas. «¡Blasfemo!» Ansiedad. Espera. Magullado. Sucio. Fatigado. Guardias. Escupitajo. Venda. Escarnio. Golpes. Fuego. Crepúsculo.

Alba. Dorado. Jerusalén. Templo. Pascua. Ovejas. Cordero. Adoradores. Sacerdotes. Mesías. Oído. Fraude. Prisionero. Espera. Parado. Traslado. Estrategia. «¡Pilato!» Trampa. Murmullos. Salida.

Agitación. Desfile. Multitud. Hinchazón. Romanos. Pilato. Toga. Vejado. Nervioso. Oficiales. Túnicas. Lanzas. Silencio. «¿Cargos?» «Blasfemia». Indiferencia. Ignorar. (Esposa. Sueño.) Preocupado. Entrevista. Labios. Dolor. Determinado.

«¿Rey?» «Cielo». «Verdad». «¿Verdad?», Sarcasmo. (Temor). «¡Inocente!» Rugido. «¡Galileo!» «¿Galilea?» «¡Herodes!» 9 A.M. Caminantes. Palacio. Herodes. Zorra. Maquinador. Intrigante. Barrigón. Corona. Capa. Escéptico. Vestíbulo. Elegancia. Silencio. Manipular. Inútil. Vejado. Ultrajado. Vilipendiado. «¿Rey?» Manto. Teatral. Cínico. Odioso. «¡Pilato!» Marcha. Alboroto. Prisionero. Apaciguados. Pilato. «¡Inocente!» Desbarajuste. «¡Barrabás!» Tumulto. Desesperación. Cristo. Desnudo. Aros. Pared. Espalda. Látigo. Bofetada. Flagelo. Rasgar. Hueso. Lamento. Carne. Repetición. Silencio. «¡Latigazo!» Espinas. Tormento. Ciego. Risa. Escarnio. Cetro. Bofetada. Gobernador. Aturdido. (Casi). Ojos. Jesús. Decisión. Poder. «¿Libertad?» Amenazas. Miradas. Gritería. Débil. Palangana. Flaquear. Compromiso. Sangre. Culpa.

Soldados. Ladrones. Cruz. Hombro. Pesado. Golpe. Pesado. Sol. Tambaleo. Inclinación. Casas. Tiendas. Rostros. Endechadores. Murmuradores. Peregrinos. Mujeres. Caída. Guijarros. Agotamiento. Agonía. Simón. Patético. Gólgota.

Calavera. Calvario. Cruces. Ejecución. Muerte. Mediodía. Lágrimas. Observadores. Lamentos. Vino. Desnudo. Magullado. Hinchado. Cruz. Cartel. Suelo. Clavos. Golpes. Golpes. Golpes. Horadado. Contorsionado. Sediento. Terrible. Gracia. Contorsionado. Levantado. Montado. Colgado. Suspendido. Espasmos. Pesado. Sarcasmo. Esponja. Lágrimas. Vilipendios. Perdón. Dados. Fuego. Oscuridad.

Absurdo.

Muerte. Vida.

Dolor. Paz.

Condena. Promesa.

En ningún lado. Dondequiera.

El. Nosotros.

«¡Padre!» Ladrones. Paraíso. Lamentos. Llanto. Golpeado. «Madre». Compasión. Oscuridad. «¡Dios mío!» Miedo. Huida. Desierto. Vinagre. «Padre». Silencio. Suspiro. Muerte. Alivio. Terremoto. Cementerio. Tumbas. Cuerpos. Misterio. Cortina. Lanza. Sangre. Agua. Especies. Lino. Tumba. Temor.

Espera. Desesperación. Piedra. María. Carrera. ¿Sí? Pedro Juan. Fe. Luz. Verdad. Humanidad. Vivo. Vivo. ¡Vivo!

22

Brazos abiertos

Ellos no estarían exactamente en lo que usted llamaría una lista de «quién es quién en pureza y santidad». En efecto, algunas de sus costumbres y actitudes harían pensar que la gente del sábado por la noche podía llenar la cárcel del condado. Qué pocos halos de santidad hay entre esta multitud tan sucia que probablemente debería usar un poco de fijador y brillantina. Sin embargo, extraño como puede parecer, es esta misma humanidad que hace a esta gente refrescante. Son tan refrescantes que usted nunca necesitaría que alguien le recuerde la tolerancia de Dios; usted la encontraría en estas personas. Si usted alguna vez se ha preguntado cómo podría Dios, en este mundo, usarlo para cambiar el mundo, mire estas personas.

¿Qué personas? Las personas que Dios usó para cambiar la historia. Una bolsa de andrajos de «nunca lo hacemos bien» y de «nunca ha sido» quienes no hallaron esperanza en lo que hacían, sino en los proverbiales brazos abiertos de Dios.

Comencemos con Abraham. Aunque elogiado por Pablo debido a su fe, este «padre de una nación» no estuvo sin su debilidad. ¡Él tenía una lengua embustera que no podía controlar! En una ocasión, para salvar su pescuezo, dejó que se le saliera la palabra,

diciendo que Sara no era su esposa sino su hermana, lo cual era solamente la mitad de la verdad.[1]
Y luego, no mucho más tarde, ¡él hizo lo mismo otra vez! «Y Abraham dijo de Sara su esposa: «ella es mi hermana».[2] Dos veces él traficó con su integridad, buscando seguridad. ¿Es eso lo que usted llama confianza en las promesas de Dios? ¿Puede usted construir una nación sobre esa clase de fe? Dios puede. Dios tomó lo que era bueno y perdonó lo que era malo, y usó una «lengua que no tiene pelos» para comenzar una nación.

Otro hombre casero es Moisés. Definitivamente, uno de los más grandes de la historia. Pero hasta que tuvo ochenta años de edad, parecía que no aumentaría mucho más de una onza a la vez. Un príncipe convertido en forajido. ¿Escogería usted a un asesino buscado para conducir una nación fuera de la esclavitud? ¿Llamaría a un fugitivo para portar los Diez Mandamientos? Dios lo hizo. Y lo llamó; de todos los lugares; del mismo prado donde pastoreaba las ovejas. Llamó su nombre a través de una zarza ardiendo. ¡Asustado, el viejo Moisés se quitó inmediatamente sus sandalias! Allí, con las rodillas contra el suelo y diciendo «¿Quién? ¿Yo?» Su cara contra la tierra, Moisés estuvo de acuerdo en volver al protagonismo.

¿Y qué puede usted decir sobre ese individuo cuya lujuria llegó a ser tan grande que se consiguió una mujer embarazada, trató de achacar este asunto a su esposo, y mató luego a este esposo, para luego continuar viviendo como si nada hubiera pasado? Bueno, usted diría que él fue un hombre conforme al corazón de Dios. El registro de lo que David hizo dejaría muy poco que desear, pero su espíritu arrepentido era incuestionable. Entonces viene Jonás. Embajador de Dios a Nínive. Sin embargo, Jonás tenía otras ideas. Él tenía que desear ir a esa malvada ciudad. Así que esperó otro barco mientras Dios no lo estaba mirando, (o al menos eso fue lo que pensó). Dios lo puso en el vientre de una ballena para hacerlo volver en razón. Pero ni la ballena lo pudo contener en su estómago a este misionero por demasiado tiempo. Un buen estornudo y Jonás salió disparado a la superficie, aterrizó en la playa arrepentido y con los ojos inmensamente abiertos (lo cual precisamente muestra que usted no puede mantener encerrado a un buen hombre).

Y siguen, y siguen las historias: Elías, el profeta que se puso de mal humor, Salomón, el rey que sabía demasiado, Jacob, el vendedor astuto; Gómer, la prostituta; Sara, la mujer que se rió de Dios. Una historia de Dios tras otra, usando lo mejor del hombre y pasando por alto lo peor de él. Aun la genealogía de Jesús tiene uno o dos caracteres dudosos —Tamar la adúltera, Raab la prostituta y Betsabé, quien tenía la tendencia a bañarse en lugares muy cuestionables.

La lección que reasumimos y aseguramos es clara. Dios usó (y usa) personas para cambiar el mundo. ¡Personas! No santos ni super-hombres ni genios, sino personas. Ladrones, adulones, amantes y mentirosos —Él los usa a todos ellos. Y lo que ellos pueden carecer en perfección, Dios se los da en amor.

Más tarde, Jesús resumió la palabra de Dios y del amor de Dios con una parábola. Contó acerca de un joven que decidió que la vida en la hacienda era demasiado rutinaria para sus gustos, así que con dinero en abundancia, de la herencia recibida, se fue para encontrar la gran vida. Lo que encontró en su lugar fueron vagabundos, amigos falsos y líneas interminables de desempleados. Cuando había llegado al extremo de poner su vida paralela a la de un cerdo, se tragó su orgullo, metió sus manos profundamente en sus bolsillos vacíos, y comenzó el largo viaje de vuelta a casa. Durante todo el camino estaba repasando las palabras que planeaba decir a su padre. Él nunca las usó. Nunca pudo hablar porque justamente cuando llegaba a cima de la colina, su padre, que lo había estado esperando, lo vio. Las palabras de disculpas del muchacho fueron rápidamente apagadas por las palabras de perdón del padre. Y el cuerpo fatigado del muchacho cayó en los brazos abiertos del padre.

Los mismos brazos abiertos que le dieron la bienvenida fueron los que se la habían dado a Abraham, a Moisés, a David y a Jonás. Nada de dedos acusadores, nada de puños cerrados. Nada de «¡yo te lo dije!», o de «¿dónde has estado?» Ninguna de estas preguntas. Nada de brazos cruzados. Nada de ojos penetrantes o labios apretados. No. Sólo brazos abiertos, dulces. Si usted alguna vez se pregunta cómo Él puede usarlo para hacer una diferencia en su mundo, sólo mire a estos que ya han sido usados y anímese. Mire el perdón de esos brazos abiertos y anímese.

Y a propósito, nunca esos brazos abiertos fueron tan abiertos como lo fueron en la cruz romana. Un brazo extendido hacia atrás en la historia y el otro alcanzando al futuro. Un abrazo de perdón ofrecido a cualquiera que viniera. Una gallina abrazando a sus polluelos. Un padre recibiendo a los suyos. Un redentor redimiendo al mundo. Con razón lo llaman el Salvador.

1.   Génesis 12:10-20
2.   Génesis 20:2

23

Un vendedor callejero llamado Contentamiento

Ahhh... Una hora de contentamiento. Un precioso momento de paz. Unos pocos minutos de relajamiento. Cada uno de nosotros tiene un instante en el cual el contentamiento o la alegría le hacen una visita.

Temprano en la mañana, mientras el café está caliente y alguien más está con sueño.

Tarde en la noche, cuando usted besa los soñolientos ojos de su hijo de seis años.

En un bote en el lago, cuando los recuerdos de una vida bien vivida son revividos.

En la compañía de una Biblia bien usada, desgastada, y aun manchada de lágrimas.

En los brazos de una esposa.

En la cena de Acción de Gracias, o sentado cerca del árbol de Navidad.

Una hora de contentamiento. Una hora cuando los plazos son olvidados y las luchas han cesado. Una hora cuando tenemos las sombras que nosotros queremos. Una hora cuando nos damos cuenta que toda una vida de sudar sangre y de rompernos la cabeza no puede darnos lo que la cruz nos dio en un día: una conciencia limpia y un nuevo comienzo.

Pero desgraciadamente, en nuestra colección de horarios, luchas y miradas de lado, horas como éstas son tan comunes como monos de una sola pierna. En nuestro mundo, el contentamiento es un extraño vendedor callejero, vagando, buscando un hogar, pero que rara vez encuentra una puerta abierta. Este viejo vendedor se mueve lentamente de casa en casa, tocando con los dedos las ventanas, golpeando las puertas, ofreciendo sus mercancías. Una hora de paz, una sonrisa de aceptación, un suspiro de alivio. Pero sus artículos rara vez son adquiridos. Estamos demasiado ocupados para estar contentos. (Lo cual es una locura, puesto que la razón por la que nos matamos ahora es porque pensamos que esto nos contentará mañana). «No ahora, gracias. Tengo mucho que hacer», decimos. «Muchas marcas para ser superadas; demasiados logros para ser alcanzados; demasiados dólares para ser ahorrados; demasiadas promociones para ser logradas. Además, si estoy contento, alguien podría pensar que he perdido mi ambición».

Así es como ese vendedor callejero llamado Contentamiento se mueve. Cuando le pregunto por qué tan pocos le dan la bienvenida en sus hogares, su respuesta me deja convencido: «Yo cobro un precio muy alto, como tú sabes. Mi honorario es excesivo. Yo le pido a la gente que comerciemos con sus agendas, con sus horarios, con sus frustraciones y sus ansiedades. Yo demando que ellos pongan una antorcha a sus días de veinticinco horas y a sus horas sin sueño. Usted pensaría que yo tendría más compradores». Se rascó la barba, y luego añadió pensativamente: «pero la gente parece extrañamente orgullosa de sus úlceras y de sus dolores de cabeza».

¿Puedo decir algo un poco personal? Me gustaría dar un testimonio. Un testimonio vivo. Estoy aquí para decirles que yo le di la bienvenida a este barbado amigo, en mi sala, esta mañana.

No fue fácil.

Mi lista de cosas era, en su mayor parte, de cosas que no estaban hechas. Mis responsabilidades eran una pesada carga como nunca. Llamadas por hacer. Correspondencia por revisar. Cartas por escribir. Cuentas por conciliar.

Pasó una cosa cómica que me hizo quedar en «neutral». Justo cuando estaba levantando los brazos para estirar mi pereza, en el mismo momento en que el viejo motor empezaba a sonar con ese pequeño placer de un bostezo bien logrado, mi hija recién nacida, Jenna, necesitaba ser alzada; tenía dolor de estómago. La madre estaba en el baño, así que le tocó a Papá levantarla.

Ella tiene ahora tres semanas de nacida. Al principio traté de hacer las cosas con una mano y sostenerla con la otra. Ustedes estarán sonriendo. ¿Han tratado también de hacerlo? Cuando me di cuenta de que era imposible, también me di cuenta de que eso no era todo lo que yo debía hacer en esa mañana.

Me senté y la apreté suavemente contra mi pecho. Ella comenzó a relajarse. Un gran suspiro escapó de sus pulmones. Su llanto se convirtió en gorjeos. Se deslizó en mi pecho hasta que su pequeño oído estaba exactamente sobre mi corazón. Sus brazos se relajaron y se durmió.

Fue en ese momento cuando el vendedor callejero golpeó mi puerta.

«Adiós agenda. Te veré más tarde, rutina». «Vuelvan mañana los términos para hacer las cosas...» «Hola, Contentamiento. Entra». Así que aquí nos sentamos: Contentamiento, mi hija y yo. Con la pluma en la mano, escribí en un cuaderno de notas sobre la espalda de Jenna. Ella nunca recordará este momento, ...y yo nunca lo olvidaré. La dulce fragancia de un momento capturado colma la habitación. El sabor de una oportunidad lograda endulza mi boca. La luz del sol de una lección aprendida ilumina mi entendimiento. Este es un momento que nunca desapareció.

¿Las tareas? Tendrán que hacerse. ¿Las llamadas? Se harán. ¿Las cartas? Se escribirán. ¿Y sabe qué? Todas estas cosas se harán con una sonrisa.

No hago esto lo suficiente, pero estoy tratando de hacerlo más. En efecto, estoy pensando en darle a ese vendedor callejero una llave de mi puerta. «A propósito, Contentamiento, ¿qué vas a hacer esta tarde?»

24

Cerca de la cruz, pero lejos de Cristo

Había algunos jugadores de dados que estaban al pie de la cruz. Imaginen esta escena. Los soldados están sentados en un círculo, los ojos miraban hacia abajo. El criminal allí arriba sobre ellos es olvidado. Juegan por algunos vestidos usados, la túnica, el manto, las sandalias, todo eso es para apropiarse. Cada soldado echa su suerte en la dura tierra, esperando aumentar su guardarropa a expensas de un carpintero muerto en la cruz.

Me he preguntado quién podrá haber visto esa escena con Jesús. ¿Qué pensaba mientras miraba hacia abajo, hacia sus ensangrentados pies en el círculo de los jugadores? ¿Qué emociones sentía? Debe haber estado sorprendido. Aquí están esos soldados comunes, contemplando el evento más extraordinario del mundo y ellos no lo saben. Hasta donde se dan cuenta, esta es otra mañana de viernes, y Él es nada menos que otro criminal. «¡Ve, apresúrate; es mi turno!»

«Muy bien, muy bien. Este tiro va por las sandalias».

Lanzando suertes por las posesiones de Cristo. Las cabezas inclinadas. Los ojos hacia abajo. La cruz olvidada.

El simbolismo es impactante. ¿Lo ven ustedes?

Esto me hace pensar en nosotros. Los religiosos. Aquellos que reclamamos la herencia de la cruz. Estoy pensando en todos nosotros. Todos los creyentes en la tierra. Los que no les importa. Los perdidos. Los estrictos. Los simples. La iglesia más grande. La iglesia más pequeña. Los «llenos del espíritu». Milenialistas. Evangélicos. Políticos. Místicos. Literales. Cínicos. Mantos. Collares. Trajes de tres piezas. Nacidos de nuevo. Usuarios de amenes.

Estoy pensando en nosotros.

Estoy pensando que no somos tan diferentes de aquellos soldados. (Siento mucho decirlo). Nosotros también jugamos dados al pie de la cruz. Competimos por miembros. Jugamos por el estatus. Impartimos juicios y condenas. Competencia. Egoísmo. Ganancia personal. Todo está allí. No nos gusta lo que el otro hizo, así que tomamos la sandalia que ganamos y nos alejamos en un santiamén.

Tan cerca del madero, sin embargo, tan lejos de la sangre.

Estamos muy cerca del mayor acontecimiento del mundo, pero actuamos como comunes jugadores de juegos de azar. Amontonados en grupos que altercan y pelean por millones sin importancia.

¿Cuántas horas de púlpito han sido desperdiciadas predicando lo trivial? ¿Cuántas iglesias han caído en la agonía de lo insignificante y lo minúsculo? ¿Cuántos líderes no han podido controlar su enojo y han sacado sus espadas de amargura y se han lanzado en batalla contra los hermanos por asunto que no vale la pena discutir?

Tan cerca de la cruz pero tan lejos de Cristo.

Nos especializamos en competencias de «yo soy bueno». Escribimos libros sobre lo que los otros hacen mal. Somos especialistas en encontrar chismes y llegamos a ser expertos en descubrir debilidades. Lo partimos en pequeños montoncitos y luego, Dios prohíbe, lo partimos otra vez.

Otro nombre, otra doctrina, otro «error». Otra denominación. Otro juego de póker. Nuestro Señor debe estar sorprendido.

«Aquellos soldados egoístas, sonreímos sarcásticamente con nuestros pulgares en la solapa. «Estaban tan cerca de la cruz y sin embargo tan lejos de Cristo. Y ¿somos diferentes? Nuestras divisiones son tan numerosas que no podemos ser catalogados. ¡Hay tantas ramas que aun ellas tienen otras ramas!

Y ahora... realmente.

¿Son nuestras diferencias ese divisor? ¿Son nuestras opiniones esa obstrucción? ¿Son nuestras paredes de esa anchura? ¿Es imposible encontrar una causa común?

«Que sean uno, oró Jesús». Uno. No uno en grupos de dos mil. Sino uno en una. Una Iglesia. Una fe. Un Señor. No bautistas, no metodistas, no adventistas. Sólo cristianos. No denominaciones. No jerarquías. No tradiciones. Sólo Cristo.

¿Demasiado idealista? ¿Imposible de alcanzarlo? No lo creo. Cosas más difíciles han sido hechas, como ustedes saben. Por ejemplo, una vez, sobre un madero, un Creador dio su vida por su creación. Tal vez todo lo que necesitamos son unos pocos corazones que quieran seguir la súplica.

¿Cuál es su caso? ¿Puede usted construir un puente? ¿Tender una cuerda? ¿Cruzar un abismo? ¿Orar por unidad? ¿Puede usted ser el soldado que se golpea sus sienes, salta sobre sus pies, y nos recuerda al resto de nosotros: «¡Hey! ¡Ese es Dios en la cruz!» La similitud entre el juego del soldado y el juego nuestro es algo que asusta. ¿Qué pensó Jesús? ¿Qué piensa ahora? Todavía hay un jugador continuando con su juego, ...y está al pie de la cruz.

25

La niebla del corazón roto

La niebla del corazón roto.

Es una neblina oscura que apresa sigilosamente el alma y le impide un fácil escape. Es una silenciosa neblina que eclipsa el sol y acentúa las tinieblas. Es una nube pesada que no respeta hora ni persona. Depresión, desaliento, desilusión, duda... son los compañeros de esta miedosa presencia.

La niebla del corazón roto desorienta nuestra vida. Hace difícil ver el camino. Apaga las luces. Empaña el parabrisas. Baja lentamente. Haga lo que usted quiera, nada sirve. Cuando esta niebla nos envuelve, nuestra visión es bloqueada y mañana es un para-siempre lejos. Cuando esta viscosa negrura nos envuelve, las más ardientes palabras de ayuda y esperanza no son sino frases vacías.

Si usted ha sido traicionado por un amigo, sabe lo que quiero decir. Si usted ha sido dejado por una esposa, o abandonado por un padre, usted ha visto esta niebla. Si alguna vez ha echado un puñado de tierra sobre el féretro de un ser querido o se ha mantenido vigilante cerca de la cama de un ser querido, usted también reconoce esta nube. Si está —o ha estado— en esta niebla, puede tener algo por seguro: no se encuentra solo. Aun el más avezado de los capitanes del mar ha perdido sus rutas por la aparición de esta nunca

—querida nube. Como el comediante dijo: «Si los corazones rotos fueran anuncios comerciales, todos estaríamos en la televisión».

Piense en los últimos dos o tres meses pasados. ¿Cuántos, corazones rotos encontró? ¿Cuántos espíritus heridos contempló? ¿Cuántas historias de tragedias leyó?

Mi propia reflexión es sobria:

La mujer que perdió su esposo y su hijo en
   un accidente automovilístico.
La atractiva madre de tres hijos que fue
   abandonada por su esposo.
El niño que fue golpeado y aplastado por
   un camión de basura que pasaba en
   el momento que él bajaba del bus escolar.
Su madre, que estaba esperándolo,
   vio la tragedia.
Los padres que encontraron a su joven hijo
   muerto en el bosque detrás de su casa.
Se había ahorcado con su propio cinturón.

La lista continúa, y continúa, y continúa ¿verdad? Tragedias en la niebla. ¡Cómo enceguecen nuestra visión y destruyen nuestros sueños! Olvide cualquier gran esperanza de alcanzar el mundo. Olvide cualquier plan de cambiar la sociedad. Olvide cualquier aspiración de mover montañas. Olvide todo eso. Sólo ayúdeme, por favor, a vivir y caminar a través de la noche!

El sufrimiento de un corazón roto.

Vaya conmigo por un momento a mirar lo que era tal vez la noche más nublada de la historia. La escena es muy simple; la reconocerá rápido. Una tumba de torcidos árboles de olivo.

Terreno cubierto con grandes rocas. Una cerca de rocas bajas. Una noche oscura.

Ahora mire el cuadro. Observe con detenimiento a través del follaje lleno de sombras. ¿Ve esa persona? ¿Ve esa figura solitaria? ¿Qué está haciendo? Está en el suelo. La cara está sucia por la tierra y las lágrimas. Puños golpeando la dura tierra. Ojos abiertos con un expresión de miedo. Pelo enmarañado con el sudor salado. ¿Es sangre lo que hay en su frente?

Ese es Jesús. Jesús en el jardín de Getsemaní.

Tal vez usted ha visto el clásico retrato de Cristo en el jardín. Arrodillado junto a una gran roca. Cubierto con un manto blanco como la nieve. Las manos pacíficamente dobladas en oración. Una mirada de serenidad en su rostro. Un halo sobre su cabeza. Un rayo de luz bajando desde el cielo e iluminando su dorado pelo castaño. Ahora bien, yo no soy artista, pero puedo decirle una cosa. El hombre que pintó ese cuadro no usó el evangelio de Marcos como patrón. Mire lo que Marcos escribió acerca de esa dolorosa noche:

«*Vinieron, pues, a un lugar que se llama Getsemaní, y dijo a sus discípulos: sentaos aquí, entre tanto que yo oro. Y tomó consigo a Pedro, a Jacobo y a Juan, y comenzó a entristecerse y a angustiarse. Y les dijo: mi alma está muy triste, hasta la muerte; quedaos aquí y velad. Yéndose un poco adelante, se postró en tierra, y oró que si fuese posible, pasase de él aquella hora. Y decía: Abba, Padre, todas las cosas son posibles para ti; aparta de mí esta copa; mas no lo que yo quiero, sino lo que tú. Vino luego y los halló durmiendo; y dijo a Pedro: Simón, ¿duermes? ¿No has podido velar una hora? Velad y orad, para que no entréis en tentación; el espíritu a la verdad está dispuesto, pero la carne es débil. Otra vez fue y oró, diciendo las mismas palabras.*

Al volver, otra vez los halló durmiendo, porque los ojos de ellos estaban cargados de sueño; y no sabían qué responderle.

Vino la tercera vez y les dijo: Dormid ya, y descansad. Basta, la hora ha venido: he aquí, el Hijo del Hombre es entregado en manos de los pecadores. Levantaos, vamos; he aquí, se acerca el que me entrega»[1]

Pongan atención a estas frases: «Y comenzó a entristecerse y a angustiarse». «Mi alma está muy triste». «Yéndose un poco adelante se postró en tierra y oró».

¿Luce esto como la pintura de un Jesús santamente descansando en la palma de Dios? Difícilmente. Marcos usó pintura negra para describir esta escena. Vemos a un agonizante, sufriente, triste y angustiado Jesús. Vemos a un «varón de dolores».[2]

Vemos a un hombre luchando con el temor, luchando con los compromisos, y anhelando alivio.

Vemos a Jesús en la niebla de un corazón roto.

El escritor de Hebreos escribiría más tarde: «Y Cristo, en los días de su carne, ofreciendo ruegos y súplicas, con gran clamor y lágrimas al que lo podía librar de la muerte...».

¡Dios mío! ¡Qué retrato! Jesús está en dolor. Jesús está en la plataforma del temor. Jesús está cubierto, no en santidad sino en humanidad.

La próxima vez que la niebla lo encuentre, usted haría bien en recordar a Jesús en el jardín. La próxima vez que usted piense que nadie entiende, vuelva a leer el capítulo catorce de Marcos. La próxima vez que su autocompasión lo convenza de que nadie se preocupa, haga una visita al Getsemaní. Y la próxima vez que usted se pregunte si Dios realmente percibe el dolor que prevalece en este polvoriento planeta, escúchelo suplicar entre los árboles torcidos.

Este es mi argumento. Ver a un Dios como este nos hace maravillarnos de nuestro propio sufrimiento. Dios nunca fue más humano que en esta hora. Dios nunca estuvo más cerca de nosotros que cuando sufrió. La Encarnación nunca fue tan cumplida como en el jardín.

Como resultado, el tiempo pasado en la niebla del dolor podría ser el más grande don de Dios. Podría ser la hora en la cual finalmente vemos a nuestro Hacedor. Si es verdad que en el sufrimiento Dios es más semejante al hombre, tal vez en nuestro sufrimiento podamos ver a Dios como nunca antes.

La próxima vez que usted sea llamado a sufrir, preste atención. Puede que esté lo más cerca que nunca ha estado de Dios. Obsérvelo muy de cerca. Podría muy bien ser que la mano que se extiende hacia usted para sacarlo de la niebla sea una mano horadada.

1. Marcos 14:32-42
2. Isaías 53:3
3. Hebreos 5:7

26

¿Pâo, senhor?

No debe haber tenido más de seis años. Cara sucia, descalzo, su camiseta rasgada, el pelo rizado. No era muy diferente de los otros cientos de miles de huérfanos callejeros que pululan en Río de Janeiro.

Me dirigía a tomar una taza de café en algún lugar cercano cuando él vino detrás de mí. Con mis pensamientos en alguna parte entre la tarea que había terminado y la clase que iba a enseñar, casi no sentí el «tap, tap, tap» en mi mano. Me detuve y giré para mirar. No viendo a nadie, continué. Había dado sólo unos pocos pasos, cuando sentí otro insistente «tap, tap, tap». Esta vez me detuve y miré hacia abajo. Allí estaba. Sus ojos parecían más blancos debido a sus mejillas oscuras y a su pelo negro como el carbón.

«¿Pâo, senhor?» («¿Pan, señor?»)

Viviendo en Brasil, uno tiene oportunidades diarias de comprar un dulce, una barra de chocolate o un emparedado para estos pequeños desamparados. Es lo menos que uno puede hacer. Le dije que viniera conmigo y entramos a una cafetería. «Café para mí y algo sabroso para mi pequeño amigo». El muchacho corrió al mostrador de la pastelería e hizo su elección. Normalmente estos muchachitos toman el alimento y se dan la vuelta hacia la calle y se van sin decir una palabra. Pero este pequeño me sorprendió.

Esa cafetería tenía un mostrador grande. Uno de los extremos estaba destinado a la pastelería, y el otro para servir café. Mientras el muchacho escogía, fui al otro extremo del mostrador y comencé a tomar mi café. Justamente cuando trataba de traer nuevamente el descarrilado tren de mis pensamientos a los rieles, lo vi de nuevo. Estaba parado en la entrada del café, de puntillas, pan en mano, mirando a la gente. «¿Qué está haciendo?», pensé. Entonces él me vio y corrió en mi dirección. Vino y se paró frente a mí con los ojos al nivel de la hebilla de mi cinturón. El pequeño huérfano brasileño miraba para arriba al alto misionero americano, sonrió con una sonrisa que hubiera capturado el corazón de cualquiera y dijo: «Obrigado» («Gracias»). Luego, rascándose nerviosamente la parte de atrás del tobillo con el dedo grande del otro pie, añadió: «Muito obrigado» («Muchas gracias»).

Todo fue repentino, tuve un loco deseo de comprarle todo el restaurante.

Pero antes de que pudiera decir algo, se dio la vuelta y escapó por la puerta.

Mientras escribo esto, estoy todavía en el café. Mi café está frío, estoy atrasado para mi clase, pero aún tengo la sensación que sentí hace media hora. Y estoy haciéndome esta pregunta: Si me siento conmovido ante un huérfano callejero que me agradece un pedazo de pan, ¿cuánto más se conmueve Dios en el momento en que hago una pausa para agradecerle —realmente agradecerle— por salvar mi alma?

27

Cachorritos, mariposas, y un Salvador

uando andaba por mis diez años tenía una perrita llamada
Tina; a usted le hubiera encantado. Era el perfecto perrito
casero. Un irresistible cachorro pequinés con la nariz aplastada.
Una oreja caída y la otra levantada. Nunca se cansaba de jugar y
nunca se fue a la calle. Su madre murió al nacer ella, de manera que
el cuidado de la perrita recayó sobre mí. La alimentaba con leche,
utilizando una botella de muñecas. También acostumbraba sacarla
por la noche para ver si ella tenía alguna necesidad. Nunca olvidaré
la noche en que la llevé a la cama conmigo, sólo para obtener su
suciedad en mi almohada. Hacíamos una buena pareja. Fue mi
primer roce con la paternidad.

Un día entré al patio trasero para alimentar a Tina. La busqué
alrededor y la encontré en una esquina de la cerca. Había acorralado
a una mariposa (tanto como se puede acorralar a una mariposa) y
jugaba saltando y brincando en el aire, tratando de atraparla con su
boca. Sorprendido, la observé por unos pocos minutos y luego la
llamé.

«¡Tina! ¡Ven acá, muchacha! ¡Es hora de comer!»

Lo que pasó después me sorprendió. Tina dejó de jugar y me miró. Pero en lugar de correr inmediatamente en mi dirección, se sentó sobre sus patas traseras. Entonces comenzó a mover su cabeza para atrás hacia la mariposa, luego hacia adelante para mirarme a mí, nuevamente para atrás mirando a la mariposa y de nuevo adelante para mirarme a mí. Por primera en su vida ella tuvo que tomar una decisión.

Su «yo quiero» anhelaba perseguir la mariposa que la esperaba volando frente a ella. Su «debo» sabía que supuestamente debía obedecer a su amo. Una clásica lucha de la voluntad. Una guerra entre el «quiero» y el «debo». Mi perrita afrontaba la misma situación que ha afrontado cada adulto.

¿Saben ustedes lo que hizo? ¡Persiguió la mariposa! Ladrando y saltando, ignoró mi llamado y persiguió a esa cosa tonta hasta que voló sobre la cerca.

Entonces fue allí cuando sintió la culpa.

Se detuvo en la cerca por un buen rato, sentada en las piernas traseras, mirando por donde la mariposa había volado. Lentamente, la excitación de la persecución fue desapareciendo a medida que crecía la culpa por la desobediencia.

Dio la vuelta dolorosamente y caminó a encontrarse con su dueño. (Para ser honesto, yo estaba un poco enfadado.)

Tenía su cabeza agachada mientras cruzaba penosa y tristemente el patio.

Se sintió culpable por primera vez en su vida.

Había violado su «debo» y caído en su «quiero». Mi corazón se enterneció, y la llamé por su nombre otra vez. Sintiéndose perdonada, Tina saltó a mis manos. (Siempre fui una persona débil.)

Ahora, tal vez estoy exagerando un poco. No sé realmente si un perro puede o no sentirse culpable. Pero sé que un ser humano sí puede. Y, los efectos son los mismos, ya sea que el pecado sea tan leve como perseguir una mariposa o tan grave como acostarse con la esposa de otro hombre.

La culpa se introduce en las uñas del gato y roba cualquier alegría que pudo haber asomado en nuestros ojos. La confianza es reemplazada por la duda y la racionalización saca a codazos la honestidad. Se va la paz. Entra el conflicto. Cuando cesa el placer de la indulgencia, empieza el anhelo de alivio.

Nuestra visión es opacada y nuestra vida miope no tiene sino un solo propósito: encontrar alivio para nuestra culpa. O como Pablo nos interroga: «¡Miserable de mí! ¿Quién me librará de este cuerpo de muerte?»[1]

Esta no es una pregunta nueva. Uno difícilmente abre la Biblia antes de encontrar a la humanidad compitiendo, o más frecuentemente, fracasando frente a la culpabilidad. La rebelión de Adán y Eva los llevó a avergonzarse y esconderse. Los celos de Caín lo llevaron al asesinato y al destierro. Y pronto, toda la raza humana estaba afligida. Abundó el mal y la gente creció malvada. El corazón del hombre se volvió tan frío que nunca más buscó alivio a su encallecida conciencia. Y, en el que debe ser el más temeroso versículo de la Biblia, Dios dice que se arrepintió de haber hecho hombre en la tierra y le dolió en su corazón.[2]

Todo esto por la incapacidad del hombre de hacerle frente al pecado.

Si tan sólo tuviéramos un riñón que pudiera filtrar la culpa de nuestros errores, o un borrador interno que nos ayudara a vivir con nosotros mismos. Pero no los tenemos. En realidad ese es precisamente el problema.

El hombre no está en condiciones de enfrentar solo al sentimiento de culpa.

Cuando Adán fue creado, fue hecho sin la habilidad de enfrentar la culpabilidad. ¿Por qué? Porque no fue hecho para cometer equivocaciones. Pero cuando las cometió, no tuvo manera de tratar con ellas. Cuando Dios lo buscó para ayudarlo, Adán cubrió su desnudez y se escondió avergonzado.

El hombre no puede tratar con su culpabilidad por sí mismo. Tiene que recibir ayuda externa. Con el fin de perdonarse a sí mismo tiene que recibir el perdón de aquél a quien ofendió. No obstante, es indigno de pedir perdón a Dios.

Esa es entonces la completa razón para la cruz.

La cruz hizo lo que los corderos sacrificados no podían hacer. Borró nuestros pecados, no por un año, sino por toda la eternidad. La cruz hizo lo que el hombre no podía hacer. Nos concedió el derecho de hablar con amor, y aun de vivir con Dios.

Usted no puede hacer eso por sí mismo. No importa a cuántos servicios de adoración asista o buenas obras haga, su bondad es insuficiente. Usted no puede ser lo suficientemente bueno para merecer perdón. En fútbol, nadie hace dos goles con la misma patada. Nadie derriba trescientos en los bolos. Nadie. Ni usted, ni yo, ni nadie.

Por eso es que tenemos culpabilidad en el mundo.

Por eso es que necesitamos un salvador.

Usted no puede perdonar mis pecados ni yo puedo perdonar los suyos. Dos muchachos en un pozo de barro no pueden limpiarse uno al otro. Necesitan de alguien limpio. De alguien sin mancha. Nosotros también necesitamos de alguien limpio.

Por eso es que necesitamos un salvador.

Lo que mi perrita necesitaba era precisamente lo que usted y yo necesitamos: un maestro que extendiera sus manos y nos dijera: «Ven; todo está bien». No necesitamos un maestro que nos juzgue por lo que hemos hecho; de lo contrario caeríamos lastimosamente. Tratar de conseguir el cielo con nuestra propia bondad es como tratar de llegar a la luna en un rayo de luna; linda idea, pero inténtela y vea lo que sucede.

Escuche. Deje de tratar de extinguir su propia culpabilidad. Usted no puede hacerlo. No hay manera. No puede hacerlo con una botella de licor ni con la perfecta asistencia a la escuela dominical. Lo lamento. No importa cuán malo sea. No puede ser lo suficientemente malo para olvidarlo. Y no importa cuán bueno sea. Usted no puede ser lo suficientemente bueno para pasarlo por alto.

Usted necesita un Salvador.

1. Romanos 7:24
2. Génesis 6:6

28

El testimonio de Dios

Aunque la pequeña granja estaba sólo a dos horas en automóvil, estaba por lo menos a un siglo de distancia en el tiempo. Mi amigo Sebastâo me había invitado a su pueblo natal de Marecá, un punto en el camino a cien kilómetros de Río de Janeiro. Era un trabajador de veintiséis años de edad, quien había visitado nuestra congregación y participaba en un estudio bíblico. De hablar lento, alto, desgarbado; este tipo no era lo que llamaríamos una persona sofisticada. Era lo suficientemente honesto, simple y rápido para sonreír, sin ninguna raíz en la jungla ciudadana.

Me complació la oportunidad de ver algo del campo brasileño. Lo que yo no sabía, sin embargo, era que iba a aprender una lección de fe.

Pude sentir que los músculos de mi nuca se relajaban apenas salí de Río y de su contaminada guerra de tráfico, a medida que miraba en el espejo retrovisor. Mi pequeño Volkswagen rodaba muy bien por los pintorescos caminos que cruzaban las colinas. El escenario no era diferente a la región de «Bluegrass» en Kentucky; dotada de ricos, espesos y verdes pastizales, valles generosos y amigables laderas con Herefords pastando.

Pronto nos salimos de la autopista a una carretera de dos vías; luego, después de media docena de «mantenga su derecha» y «permanezca en su izquierda» fuimos a desembocar en un angosto camino más descampado.

—Normalmente vengo en bus —explicó Sebastâo—. A menudo debo caminar este tramo.

No era un «tramo». Fueron por lo menos unas cuatro millas en que nos sacudimos en ese difícil y extraño campo polvoriento. En el proceso pasamos a un muchacho que llevaba dos bidones de leche encima de una mula.

—Ese es mi primo —dijo Sebastâo—. Él viene todas las mañanas y nos trae leche fresca.

El delgado camino nos condujo a través de una miríada de colores, mientras que los blanquecinos troncos de los eucaliptos parecían velas en un inmenso pastel de hierba verde oscura. El cielo brasileño estaba brillantemente azulado y las colinas de color rojizo.

—¡Deténgase aquí! —me dijo.

Frené en frente a una enorme puerta de madera suspendida entre dos postes de cerca.

—Sólo un segundo y abriré la puerta.

Si yo creía que el camino que habíamos tomado era «insinuado», el otro que nos condujo desde la puerta hasta la casa era «invisible». Me quedé pensando en cómo hubiera necesitado un jeep para ese lugar. Mientras rebotábamos en medio de la hierba, nos deslizábamos entre los arbustos, arrastrándonos entre los árboles, hasta que finalmente apareció un claro seguido de una vieja casa de estuco.

El padre de Sebastâo nos esperaba; el Sehor José». A decir verdad, él no representaba los setenta y tantos años que tenía. Sus ojos estaban cubiertos por la sombra de un viejo sombrero de paja. Al vernos nos sonrió con una boca sin dientes. Su pronunciado y bronceado pecho y su estrecha cintura eran testimonio de miles de horas de cosechar y plantar. Los pies planos y desnudos tenían el mismo color de la tierra, y sus manos eran rudas y gruesas.

—¡Qué bueno tenerlos aquí! —nos dio la bienvenida.

Ustedes podrían decirme qué quiso decir.

La casita me hizo pensar en los cuadros que había visto en los Estados Unidos durante la época de la depresión. Apagadas lámparas de querosén (no había electricidad). Palanganas de agua para asearse (no había agua corriente). Alineados en la pared se veían gastadas azadas, palas y picos (no había tractores ni equipo moderno). La cocina era una choza separada, a la que se llegaba por la puerta frontal de la casa. Me intrigó la cocina. Estaba construida de barro duro y cocido, moldeado en una angosta y larga pieza de aproximadamente metro y medio de largo por un metro de alto. Habían unos diez o quince centímetros desde abajo hasta el hueco donde se colocaba la madera. Las siempre presentes ollas para cocinar los frijoles y el arroz colgaban a horcajadas sobre el caliente hueco. Me sentí muy lejos de Río de Janeiro.

El «Senhor José», me llevó en un recorrido a través de este segmento del mundo. Por treinta y siete años él había arado y cultivado esta media hectárea. Era obvio que conocía cada hueco y cada recodo.

—Alimento a catorce bocas de esta tierra —sonrió, señalando una planta de lechuga—. ¿De dónde dice usted que es?

—De los Estados Unidos.

—Y, ¿qué hace aquí?

Le expliqué un poco acerca de mi trabajo. No respondió pero me condujo a un pequeño riachuelo donde se sentó en una roca y comenzó a desvestirse.

—¿Va a tomar un baño, papá? —preguntó Sebastâo.

—Sí, es sábado.

—Bien, nos veremos entonces de regreso en la casa.

Sebastao me condujo a través de un sembradío de caña de azúcar, donde cortó un pedazo, lo peló y me dio. Volvimos a la casa y nos sentamos afuera, en la mesa del comedor. Los bancos estaban suavemente gastados por decenios de uso.

Aproximadamente al mismo tiempo «el senhor José» apareció usando pantalones limpios, sin sombrero y con el cabello húmedo.

Aunque no habíamos estado juntos por una media hora, él recomenzó la conversación exactamente donde la habíamos dejado (usted podría decir en qué había estado pensando).

—¿Un misionero, eh? Su trabajo debe ser muy fácil.

—¿Cómo es eso? —pregunté.

—Yo no tengo problema en creer en Dios. Después de ver lo que él ha hecho en mi finquita, año tras año, es fácil creer.

Sonrió mostrando su desdentada boca y pidió a gritos a su esposa que nos trajera frijoles.

Cuando manejábamos de regreso a casa, no pude dejar de pensar en «el senhor José». ¡Dios mío! ¡Qué vida tan sencilla!

Ningún problema de tráfico, ningún horario de aerolíneas o largas colas. Viviendo tan lejos de Wall Street, de los inspectores de impuestos y de las hipotecas. Despreocupado de la "teología Johannine", de Martín Lutero o de las evidencias cristianas.

Pensé en su fe, en su habilidad para creer y en su sorpresa de que hubiera alguien que no creyera. Comparé su fe con la de otros que habían tenido más dificultades en creer; un estudiante universitario, un acaudalado importador y exportador, un ingeniero. Había gran diferencia entre José y los otros. Su fe estaba enraizada en los sencillos milagros que veía diariamente:

Una semillita convirtiéndose en un erguido árbol.

Un delgado tallo brotando de la tierra.

Un arco iris en medio de la tempestad.

Creer era fácil para él. Puedo ver por qué. Alguien que contempla el diario despliegue de la majestad de Dios no encuentra el secreto de la Pascua como algo absurdo. Alguien que depende de los misterios de la naturaleza para su subsistencia no encuentra dificultad alguna en depender de un Dios al que no ve para su salvación.

—La naturaleza —escribió Jonathan Edwards,—es el más grande evangelista de Dios.

—La fe —escribió Pablo,—no está fundada en la sabiduría de los hombres, sino en el poder de Dios.[1]

—El testimonio de Dios —escribió David,—hace sabio al sencillo.[2]

El testimonio de Dios. ¿Cuándo fue la última vez que usted lo vio? Un paseo a través del pastizal que le llega a la rodilla en la verde pradera. Una hora escuchando a las gaviotas o mirando las conchas en la playa. O contemplando los reflejos de la luz del sol brillando en la nieve en un amanecer de invierno. Los milagros que casi se comparan en magnitud con los de la tumba vacía suceden a nuestro alrededor. Sólo tenemos que prestarles atención.

El viejo agricultor brasileño me dio un principio comprobado por el tiempo para llevarme a casa. Me recordó que hay un cierto entendimiento de Dios en la cruz que viene sólo de contemplar su diario testimonio. Allí viene un tiempo cuando debemos dejar a un lado nuestros lápices y comentarios, y salir de nuestras oficinas y bibliotecas. Para comprender y creer realmente en el milagro de la cruz haríamos bien en testificar diariamente los milagros de Dios.

1. I Corintios 2:5, paráfrasis del autor.
2. Salmos 19

29

Decisiones dinamita

Todavía me río cuando pienso en el chiste que oí acerca del vigilante que aprendió una rápida lección de pesca.

Según parece, él notó cómo un particular sujeto llamado Sam siempre agarraba más peces que los demás. Mientras que los otros pescadores pescaban sólo tres o cuatro peces al día, Sam volvía del lago con el bote lleno. Lanzamiento tras lanzamiento, la red siempre estaba repleta de frescas truchas.

El vigilante, curioso, le preguntó a Sam cuál era su secreto. El exitoso pescador lo invitó a que lo acompañara y a que observara. Por lo tanto, la mañana siguiente los dos se encontraron en el muelle y subieron al bote de Sam. Cuando llegaron a la mitad del lago, detuvieron el bote y el vigilante se relajó para ver cómo Sam lo hacía.

La actuación de Sam era sencilla. Sacó un taco de dinamita, lo encendió y lo arrojó al aire. La explosión impactó el lago con una fuerza tal que los peces muertos empezaron inmediatamente a flotar en la superficie. Sam tiró la red y empezó a recogerlos.

Bien, usted puede imaginarse la reacción del vigilante. Cuando se recobró de la sorpresa, empezó a gritarle a Sam. «¡Usted no puede hacer esto! ¡Lo llevaré a la cárcel, compañero! ¡Pagará por todas las multas que hayan en el reglamento!» Mientras tanto, Sam dejó la red en el fondo del bote y sacó otro taco de dinamita. Lo encendió y lo arrojó al mismo tiempo que se dirigía al vigilante con estas palabras: «¿Se va a quedar allí sentado todo el día quejándose, o va a pescar?»

El pobre vigilante fue obligado a tomar una rápida decisión. En un segundo fue impelido a cambiar, de un observador a un participante. ¡Allí tenía que tomar una decisión «explosiva», y rápidamente!

La vida es parecida a eso. Son pocos los días que pasan desapercibidos, sin que tengamos que enfrentarnos cara a cara con una ininvitada, inesperada y hasta inevitable decisión. Como un castillo de naipes, estas decisiones nos hacen desplomar sin ninguna advertencia. Nos desorientan y confunden. Rápidamente. Inmediatamente. De repente. Sin consejo, ni estudio, ni aviso. ¡Paf! De una manera repentina usted es lanzado al aire de la incertidumbre, y sólo el instinto determinará si usted aterrizará de pie.

¿Quiere un buen ejemplo? Observe a los tres apóstoles en el jardín. Suena como si duermen. Cansados por una abundante cena y por una ocupada semana, con los párpados demasiado pesados, son despertados por Jesús sólo para caer de nuevo en la tierra de los sueños. La última vez, sin embargo, son despertados por Jesús y el retintín de espadas, el brillo de las antorchas y las ruidosas voces.

«¡Allá está!» «¡Agárrenlo!»

Un alarido. Un beso. Un arrastrar de pies. Una pequeña escaramuza. De repente todo es tiempo de decisión. Sin tiempo para conferenciar. O para orar. O para meditar o consultar con amigos. Decisión.

Pedro lo hizo. Saca la espada. Cae la oreja. Jesús lo recrimina. ¿Ahora qué?

Marcos, quien aparentemente fue un joven testigo, escribió estas palabras: «Entonces todos los discípulos, dejándole, huyeron».

Esa es una forma delicada de decir que ellos corrieron como ratones asustados. ¿Todos ellos? Todos ellos. ¿También Pedro? Sí; también Pedro. ¿Santiago? Sí; Santiago. ¿Juan? ¿Juan, el amado? Sí; Juan también huyó. Todos lo hicieron. La decisión les vino como un fantasma de «halloween», y escaparon rápidamente. Lo único que era más veloz que sus pies era su pulso. Todas aquellas palabras de lealtad y compromiso fueron dejadas atrás como una nube de polvo.

Pero antes que juzguemos muy duramente a estos «seguidores velocistas», analicémonos a nosotros mismos. Posiblemente usted mismo haya estado en el jardín de la decisión unas pocas veces. ¿Se ha visto desafiada su lealtad? ¿Ha pasado alguna vez por esta trampa del demonio?

Para el adolescente podría ser un hecho sin importancia. Para el comerciante podría ser la oportunidad de hacerse a un poco de dinero efectivo «por debajo de la mesa». Para la esposa podría constituir una oportunidad de dar un «par de mordidas» al jugoso chisme. Para el estudiante podría ser la oportunidad de mejorar su calificación mirando el examen de su compañero. Para el esposo podría significar un impulso de alterarse frente a los gastos de su esposa. En un minuto nos encontramos hablando de pesca en un pacífico bote en el lago, y en el siguiente tenemos un taco de dinamita en las manos.

Más a menudo de lo que parece, el final resulta ser una catástrofe. En vez de desconectar tranquilamente la bomba, la dejamos explotar. Nos encontramos haciendo justamente aquello que detestamos. Nuestro yo niño nos impulsa hacia adelante; incontrolados y sin freno, y nuestro yo adulto nos sigue desde atrás, meneando la cabeza.

Ahora, no necesariamente tiene que ser así. Jesús no se aterrorizó. Él oyó también las espadas y vio los garrotes, pero no perdió la cabeza. ¡Y ésa era la cabeza que los romanos querían!

Releyendo la escena del jardín podemos darnos cuenta por qué. Un juicio emitido por nuestro Maestro nos ofrece dos herramientas básicas para mantenernos con frialdad en medio del calor de una decisión. «Velad y orad para que no entréis en tentación».[2]

La primera herramienta es: «Velad». No les llegó nada más práctico que esto. Velad. Permaneced alerta. Mantengan abiertos los ojos. Cuando vea venir el pecado, evítelo. Cuando anticipe un encuentro peligroso, vuélvase. Cuando sienta tentación, tome otro camino.

Todo lo que Jesús está diciendo es: «¡Presten atención!» Usted conoce sus debilidades. Además conoce las situaciones en las cuales sus debilidades son más vulnerables. Manténgase alejado de aquellas situaciones. Asientos traseros. Horas avanzadas. Clubes nocturnos. Juegos de póker. Partidas de Bridge. Teatros. Ciertas películas. Cualquier cosa que le dé entrada a Satanás en su vida, manténgase alejado de aquello. ¡Tenga cuidado!

La segunda herramienta es: «Orar». Pero orar no es decirle a Dios nada nuevo. No hay ningún pecador ni un santo que pueda sorprenderlo. Lo que hace la oración es invitar a Dios a caminar con nosotros los sombreados senderos de la vida. Orar es pedir a Dios que mire adelante de nosotros para ver si hay árboles caídos o peñascos derribados y ayudarnos a pasarlos, guardando nuestra espalda de los dardos de fuego del maligno.

«Velad y orad». Buen consejo. Aceptémoslo. Podría ser la diferencia entre un día tranquilo en el lago y un taco de dinamita explotando en nuestra cara.

1. Marcos 14:50
2. Marcos 14:38

30

¿Qué esperó usted?

Mi primera dificultad con las expectativas vino cuando yo era un pecoso y pelirrojo alumno de cuarto grado. Todo tuvo que ver con mi primera enamorada: Marlene. ¡Hombre, yo estaba a gusto con Marlene! Ella era la reina de reinas. Como ninguna otra, ella podía revolver mi cabeza y hacer que el pulso se me acelerara. Quizás debe haber sido hipnotizadora, porque cuando yo estaba con ella todo lo que podía hacer era sonreír. Mirarla y sonreír. No había palabras. No había diálogo. Tan sólo la mirada de un «enamorado» muchacho baboso de diez años.

Entonces un día ella consintió en «salir conmigo» (o en palabras de adultos, ser mi novia). ¡Wau! Fuegos artificiales, música, estrellas. ¡Que la banda toque: «Su Alteza, soy suyo»!

Sólo había un problema. Nunca había tenido antes una novia. Quizás por eso fue que un bien intencionado amigo me dio un día algunos consejos durante el recreo.

—Se supone que un novio haga cosas por su chica.

—¿Como cuáles?

—¡Como caminar con ella a la clase, tonto! Sentarse con ella a la mesa del comedor. Esa clase de cosas.

Así que al almuerzo de ese día esperé en la puerta del restaurante de autoservicio hasta que ella llegara. Cuando apareció, caballerosamente tomé sus libros, le extendí mi mano y caminé con ella hacia la fila del almuerzo. El Príncipe Carlos y la Princesa Diana nunca fueron tan elocuentes.

Todo estuvo hermoso y bien hasta el día siguiente después de clases. Su mejor amiga me alcanzó y me trajo la mala noticia:

—Marlene quiere terminar.

Me quedé mudo.

—¿Por qué?

—Porque no te sentaste a la mesa hoy con ella.

¿Qué había hecho? Ese día tuve mis primeras interrogantes acerca de las mujeres. Sin embargo, más tarde aprendería que el problema no era un problema femenino; sino que era un problema humano.

Es el problema de las expectativas. Como usted ve, Marlene ahora estaba esperando algo de mí. Me senté con ella a la mesa un día. Por lo tanto, yo debería haberme sentado a la mesa con ella todos los días. Aunque no había ningún convenio, la suposición era esa. Aunque ningún acuerdo se hizo, lo que se asumía era justamente tan poderoso. Ella esperaba que yo estuviera allí. La desilusioné. (Rompimos).

¿Suena familiar? ¿Qué experiencias tiene con las expectativas? Pueden ser serias, como usted sabe. Han sabido hacer mucho más que estropear un romance de cuarto grado. Divorcio, tensión en el trabajo, pobre autoestima, separación familiar, guerras mundiales, amistades resentidas. Todo esto puede ser causado por estas pequeñas delincuentes: las expectativas.

Ellas son como los rifles. Usadas correcta y apropiadamente, son valiosas y necesarias. Pero, ¡oh! ¡Cuán a menudo son mal usadas! ¡Cuán a menudo cargamos la cámara y nos preparamos para lanzar una andanada contra aquellos que amamos! Tranquilamente tiramos del gatillo: «Tú me desilusionas». Y caemos víctimas de una bala de expectativa.

¿Nunca se atrapó usted a sí mismo usando este cuento-triste de insana expectativa, por ejemplo con sus hijos?

«Ahora, tu hermano mayor sacó un 10 en química, y sabemos que tú también lo harás. ¿Cierto, querido?»

«Hijo, cuando yo tenía tu edad pertenecí al equipo de fútbol de la universidad.»

«¿Vas a ser un inteligente doctor como tu padre?»

«Ahora, querida, ni siquiera sueñes con esa universidad.

¡Cuando te gradúes, vas a ir a nuestra universidad. Ya estoy ahorrando para ello!».

O quizás éste con su cónyuge:

«Si tuvieras un mejor salario, anual, podríamos comprar esa casa».

«Querida, le prometí a Pablo que iría a pescar con él el sábado. No te importa, ¿verdad?»

«No es mi culpa que haya tanto desorden en la cocina. Es trabajo de la esposa cuidar la casa».

O en el trabajo:

«Eric; he puesto grandes esperanzas en ti en la compañía. No me desilusiones».

«Sé que ya son más de las 5:00 p.m. Pero supuse que a usted no le importaría que visitáramos un cliente más».

«Sé que usted no ha tenido vacaciones, Phil. Pero a aquellos que realmente les importa la compañía tienen que sacrificarse».

Expectativas. Ellas crean amor condicional. «Te quiero, pero te querré aún más si...».

Ahora, sé en qué está pensando. ¿No deberíamos esperar lo mejor de cada uno? ¿No deberíamos animar a cada uno a luchar por la excelencia y jamás rendirse por nada?

Por supuesto.

Pero fue Cristo en la cruz quien nos enseñó a usar las expectativas. ¿Demanda mucho Él? Mejor que usted lo crea así. ¿Que Él espera mucho? Sólo lo mejor de nosotros. ¿Tiene Él expectativas? Sólo que dejemos todo, que neguemos todo y que lo sigamos.

¿La diferencia? Jesús nutrió sus expectativas con dos importantes compañeros de éstas: El perdón y la aceptación.

Estudie muy atentamente estas palabras escritas por Pablo:

«Cuando aún éramos pecadores, Cristo murió por nosotros».[1]

¿Cuándo murió por nosotros? ¿Cuando llegamos a la perfección? No. ¿Cuando vencimos toda tentación? Difícilmente. ¿Cuando somos expertos en caminar con Cristo? Lejos de eso. Cristo murió cuando éramos todavía pecadores. Su sacrificio, entonces, no dependía de nuestras realizaciones.

Cuando amamos con expectativas decimos: «Te amo; pero te amaré aún más si...»

El amor de Cristo no tiene nada de eso. Ninguna exigencia, ninguna expectativa, ninguna agenda escondida, ningún secreto. Su amor por nosotros fue —y es— de frente y limpio. «Yo te amo —dice Él—, aunque tú me desilusiones. Te amo a pesar de tus errores».

A un paso detrás de las expectativas de Cristo, vienen caminando su perdón y su ternura. Salte en la cuerda floja de lo que espera el Maestro y usted aterrizará en su red de tolerancia.

Expectativas. Solas, son balas que pueden matar, pero escoltadas por la aceptación y el perdón, pueden traer lo mejor.

Aun en los romances infantiles.

1.   Romanos 5:8

31

Vuelve a casa

L a práctica de usar acontecimientos terrenales para clarificar verdades celestiales no es una tarea fácil. Sin embargo, uno va ocasionalmente a través de una historia, de una leyenda o de una fábula que guarda un mensaje y suele equivaler a cien sermones, con diez veces más de creatividad. Tal es el caso de la historia que viene a continuación. La escuché por primera vez narrada por un predicador brasileño en San Pablo. Y aunque la he compartido incontable cantidad de veces, cada vez que la cuento me siento nuevamente abrigado y reasegurado por su mensaje.

La casita era sencilla pero adecuada. Constaba de un cuarto grande en una calle polvorienta. El techo de tejas rojas era uno de los muchos de este pobre vecindario en las afueras de una aldea brasilera. Pero era una casa confortable. María y su hija, Cristina, habían hecho todo lo que podían para añadir color a las grises paredes y calentar un poco el duro y sucio piso de tierra: un viejo almanaque, una fotografía borrosa de un pariente, un crucifijo de madera. El mobiliario era modesto: un banco de madera en cada lado de la habitación, una palangana para lavarse las manos, y una estufa de leña.

El esposo de María había muerto cuando Cristina estaba recién nacida. La joven madre rehusó tercamente algunas oportunidades de volver a casarse. Consiguió un trabajo y se dedicó a criar a su tierna hija. Y ahora, quince años más tarde, los peores momentos habían pasado. Aunque el salario de María como empleada de servicio doméstico le permitía muy pocos lujos, era suficiente para proveer comida y vestido, y ahora Cristina era lo suficientemente grande como para buscar trabajo que las ayudara un poco más.

Hubo quienes dijeron que Cristina heredó de su madre su independencia. Ella no estaba de acuerdo con la idea tradicional de casarse joven y formar una familia. No es que ella no hubiera podido conseguir marido. Su piel de color oliva y sus ojos marrones ayudaban a mantenerle una fila de pretendientes a su puerta. Ella tenía una graciosa manera de echar su cabeza hacia atrás y llenar la casa de alegría. También tenía la rara magia de algunas mujeres de hacer sentir a un hombre como un rey sólo por estar junto a ella. Pero fue su espíritu de curiosidad el que hizo que mantuviera a raya a los hombres.

A menudo ella hablaba de irse a la ciudad. Soñaba con cambiar su polvoriento vecindario por excitantes avenidas y vida de ciudad. Sólo este pensamiento horrorizaba a su madre. María estaba siempre lista para recordarle a Cristina los peligros de las calles. «Allí la gente no te conoce. Los empleos son escasos y la vida es cruel. Y además, si tú fueras allí, ¿qué harías para sobrevivir?»

María sabía exactamente qué haría Cristina, o qué tendría que hacer para sobrevivir. Por eso es que su corazón se desgarró cuando despertó una mañana para encontrar que la cama de su hija estaba vacía. María sabía exactamente dónde había ido. También sabía que debía encontrarla inmediatamente. Rápidamente puso un poco de ropa en una maleta, reunió todo su dinero y salió corriendo de la casa.

En el camino a la parada del autobús entró a una droguería a conseguir una última cosa. Fotografías. Se sentó en la cabina de fotografías, cerró la cortina, y gastó todo lo que pudo en fotos de ella misma. Con el bolso lleno de pequeñas fotos en blanco y negro, abordó el siguiente autobús para Río de Janeiro.

María sabía que Cristina no tenía modo alguno de ganar dinero. También sabía que su hija era demasiado terca para volver atrás. Cuando el orgullo se encuentra con el hambre, un ser humano hace cosas inconcebibles. Sabiendo esto, María empezó la búsqueda. Bares, hoteles, clubes nocturnos, cualquier lugar con la reputación de ser utilizados por vagabundos o prostitutas. Fue a todos ellos. Y en cada lugar ella dejó su fotografía pegada con cinta en el espejo de un baño, clavada en el tablero de anuncios de hoteles, pegada a una cabina telefónica. Detrás de cada foto ella escribió una nota.

No pasó mucho tiempo antes de que el dinero y las fotografías se acabaran, y María tuvo que volver a casa. La fatigada madre lloraba cuando el autobús emprendía el viaje de regreso a su pequeña aldea.

Fue unas pocas semanas más tarde cuando Cristina descendió las escaleras del hotel. El joven rostro estaba cansado. Los ojos marrones ya no danzaban de juventud, sino que hablaban de dolor y miedo. Su risa se había roto. El sueño se había convertido en pesadilla. Miles de veces había anhelado cambiar esas innumerables camas por su seguro colchón de paja. Sin embargo, la pequeña aldea estaba, de muchas maneras, demasiado lejos.

Cuando llegaba al final de las escaleras, sus ojos percibieron una cara familiar. Miró otra vez, y allí, en el espejo de la recepción había una pequeña fotografía de su madre. Los ojos de Cristina le ardieron y se le hizo un nudo en la garganta mientras cruzaba la sala y despegaba la pequeña foto. Escrita en el reverso, había esta compelente invitación: «Lo que quiera que hayas hecho, cualquier cosa que hayas llegado a ser, no importa. Por favor vuelve a casa».

Ella lo hizo.

«El Hijo es el resplandor de la gloria de Dios y la imagen misma de su sustancia...»

«Venid a mí, todos los que estáis trabajados y cargados, y yo os haré descansar».[2]

---

1. Hebreos 1:3
2. Mateo 11:28

32

Inconsistencias consistentes

Sospecho que la cosa más consistente de la vida tiene que ser su inconsistencia.

Escogiendo no ser puesta en una categoría exacta, la vida ha optado por ser una ensalada de triunfos y tragedias, profanidad y pureza, desesperación y esperanza. Lo malo está perplejamente cerca de lo bueno. Lo justo está terriblemente cerca de lo incorrecto. ¿Y la vida? La vida está tan lejos de la muerte como un tictac de reloj. ¿Y el mal? El mal está paradójicamente cerca de lo bueno. Es como si sólo una delgada cortina los separara. Dado el señuelo exacto en el preciso momento, apuntado a la exacta debilidad, no hay ser viviente que no abriera su cortina y viviera su más vil fantasía.

La inconsistencia de la vida.

Como resultado, un momento puede simultáneamente convertirse de dulce victoria en crujiente derrota. El mismo día puede traer tanto reunión como separación. El nacimiento mismo puede traer tanto dolor como paz. La verdad, y la verdad a medias montan a menudo en el mismo caballo. (Y sí Santiago...; «el bien y el mal pueden salir de la misma boca».)

«¡Si la vida sólo fuera más simple! —razonamos—. Más previsible!» Pero no lo es. Aun para el mejor de nosotros, la vida es como una montaña rusa con vueltas y revueltas, y subidas y bajadas.

Tal vez es por eso que dentro de todos nosotros hay un poco de paranoia, de indefinida inseguridad. ¡Oh...!, podemos disimularla en camisetas de rayitas y en martinis, pero la ansiedad del futuro está presente desde ahora. ¿No vivimos todos nosotros con temor a lo desconocido? ¿No todos nosotros tenemos pavor cuando la delgada cortina que nos separa del mal pudiera ser abierta, y podríamos caer? Cáncer. Asesinato. Violación. Muerte. ¡Qué espantosa es esa perenne conciencia de que no somos inmunes a los peligros y amenazas de la vida...!

Es esta miedosa inconsistencia la que nos mantiene a todos, en mayor o menor grado, viviendo nuestras vidas al borde de nuestros asientos.

Sin embargo fue en esta inconsistencia que Dios tuvo su más excelente hora. Nunca estuvo lo obsceno tan cerca de lo santo como sucedió en el calvario. Nunca lo bueno en el mundo estuvo tan estrechamente interrelacionado con lo malo, como lo fue en la cruz.

Ni tampoco lo que era recto se involucró tan íntimamente con lo que era equivocado como cuando Jesús fue suspendido entre cielos y tierra.

Dios en una cruz. La humanidad en lo peor. La divinidad en lo mejor.

Algo fue dicho en la cruz sobre la inconsistencia. Algo esperanzador. Algo sanador. Simplemente se afirmó que lo que es consistente peleó contra lo que es inconsistente, y lo consistente ganó.

Algo se dijo también sobre Dios mismo. Dios no es desafiado por una palabra de maldad. Él no agoniza sorprendido por la esterilidad de nuestra fe o la profundidad de nuestros fracasos. No podemos sorprender a Dios por nuestras crueldades. Él conoce la condición del mundo ...y lo ama igual. Porque cuando buscamos un lugar donde Dios no estaría (como en una cruz), miramos otra vez y allí está, en la naturaleza humana.

33

El rugido

La puerta está cerrada. Con el cerrojo caído. Tal vez aun tiene una silla bajo la manija. Adentro se sientan rodilla a rodilla diez ambulantes quienes han atravesado la cerca entre la fe y el temor.

Si usted los mira allí en la habitación, no daría nada por ellos. Sin educación. Confundidos. Las manos callosas. Acentos pesados. Pocas presencia social. Limitado conocimiento del mundo. Ningún dinero. Liderazgo sin definición. Y así sucesivamente.

No; mientras usted mira esta abigarrada cuadrilla no desperdiciaría demasiados cheques de pago para su futuro. Pero algo sucede a un hombre cuando contempla a alguien que se ha levantado de entre los muertos. Algo se derrite dentro del alma de un hombre que ha estado a pocas pulgadas de Dios. Algo más caliente que la fiebre del oro se derrite y más permanente que la pasión.

Todo comenzó con diez hombres asustados, aterrorizados y avergonzados. Aunque la puerta estaba cerrada, Él pudo ponerse en medio de ellos. «Como el Padre me ha enviado, así os envío».[1]

Y Él los envió. Puertos. Atrios. Barcos. Sinagogas. Prisiones. Palacios. Ellos fueron por todas partes. El mensaje del nazareno dominó todo el mundo civilizado. Ellos constituyeron una fiebre contagiosa. Eran un organismo en movimiento. Rehusaron ser

143

detenidos. Mal educada turba que sacudió la historia como una ama de casa sacude una alfombra.

Dios mío, ¿no sería grande verlo suceder otra vez?

Muchos dicen que es imposible. El mundo es demasiado duro. Demasiado secular. Demasiado «poscristiano». «Esta es la era de la información, no la de la regeneración». Por tanto ponemos el cerrojo en la puerta por miedo al mundo.

Y como resultado, el mundo continúa largamente sin ser tocado y sin enseñanza. Más de la mitad del mundo no ha oído todavía la historia del Mesías. Mucho menos lo ha estudiado. Los pocos creyentes que lo hacen, a menudo vuelven a casa fatigados y heridos, maltratados en las riñas y frustrados a las necesidades.

¿Qué tomaría prender de nuevo el fuego? Algo como lo que aquellos individuos de los que hablábamos antes hicieron en el aposento. Para ellos era bastante obvio. «Todo lo que sé es que estaba muerto y ahora está vivo».

Algo sucede a un hombre cuando permanece a pocos centímetros del León de Judea. Algo sucede cuando oye el rugido, cuando toca la dorada melena. Algo pasa cuando está tan cerca que puede sentir el aliento del león. Tal vez todos podríamos hacer lo mismo. Tal vez todos necesitamos testificar su majestad y anhelar su victoria. Tal vez necesitamos oír nuestra comisión otra vez.

«¿Se lo dirás a ellos?», demandó Jesús. «¿Les dirán a ellos que vine... y que voy a regresar otra vez?»

«Lo haremos», asintieron ellos. Y lo hicieron.

¿Lo hará usted?

---

1.   Juan 20:21

Guía de estudio

Capítulo 1: Palabras finales, hechos finales

1. *Palabras finales. Hechos finales. Cada uno es una ventana a través de la cual la cruz puede ser mejor comprendida. Cada una abre un tesoro de promesas.*

A. ¿Por qué las palabras y los hechos finales de una persona agonizante son significativas? ¿Por qué las palabras y los hechos finales de Cristo son particularmente significativos?

B. En preparación para este estudio, lea el relato de Lucas sobre la traición, la Última Cena, el arresto y juicio de Jesús y su crucifixión en los capítulos 22 y 23. ¿Qué cosas lo sorprenden? ¿Qué cosas son difíciles de comprender? Considerando que éstas son las horas finales de Jesús sobre la tierra, ¿qué vocablo describe mejor sus hechos y su palabras durante estas horas?

C. ¿Qué espera usted ganar de este estudio sobre las últimas palabras y hechos de Cristo? ¿Qué hará la diferencia en el éxito que tenga? Escriba abajo cinco metas específicas para el estudio, y al final del estudio señale hasta qué punto las alcanzó.

2. *Es mucho más fácil morir como Jesús si usted ha vivido como Él por toda la vida.*

A. De su observación, ¿hasta qué punto la personalidad de alguien cambia a medida que él o ella envejecen? ¿Hasta qué punto cambia el carácter de una persona?

B. ¿Qué revelan los siguientes pasajes acerca de la habilidad de ser como Jesús: I Corintios 2:16; Juan 14:5-24? ¿Qué significa tener la mente de Cristo? ¿Qué indicaciones externas habrá cuando verdaderamente vivamos a la manera de Cristo? ¿Qué nos promete Jesús cuando vivimos a su manera?

C. ¿Cuál rasgo específico de su carácter quisiera que fuera recordado en su muerte? ¿Hasta qué punto es eso verdad en usted ahora? ¿Qué podría hacer para fortalecer esa característica en usted mismo?

Capítulo 2: Palabras que hieren

1. *Algunas veces me pregunto si no vemos el amor de Cristo tanto en la gente que Él toleró como en el dolor que Él sufrió.*

A. ¿Qué clase de heridas duelen más? ¿El abuso físico? ¿Los insultos? ¿El rechazo? ¿La apatía? ¿El prejuicio? ¿La venganza? (¿Hay otros que usted quisiera añadir a la lista?) ¿Cuáles calificaría usted como las más difíciles de perdonar? ¿Por qué?

B. ¿Cuál de estas heridas experimentó Jesús? Dé un ejemplo de cada una de las que Él experimentó.

C. Lea otra vez el relato de Lucas acerca de la crucifixión (Lucas 23:26-43), poniendo atención especial en lo que dijo Jesús. ¿Estaría de acuerdo con la cita anterior de Lucado? ¿Por qué o por qué no?

D. Si la cita de Lucado es verdadera, ¿de qué modo podríamos nosotros causarle hoy más dolor del que sufrió en su crucifixión?

2. *Si alguna vez una persona mereció vengarse, ése fue Jesús. Pero Él no lo hizo. En lugar de eso, murió por ellos.*

A. El refrán dice «la venganza es dulce». ¿Cómo podría usted describir la venganza? Describa una ocasión en la cual usted se vengó. ¿Cómo se sintió después?

B. ¿Qué nos enseñan los siguientes pasajes acerca de la venganza: Romanos 12:17-21; la Pedro 3:9-17, Ezequiel 25:15-17? ¿Cómo podemos sobreponernos a nuestro deseo de venganza? Cuando una persona responde a la injuria con bondad, ¿qué beneficios obtiene? ¿Qué acción toma Dios en tales situaciones?

C. ¿Por qué la venganza hiere más al que la busca que a quien la recibe? Describa una ocasión en la cual usted se—sobrepuso a un deseo de venganza. ¿Cómo lo hizo sentirse? ¿Qué beneficios le trajo?

Capítulo 3: La venganza del ciudadano vigilante

1. *Ira. Es una peculiar aunque predecible emoción. Comienza como una gota de agua... Sin embargo, agarre suficientes de éstas aparentemente inocentes gotas de ira y tendrá frente a usted, al poco tiempo todo un balde de furia... Llegamos a ser bombas de tiempo caminantes y que dado el momento justo de tensión y temor, podrían explotar como el señor Goetz.*

A. ¿Cuán serio problema es la ira en nuestra sociedad? ¿Qué ejemplos recientes puede usted dar para ilustrar el problema? ¿Por qué cree usted que la gente está enojada? ¿Está usted de acuerdo que dada la tensión y el temor, somos como bombas de tiempo esperando explotar?

B. ¿Cuán "serio" pecado es la ira, juzgado por Gálatas 5:19-21?

C. De acuerdo con estos pasajes, ¿qué es lo que típicamente acompaña a la ira?: Proverbios 14:17-29; Eclesiastés 7:9; Santiago 1:19-20? ¿Qué indicarían estos pasajes como antídoto para la ira? En vista de estos pasajes, ¿usted diría que «contar hasta diez tiene algún valor?

2. *La ira incontrolada no mejorará nuestro mundo, mas el compasivo entendimiento sí lo hará. Una vez que vemos el mundo y a nosotros por lo que somos, podemos ayudar.*

A. ¿Qué le causa enojo? ¿Ha sido siempre un iracundo incontrolable? ¿Cómo lo hace sentir eso? ¿Qué lo ayuda a controlar su ira?

B. Cuando Esteban fue apedreado hasta morir, pronunció unas palabras similares a las de Jesús. Lea Hechos 6:8-15, 7:54 y 8:1. ¿Qué paralelo hay entre la naturaleza de Jesús y la de Esteban? ¿Cómo afectaron sus palabras y sus muertes a los que estaban a su alrededor?

C. Goetz se preparó para una situación que le produjo ira, llevando una pistola. ¿Qué «armas» podría usted llevar consigo para poder manejar una situación difícil, con entendimiento en lugar de ira?

Capítulo 4: El cuento del ladrón crucificado

1. *Usted tiene valor sólo por existir. No por lo que usted hace o ha hecho sino simplemente porque usted es.*

A. ¿Hasta qué punto está valorada la gente en la cultura de nuestros días? ¿Qué le da valor a una persona, de acuerdo con los patrones de hoy en día? ¿Qué afecta a la vista de la sociedad respecto del valor del individuo?

B. ¿Qué enseñan los siguientes pasajes sobre el valor que Dios da a la gente: Romanos 5:8; Efesios 2:4-5; Tito 3:4-7; 1 Juan 4: 9-10?

C. ¿Nos conducimos como si tuviéramos un valor intrínseco? Si la gente verdaderamente creyera que tiene un valor intrínseco, ¿qué problema de la sociedad ya no existiría más?

2. *Me hace sonreír cada vez que pienso que hay un sonriente ex convicto caminando las doradas calles que sabe más acerca de la gracia que mil teólogos.*

A. ¿Qué cree usted que es lo más significativo de la historia del ladrón crucificado?

B. Lea Lucas 23:32-43. ¿Qué puede aprender de los dos criminales de este breve episodio? ¿Por qué cree que Jesús le prometió a este criminal el paraíso?

C. ¿Cómo cree usted que el ladrón crucificado explicaría la gracia en una sola frase?

Capítulo 5: Dejar es amar

1. *¿Qué clase de Dios le daría a usted familia para luego pedirle que la deje? ¿Qué clase de Dios le daría a usted amigos para luego pedirle que les diga adiós?*

A. ¿Conoce usted a alguien que ha tenido que escoger entre su familia o amigos y someterse a Dios? ¿Qué sacrificios fueron hechos? ¿Cuál fue el resultado?

B. ¿Qué cree que Jesús quiso decir en Mateo 19:28-29? ¿De qué manera Mateo 6:33 y Mateo 12:46-50 dan luz para su significado?

C. ¿De qué manera Jesús vivió por este principio?

2. *Juan ciñó su brazo alrededor de María acercándola un poco. Jesús le estaba pidiendo ser el hijo que una madre necesita y que de alguna manera Él nunca fue.*

A. Considerando todas las luchas físicas y espirituales que rodeaban la crucifixión, ¿qué piensa usted de esta historia personal que fue registrada para nosotros acerca de la madre de Jesús?

B. Lea Juan 19:25-27. ¿Cómo indica este evento el amor de Jesús por su familia? ¿Qué indica acerca de las relaciones con sus amigos? ¿Cómo reconciliaría usted el amor de Jesús por su familia y amigos con su afirmación en Mateo 19:28-29?

C. ¿Qué dijo Pablo en 1 Timoteo 5:8 acerca del cuidado para la familia de uno? ¿Cómo explicaría el balance en nuestra responsabilidad para con la familia y para nuestra fe?

Capítulo 6: El grito de la soledad

1. *Estoy escribiendo para aquellos de ustedes que pueden encontrar una persona solitaria mirándose simplemente al espejo.*

A. ¿Cómo describiría la soledad? ¿Cuándo son más susceptibles las personas a la soledad? ¿Qué antídotos usamos contra la soledad?

B. Lea el Salmo 139:1-18 y Hechos 17:24-28. ¿De qué manera ellos ofrecen consuelo para aquellos que se sienten solitarios?

C. ¿Conoce usted personas que se encuentran solitarias? ¿Cuáles grupos, dentro de la iglesia, son particularmente vulnerables? ¿Aquellos que han perdido seres queridos, ¿los ancianos? ¿Aquellos que se encuentran lejos de su familia y amigos? ¿Los misioneros que están sostenidos por su iglesia? ¿Hay otros? ¿De qué manera específica podría usted ayudarlos a soportar su soledad?

2. *Y aunque Él no puede ofrecer una respuesta, aunque no puede resolver un dilema, aunque la pregunta pueda congelarse dolorosamente en medio del aire, Él, que también estuvo solo una vez, entiende.*

A. ¿Por qué fue importante para Jesús estar totalmente separado de Dios por un tiempo?

B. ¿Está usted de acuerdo con la interpretación de Lucado de este tremendo pasaje (Mateo 27:46)? ¿Cómo entiende la palabra «abandonado» en este pasaje? De todas las afirmaciones hechas en la cruz, ¿en qué manera es ésta la que le llega más al corazón? Lea el Salmo 22. ¿En qué manera la angustia de David es paralela a la angustia de Jesús?

C. ¿Puede usted imaginar algún dolor y alguna soledad más grande que la que sufrió Jesús? ¿Cómo le afecta saber que Él escogió sufrir por su bien?

Capítulo 7: Tengo sed

l. *En el momento preciso se nos recuerda que Aquel a quien oramos conoce nuestros sentimientos, conoce la tentación y ha sentido desaliento.*

A. ¿Por qué es importante darse cuenta no sólo de la divinidad de Jesús, sino también de su humanidad?

B. Según Hebreos 2:14-18 y Hebreos 4:14-16, ¿en qué manera puede identificarse Jesús con nosotros como humanos? ¿Qué bendiciones nos trae? ¿Cómo actúa ahora Jesús en nuestra conducta?

C. En oración, ¿cómo equilibra usted la reverencia para Jesús como Dios y Creador del universo, con el hecho de que Él compartió nuestra humanidad y entiende nuestras debilidades?

2. *Estamos endeudados con Juan por escoger e incluir el versículo 28 del capítulo 19. Simplemente dice «Tengo sed".*

A. ¿Por qué este versículo parece fuera de sentido con las otras declaraciones de Jesús en la cruz? ¿Qué significado tiene para nosotros?

B. Lea Juan 19:28-29. ¿Por qué dijo Jesús: «¿tengo sed? Lea el Salmo 69:21 y el Salmo 22. ¿Qué paralelos hay entre estos dos salmos y los acontecimientos de la crucifixión?

C. ¿Cómo describiría la intensidad de la sed de Jesús en la cruz? En Mateo 5:6, Jesús dijo que nosotros también deberíamos estar sedientos. ¿Cuándo estuvo usted más intensamente sediento? Si tuviera ahora el mismo anhelo de justicia que usted tuvo para el agua, ¿cambiaría esto su vida?

Capítulo 8: Compasión creativa

1. *El último hecho de compasión creativa es revelado. Dios en una cruz. El Creador siendo sacrificado por su creación. Dios convenciendo al hombre, de una vez y por todas, que el perdón sigue al error.*

A. ¿Qué quiere decir Lucado al llamar a la crucifixión «el último hecho de compasión creativa»?

B. ¿En qué manera fue la crucifixión de Cristo el resultado del más grande fracaso de la humanidad? ¿Ha habido alguna vez una mayor necesidad de perdón que la necesidad que hubo por matar al Hijo de Dios? Basado en los siguientes pasajes, ¿cómo describiría usted la naturaleza perdonadora de Dios: 1 Juan 1:7-9, Lucas 6:37-38, Hechos 10:42-43; Salmos 103:1-5; Hechos 3:19? ¿Qué se pide a quienes buscan perdón?

C. ¿Cómo afirmaría usted a alguien acerca de la capacidad de Dios de perdonar los pecados?

2. *«Consumado es». La misión está terminada. Todo lo que el Maestro pintor necesitaba hacer fue hecho, y hecho en esplendor.*

A. ¿Cuál es su misión en la vida? ¿En qué manera está usted en el proceso de cumplirla? ¿En qué punto sería cumplida su misión?

B. Lea Juan 19:28-30. ¿Qué quiso decir Jesús con «consumado es»? ¿Qué fue consumado? ¿Qué tareas no han sido terminadas? ¿Cómo esta declaración clarifica su misión?

C. Invierta algún tiempo escribiendo abajo una declaración de su misión personal, el propósito específico de su vida. Entonces haga una lista de sus prioridades, basada en la declaración de su misión personal. ¿Qué cambios quiere hacer en favor de su misión y de sus prioridades?

Capítulo 9: Consumado es

1. *Jesús no desistió. Pero no piense ni por un minuto que Él no estuvo tentado a hacerlo.*

A. ¿Piensa usted que Jesús consideró seriamente no morir en la cruz? ¿Cuál cree que habría sido la más fuerte tentación para no seguir esa consideración?

B. En los siguientes pasajes, ¿qué podría haber tentado a Jesús para renunciar: Marcos 10:32-45; Marcos 14:32-42; Marcos 9:33-41?

C. ¿Qué hizo Jesús para adquirir la fortaleza para continuar? ¿Cuáles son nuestros más grandes recursos de fortaleza cuando somos tentados a renunciar?

2. *Dios no nos llamó para ser triunfadores, sino fieles.*

A. ¿Está de acuerdo con esta afirmación? ¿Cómo distinguiría entre ser triunfador y ser fiel? ¿Puede ser un triunfador sin ser fiel? ¿Puede ser fiel sin ser un triunfador? Explique.

B. ¿Qué le enseñan los siguientes pasajes acerca de la fe: Mateo 24:12-13; Romanos 2:6-7; Colosenses 1:22-23; Hebreos 12:1-12? ¿Qué caracteriza a la persona que permanece fiel? ¿Cuál es la analogía del corredor en una adecuada comparación con la vida cristiana?

C. ¿Hasta qué punto tenemos valores de fe en nuestra sociedad: fe en nuestro mundo, en nuestros compañeros, en nuestras responsabilidades, en nuestro Dios? ¿Hasta qué punto tienen éxito los valores de nuestra cultura? ¿Cómo puede usted enriquecer la fe por aquellos que se encuentran a su alrededor?

Capítulo 10: Llévame a casa

1. *Los dos son uno otra vez. El abandonado es ahora encontrado. El precipicio tiene ahora un puente.*

A. ¿Cómo describiría usted la unidad de Dios y Cristo? ¿Qué comparaciones terrenales podría usted hacer?

B. De acuerdo a estos pasajes, ¿cómo describió Jesús su unidad con Dios el Padre: Juan 10:38; Juan 14:10-11; Juan 17:20-21? ¿Qué fue tan significativo acerca de Jesús reuniéndose con Dios?

C. ¿En qué momentos usted siente la experiencia más grande de unidad con Jesús? De acuerdo a Juan 17:20-21, ¿qué resulta de una unidad con Jesús?

2. *Los buitres de Satanás han sido espantados. Los demonios del infierno han sido enjaulados. La muerte ha sido vencida.*

A. ¿En qué manera fue el momento del, aparentemente, más grande triunfo de Satanás, mientras que realmente fue el momento de su más grande derrota?

B. Lea Juan 12:31-33; Juan 14:28-31; Juan 16:5-11; y Hebreos 2:14-16. ¿Qué le enseñan acerca del impacto de la muerte de Jesús en el poder de Satanás?

C. Aun cuando Jesús derrotó a Satanás, ¿de qué manera le continuamos permitiendo tener poder? De acuerdo a estos pasajes, ¿cómo intenta él destruir nuestra relación con Dios: II Corintios 11:3-4,13-15; I Pedro 5:8-9; Juan: 8:42-47?

Capítulo 11: ¿Quiénes habrían creído?

1. *Hubo algo en la crucifixión que hizo que todos los testigos dieran un paso, ya sea hacia ella o a alejarse de ella. La cruz, al mismo tiempo, atrae y repele.*

A. De los testigos de la crucifixión, ¿Con cuál se identifica usted mejor? ¿Por qué?

B. Mire algunas de las personas que fueron repelidas por ella: Judas (Lucas 22:1-6); Herodes, el jefe de los sacerdotes, el Sanedrín, y la multitud (Lucas 23:1-25). ¿Qué les hizo rechazar la proclamación de Jesús de que era el Mesías? ¿Cuáles de las razones para rechazar a Jesús aún prevalecen?

C. Mire a algunas de las personas que fueron atraídas por ella, José de Arimatea y Nicodemo (Juan 19:38-42); las mujeres en la cruz (Juan 19:25-27); el «ladrón crucificado (Lucas 23:39-43). ¿Qué lecciones puede usted aprender de estos ejemplos?

2. *Podemos hacer lo que queramos con la cruz. Podemos examinar su historia. Podemos estudiar su teología. Podemos reflexionar sobre sus profecías. Sin embargo, una cosa que no podemos hacer es quedar neutrales ante ella.*

A. ¿Cómo responde usted a la gente que dice que Jesús era sólo un buen hombre y no el Hijo de Dios? Si Jesús no hubiera sido el Hijo de Dios, ¿por qué no sería apropiado decir que Él fue un buen hombre?

B. En la Corintios 15:1-20, ¿qué argumentos presenta Pablo sobre el significado de la resurrección de Cristo de entre los muertos? Si una persona no acepta eso, ¿qué queda?

C. ¿De qué manera estos pasajes del Antiguo Testamento sirven como profecías mesiánicas: Miqueas 5:15; Isaías 11; Zacarías 9:9?

D. ¿Qué le hace pensar a usted que Jesús es el Hijo de Dios? ¿Hay alguna cosa en particular, o es eso una acumulación de evidencias? ¿Quiere usted apostar su destino eterno sobre el hecho de que Jesús es lo que Él dice que es?

Capítulo 12: Rostros en la multitud

1. *Algunos creen que Malco fue más tarde contado entre los creyentes de Jerusalén. No lo sabemos con seguridad.*

A. Si usted hubiera tenido la oportunidad de entrevistar a Malco después de la escena en el jardín, ¿qué preguntas le hubiera hecho? ¿Qué cree que le hubiera pasado a Malco? ¿Por qué?

B. Lea la historia de Malco en Juan 18:1-11; Mateo 26:47-56; Marcos 14:43-52, y Lucas 22:47-53. ¿Cuál información es única en cada relato? ¿Qué visiones sobre Jesús nos da este incidente?

C. ¿Qué ejemplo contemporáneo tiene usted de alguien que ha sido tocado» por Jesús con dramáticos resultados? ¿Es ahora el poder de Jesús para cambiar vidas menos milagroso que su sanidad de Malco? ¿Qué beneficio hay en narrar la historia de Malco o la historia de alguien de hoy que haya sido cambiado por Jesús?

2. *Irónico como puede parecer, una de las cosas más difíciles de hacer es ser salvo por gracia.*

A. ¿Está de acuerdo con la afirmación de Lucado? Si es así, ¿está de acuerdo con su explicación de que el orgullo se atraviesa en el camino? ¿Cómo nos estorba el orgullo? ¿Por qué otras razones podría la gente rechazar la gracia?

B. ¿Cuáles de los siguientes pasajes nos indican sobre la habilidad de ganar nuestra salvación: Romanos 4:4-8, 13-16; Efesios 2:8-10; Juan 1:12-13; Romanos 11:5-6? ¿Por qué es difícil aceptar la salvación como un don de Dios?

C. ¿Qué sabiduría ofrece Proverbios sobre el asunto del orgullo en los siguientes versículos: 11:2, 16:18-20; 29:23? De acuerdo con estos versículos, ¿qué es lo opuesto al orgullo en nosotros mismos? ¿Cómo calza con el concepto de gracia?

Capítulo 13: Bueno... casi

1. *Es una cosa perdonarse usted mismo por algo que hizo. Otra cosa es tratar de perdonarse a usted mismo por algo que podría haber hecho, pero no lo hizo.*

A. Relate una ocasión cuando usted se arrepintió por no hacer algo, quizás una oportunidad perdida de ayudar a alguien, una relación que usted dejó de cultivar, o la ocasión cuando no se mantuvo en su fe. ¿Qué tiene usted a cuestas? ¿Tiene remordimientos por su falta de acción?

B. ¿Cuán seriamente toma Dios nuestra falta de acción? ¿Qué indicaciones son dadas en estos ejemplos: Mateo 25:14-30 y Mateo 25:31-46? ¿Hay alguna advertencia en las Escrituras más seria que éstas?

C. De lo que usted ve en los pasajes arriba mencionados, ¿qué expectaciones tiene Dios de usted?

2. *No, Jesús nunca encontró lugar para el «casi», y aún no lo encuentra. «Casi» se puede contar entre las herraduras de los caballos y las granadas de mano, pero con el Maestro esta palabra es tan válida como «nunca».*

A. Lucado dice que Jesús demanda absoluta obediencia. ¿Cómo consideramos los «absolutos»: absoluta confianza, absoluta verdad, absoluto compromiso? ¿A qué queremos dedicarnos absolutamente? ¿«Absoluto» se ha vuelto obsoleto?

B. ¿Cómo Marcos 10:17-31 y Mateo 25:1-13 apoyan la afirmación de Lucado de que «casi» es tan válido como «nunca»? ¿Cómo resumiría usted el mensaje de cada relato?

C. ¿Cómo respondería a un amigo no cristiano quien dijera que las demandas de Jesús de absoluta obediencia eran falsas y no realistas?

Capítulo 14: Los diez que corrieron

1. *No he conocido todavía una persona que no haya hecho aquello que juró que nunca haría. Todos nosotros hemos caminado las calles de Jerusalén.*

A. ¿Cuáles son algunas de las cosas que usted pensó que nunca haría sólo para encontrarse más tarde haciéndolas? Quizás un estilo de crianza que usted nunca pensó que usaría con sus hijos. Quizás un pecado del que nunca pensó que sería culpable. Quizás es la misma cosa que usted critica en otros. ¿Por qué hacemos las mismas cosas que no queremos hacer?

B. ¿Cómo describe Pablo este mismo problema en Romanos 7:14-25? ¿Qué hizo que él estuviera en guerra consigo mismo? ¿Cómo entendió él la batalla? ¿Cuál fue su salvación?

C. ¿Está usted sintiendo ahora mismo luchas espirituales? ¿Qué podría hacer para «armar» al «esclavo de la ley de Dios»? ¿Qué podría hacer para «desarmar» al «esclavo de la ley del pecado»?

2. *El que perdonó a sus seguidores está listo a perdonar al resto de nosotros. Todo lo que tenemos que hacer es regresar.*

A. Los apóstoles habían visto los milagros, habían escuchado las enseñanzas y habían oído a Jesús profetizar su muerte. ¿Por qué no entendieron? ¿Por qué corrieron?

B. A menudo nos referimos al apóstol Tomás como el «dubitativo Tomás», sin embargo, ¿qué aprendemos en Juan 11:1-16 acerca de su fe? Igual que los otros, Tomás dejó atrás su fe en Jesús, al menos por un tiempo. Lea Juan 20:19-31. ¿Qué característica especial utilizó Jesús para hacer que Tomás creyera? ¿Qué reafirmación nos da Jesús?

C. Lucas 15:11-32 nos da una de las más impresionantes representaciones de la voluntad de Dios para retractarnos si regresáramos a su seno. Lea esta narración, poniendo el nombre de Dios en el lugar del padre, y su nombre en el lugar del hijo más joven.

Capítulo 15: El único que permaneció

1 *Uno tiene la impresión de que, para Juan, Jesús era por sobre todo compañero leal.*

A. ¿Por qué piensa que Juan se refiere a sí mismo como el «discípulo a quien Jesús amó? ¿Amó más Jesús a Juan que a los otros discípulos?

B. Note algunas de las ocasiones especiales que Juan compartió con Jesús: Lucas 9:28-36; Juan 13:18-27; Mateo 26:36-37; Juan 19:25-27. ¿Qué indicaría que Jesús confiara en él en particular?

C. El Evangelio de Juan es bastante diferente de los otros evangelios. Por una cosa, Juan quiere registrar discursos de Jesús con una persona a la vez, como las conversaciones con Nicodemo, con la mujer en el pozo y con el oficial real. Dedique una semana a leer el Evangelio de Juan. Quizás como el discípulo más cerca de Jesús, ¿da Juan un relato más centrado en la persona de Jesús en la enumeración de los acontecimientos? ¿Qué otras opiniones gana usted de esta perspectiva particular?

2. *Juan nos enseña que la relación más fuerte con Cristo puede no ser necesariamente una relación complicada.*

A. De las personas que usted conoce, ¿quién diría que tiene la más fuerte relación con Cristo? ¿Cómo describiría esa relación? ¿Ha venido de un entrenamiento formal, de un entrenamiento familiar, de experiencias vívidas o de estudio personal?

B. ¿Cómo describe Juan la esencia de la relación con Jesús en los siguientes pasajes: Juan 14:21; 14:23; 16:27?

C. ¿Cuál será el crecimiento natural de nuestro amor por Jesús de acuerdo a Juan 15:9-17?

D. ¿Cómo condensaría el mensaje de Juan en relación con Jesús en una sola frase?

Capítulo 16: La colina de remordimiento

1. *Mientras Jesús subía la colina del Calvario, Judas subía otra colina; la del remordimiento.*

A. ¿Cómo ve el carácter de Judas? ¿Cómo podría pasar él todo el tiempo con Jesús, y luego traicionarlo? ¿Qué hizo que tuviera rápidamente remordimiento por su decisión?

B. Lea los siguientes relatos de Judas en Juan 12:4-6, Mateo 26:14-16, Juan 13:2, Mateo 26:17-30 y Juan 13:18-30. ¿Qué es lo que usted ve dentro de Judas?

C. Lea el relato de Mateo acerca del remordimiento de Judas en Mateo 27:1-10. ¿Qué visión adicional nos da del carácter de Judas?

D. ¿De qué manera son comunes a nosotros de un grado u otro los rasgos de Judas?

2. *Se necesita mucha fe, tanto para creer que Jesús puede pasar por alto mis traiciones como para creer que Él se levantó de los muertos. Las dos son absolutamente milagrosas.*

A. ¿Qué es lo primero que viene a su mente cuando piensa en los milagros de Jesús? ¿Algo de los tiempos bíblicos o de los tiempos modernos? ¿Tiende a considerar cualquier caso de hoy en relación y significado con los milagros de Jesús cuando estaba en la tierra? ¿Es Jesús un participante pasivo o activo en su vida?

B. ¿Qué seguridad proveen los siguientes pasajes acerca de la voluntad de Dios para perdonar aun a aquellos que traicionaron a su hijo: Hechos 2:22-47; Santiago 4:7-10; I Juan 1:9? ¿Qué bendiciones acompañan el perdón de Dios?

C. ¿Cómo aconsejaría a alguien que lucha consigo mismo para ser perdonado por sus pecados? ¿A qué versículos le dirigiría?

Capítulo 17: El evangelio de la segunda oportunidad

1 *No se maraville que ellos lo llaman el evangelio de la segunda oportunidad.*

A. ¿Cuál es el significado del «evangelio de la segunda oportunidad»? ¿Qué otros nombres se le podría dar?

B. De todos los seguidores que desertaron y dejaron a Jesús quizás la historia de Pedro es la más impactante. Lea el relato de la negación de Jesús en Marcos 14:27-31, 66-72 y luego la respuesta del ángel después de la resurrección de Jesús en Marcos 16:1-7. Lea también Lucas 24:33-34 y Juan 21:15-19. ¿Qué mensaje es transmitido en el hecho de que Pedro se quedó solo? ¿Cuál parece ser la actitud de Jesús hacia Pedro? ¿frustración, desilusión, preocupación, amor?

C. ¿En qué otras ocasiones había tenido Pedro una segunda oportunidad? Lea Mateo 14:22-33 y 17:18. ¿En qué manera le dio Jesús oportunidades adicionales? ¿Cuál parece ser la actitud de Jesús hacia Pedro en cada ocasión?

D. ¿Cuál cree que es la actitud de Jesús en cuanto a darle una segunda, tercera o cuarta oportunidad? ¿Haría Él por usted menos de lo que hizo por Pedro?

2. *No todos los días usted encuentra alguien que le dará una segunda oportunidad, mucho menos quien le dará una segunda oportunidad todos los días.*

A. ¿Puede pensar en una ocasión en que se le dio una segunda oportunidad? ¿Cómo le afectó? ¿Cuán deseoso está usted de dar a otros una segunda oportunidad?

B. ¿Qué dice Mateo 18:21-35 sobre segundas oportunidades? ¿Qué dice el Salmo 78 sobre la voluntad de Dios para proveer segundas oportunidades? ¿Cuántos ejemplos de segunda oportunidad registran los salmos? ¿Qué enseña Job 33:12-30 acerca del papel activo de Dios en segundas oportunidades?

C. Como un recordatorio de que Él es el Dios de las segundas oportunidades, ponga por escrito Lamentaciones 3:19-26 y coloque este escrito donde usted pueda verlo todas las mañanas.

Capítulo 18: Deje lugar para lo mágico

1. *Cometemos las mismas equivocaciones que Tomás hizo: olvidamos que «imposible» es una de las palabras favoritas de Dios.*

A. ¿Qué «imposibilidades» había presenciado Tomás? ¿Por qué cree el dubitativo que Jesús se levantó de entre los muertos?

B. ¿Qué seguridad nos da Efesios 3:20 de que Dios está todavía en el asunto de los «imposibles? ¿Es verdadero este versículo para los creyentes de hoy como lo fue para los originales receptores de la carta? ¿Cuál es «su poder que obra en nosotros»?

C. ¿Qué meta ha parecido asimismo imposible para que Dios la cumpliera? ¿Qué podría usted específicamente empezar a orar para llegar a esa meta? ¿Qué pasos adicionales podría tomar hacia esa meta?

2. *Cualquier ocasión en que mezcle lealtad con un poco de imaginación, usted tiene un hombre de Dios su mano.*

A. ¿Conoce algunas personas que, como Tomás, ejemplifican una mezcla de lealtad con imaginación para servir a Dios? Dé un ejemplo. ¿Qué hace de ellos siervos efectivos?

B. Mire estos ejemplos de personas que fueron leales e imaginativas para servir a Dios: Abigaíl (I Samuel 25:1-35); la madre de Moisés (Éxodo 1:22; 2:10), y los amigos del paralítico (Marcos 2:1-12). ¿Cómo fue leal cada uno a Dios? ¿Cómo fue imaginativo cada uno? ¿Qué bien resultó en cada caso?

C. ¿Cómo mediría usted su «coeficiente de lealtad»? ¿Cómo mediría su «coeficiente de imaginación»? ¿Qué sugerencia tomaría usted de Tomás y de los otros acerca de cómo incrementar los dos coeficiente?

Capítulo 19: Una candela en la caverna

1. *Jesús no tenía lugar para aquéllos que se especializaban en hacer de la religión una trifulca, y de la fe una lucha. No había lugar en absoluto.*

A. ¿Con quién fue Jesús más paciente durante su vida en la tierra? ¿Con quién fue menos tolerante? ¿De quién piensa usted que Jesús sería menos tolerante si hubiera nacido hoy en nuestro mundo?

B. Lea Mateo 23. ¿A quién está Él hablando en este capítulo? ¿Cuál fue su papel en la sociedad judía? Haga una lista de las prácticas que Él condena.

C. ¿Hasta qué punto cada uno de esos problemas existen en la religión moderna?

2. *Y todavía se da a menudo el caso de que uno tiene que encontrar la fe a pesar de la iglesia, en vez de en la iglesia.*

A. ¿Hasta qué punto convendría usted con las afirmaciones de Lucado? ¿Qué cree que es verdadero, o falso?

B. Note algunas de las personas a las que Jesús alabó por su fe: el centurión romano (Lucas 7:1-10); la mujer canaanita (Mateo 15:21-28 y Marcos 7:24-30); y, como está implicado por las acciones de Jesús, el ladrón en la cruz (Lucas 23:39-43. En cada caso, ¿cómo fue encontrada la fe en tan inesperado lugar?

C. ¿Qué lección hay para nosotros en estos ejemplos? ¿ignoramos a las personas que consideramos candidatas indignas para la fe en Jesús? ¿Dónde podría usted invertir más grandes esfuerzos en el futuro?

Capítulo 20: Mensajeras en miniatura

1. *El asunto no es sólo de lágrimas; es de lo que ellas representan. Representan el corazón, el espíritu y el alma de una persona. ¡Poner una llave y cerradura en sus emociones es enterrar parte de su semejanza a Cristo!*

A. ¿Cómo nos sentimos al mostrar nuestras emociones? ¿Por qué somos tan reacios a mostrarlas públicamente? ¿Hasta qué punto atribuimos una muestra de emoción al género o al tipo de personalidad como opuesto a ser una parte natural y necesaria en cada persona?

B. ¿Qué emociones revela Cristo en estos pasajes: la muerte de Lázaro (Juan 11:17-36), mirando a Jerusalén (Lucas 19:41-44); en el Monte de los Olivos (Lucas 22:39-46)?

C. ¿Qué precio físico pagamos cuando embotellamos nuestras emociones? ¿Qué precio espiritual pagamos cuando suprimimos nuestras emociones?

2. *Usted no puede ir a la cruz sólo con su cabeza sino con su corazón.*

A. ¿Está de acuerdo con la afirmación del autor? ¿Cuál es el peligro de tener una religión que es totalmente corazón y no cabeza? ¿Cuál es el peligro de tener una religión que es totalmente cabeza y no corazón?

B. ¿Qué emociones fueron desplegadas por aquéllos que vieron la muerte y la resurrección: los testigos oculares de la crucifixión (Lucas 23:47-49); las personas en el camino a Emaús (Lucas 24:13-32); aquéllos que le siguieron (Marcos 16:9,10; Juan 20:19,20)?

C. ¿Deberían ser nuestras emociones diferentes de las de ellos? ¿Cómo podemos impedir el llegar a estar cansados por la familiaridad de la historia?

Capítulo 21: ¡Vivo!

1. *En este capítulo es como si Lucado capturara los fragmentos congelados de los acontecimientos que van desde el jardín de Getsemaní hasta la resurrección.*

A. ¿Cuál es efecto de estas rápidas imágenes?

2. *Mire cada acontecimiento.*

A. ¿Qué palabra lo describe mejor en cada párrafo?

¿Qué otras palabras añadiría usted a cada acontecimiento?

3. *Lea el relato de estos acontecimientos, de este tiempo del Evangelio de Mateo (Mateo 26:36 28:10).*

A. ¿Qué otras imágenes ve en el relato de Mateo?

Capítulo 22: Brazos abiertos

1. *La lección de reafirmación es clara. Dios usó (¡y usa!) personas para cambiar al mundo. ¡Personas! No santos ni superhombres ni genios, sólo personas... Y lo que a ellas pueda faltarles en perfección, Dios los compensará en amor.*

A. ¿A quién pondría usted en la lista de «Quién es quién» de los cinco hombres y mujeres más destacados de la Biblia, aparte de Jesús? ¿Qué fortalezas posee cada uno? ¿Qué debilidades posee cada uno? ¿Cómo fue usada cada persona para cambiar el mundo?

B. ¿Cómo usa Dios nuestras debilidades para su propósito, de acuerdo con II Corintios 12:7-10 y capítulo 4?

C. Si Satanás tratara de convencerlo de que usted no es de especial valor para el Señor, ¿cómo podría hacerlo? ¿Cómo le respondería?

2. *Mire al perdón hallado en esos brazos abiertos y cobre ánimo.*

A. ¿Cómo pintaría usted a Dios? ¿Lo haría con los brazos abiertos?

B. A medida que lee los siguientes pasajes, haga una lista de las maneras en que Dios ama y perdona a sus seguidores, tal como está descrito en: Éxodo 34:6-7; Salmo 32; Salmo 103:1-18; Isaías 44:21,22; Juan 1:7-9.

C. Lea otra vez la descripción en Lucas 15:20 de la reacción del Padre cuando vio a su hijo que volvía a casa. La próxima vez que usted necesite pedirle perdón, imagíneselo reaccionando hacia usted de la misma manera corriendo a encontrarlo, lleno de compasión, poniendo los brazos a su alrededor y besándole. ¿Qué clase de valor requiere hablar a un padre como ese?

Capítulo 23: Un vendedor callejero llamado contentamiento

1. *Una hora de contentamiento. Una hora cuando los apuntes son olvidados y las luchas han cesado. Una hora cuando hemos oscurecido lo que queremos.*

A. ¿Cómo definiría el contentamiento? ¿Qué tiene de diferente a la felicidad? ¿Qué es necesario para estar contento?

B. Lea Filipenses 4:11-13, donde Pablo dice que ha encontrado el contentamiento en todas circunstancias. ¿Cuál era ese secreto? ¿Qué clase de circunstancias habían estado en Pablo, de acuerdo con II Corintios 11:23-28?

C. ¿Cuán raro es el contentamiento? ¿Con qué palabras describiríamos mejor la mayoría de nosotros un día normal: preocupado, apurado, ocupado, frustrado, cansado, ansioso, desanimado, o pacífico, sereno, contento, feliz, relajado? ¿Qué consejo podría darnos Pablo para aumentar nuestro contentamiento?

2. *«Las personas parecen extrañamente orgullosas de sus úlceras y dolores de cabeza.»*

A. ¿De qué manera es verdad esta afirmación para muchas personas? ¿Qué hace de la tensión y la presión, virtualmente, el sello distintivo del «éxito»?

B. De acuerdo a Lucas 12:22-34, ¿cuáles deberían ser los sellos distintivos de nuestra vida en Cristo? ¿A qué nos compara Jesús? ¿A qué comparamos nuestras vidas: a una carrera de ratas o a nadar con los tiburones? ¿Qué contrastes son evidentes?

C. ¿Qué dice su salud física sobre su sentido de paz y contentamiento? ¿Qué dice de su nivel de preocupación? ¿Hasta qué punto está usted tratando los síntomas en vez de dirigirse al problema?

Capítulo 24: Cerca de la cruz, lejos de Cristo

1. *Tan cerca de la cruz pero tan lejos de Cristo.*

A. ¿En qué manera somos como los soldados al pie de la cruz? ¿Dónde tenemos los ojos enfocados: arriba en el crucificado Hijo de Dios o abajo en nuestras posesiones? Como ellos, ¿en qué manera estamos impresionados por la vista de la crucifixión?

B. ¿De qué maneras nos enfocamos en las trivialidades de la religión y pasamos por alto el corazón del asunto? ¿Qué le dijo Jesús en Mateo 23:23-24 a aquéllos que se concentraron en los más triviales asuntos de la religión? ¿Cómo define Miqueas 6:8 el «corazón del asunto»?

C. ¿Cuáles son los asuntos que usted ve que están discutiendo y dividiendo ahora a las iglesias, y que usted piensa que Jesús los consideraría como la menta, el eneldo y el comino»? ¿Qué consideraría usted que sería el «más importante asunto» hoy?

2. ¿Y qué acerca de usted? ¿Puede construir un puente, lanzar una cuerda, cruzar un precipicio.., orar por unidad?

A. ¿Cuánta unidad es posible entre los grupos religiosos? ¿Hasta qué punto pueden las iglesias tener diferencias y continuar unidas?

B. De lo que usted ve en la oración de Jesús en Juan 17:11, 20-23, ¿cuál es la base más apropiada para la unidad de la Iglesia hoy en día?

C. ¿Qué podemos hacer como individuos para aumentar la unidad entre los creyentes? ¿Qué podría hacer su iglesia para incrementar la unidad con otras iglesias?

Capítulo 25: La niebla del corazón roto

1. *Ver a Dios así nos hace maravillarnos de nuestro propio sufrimiento. Dios nunca fue más humano que en esta hora. Dios nunca estuvo más cerca de nosotros que cuando estaba en dolor.*

A. ¿Cómo ayuda esto a entender que Jesús sufrió en su humanidad en el jardín de Getsemaní?

B. Vuelva a leer el relato en Marcos 14:32-42 o en uno de los otros evangelios. ¿Qué de la conducta de Jesús le parece a usted muy «humana»? ¿Cuáles de estos acontecimientos lo sorprenden?

C. Si este fuera el único pasaje disponible para alguien no cristiano, ¿qué principios básicos del evangelio podrían ser enseñados de él? ¿De qué manera puede este pasaje servir como un ejemplo y animarnos cuando oramos «en medio de la niebla»?

2. *Si es verdad que en el sufrimiento Dios es más como el hombre, tal vez en nuestro sufrimiento nosotros podamos ver a Dios como nunca antes.*

A. En tiempos de sufrimiento, ¿es nuestra visión de Dios mejor o peor? ¿Bajo qué circunstancias se puede usted volver a Dios? ¿Bajo qué circunstancias se puede alejar de Dios?

B. ¿Cómo nos aseguran los siguientes pasajes que Dios no sólo nos entiende sino que nos cuida de nuestros sufrimientos: Mateo 10:28-31; Juan 14:1-3; Romanos 8:28-39?

C. ¿Cómo pueden los tiempos de sufrimiento ser finalmente una bendición? Lea II Corintios 4:7; 5:11; II Tesalonicenses 1:3-10; y Lucas 6:20-22.

Capítulo 26: ¿Pâo, senhor?

Vivir en Brasil le brinda a usted la oportunidad diaria de comprar un caramelo o un emparedado para estos pequeños desamparados. Es lo menos que podemos hacer.

A. ¿Ha tenido alguna vez una experiencia como la del autor? ¿Qué hace usted cuando se ve confrontado por un mendigo, un desamparado y le pide una limosna por caridad?

B. ¿Cómo dijo Jesús que deberíamos tratar a los otros en Mateo 10:40-42 y Mateo 25:31-46? ¿qué dijo santiago acerca de esto en santiago 2:14-17?

C. ¿Cómo resumiría los mandamientos que se encierran en los pasajes anteriores? ¿Qué clase de racionalización puede mantener más fácilmente a los cristianos haciendo lo que actualmente hacen en vez de hacer lo que se nos ha pedido hacer?

2. *Si soy tan conmovido por un huérfano callejero que me dice gracias por un pedazo de pan, ¿cuánto más es Dios conmovido cuando hago una pausa para agradecerle —realmente agradecerle— por salvar mi alma?*

A. ¿Algunas veces, damos las bendiciones —y particularmente nuestra salvación— por descontadas. ¿Por qué?

B. ¿Qué enseñan los siguientes pasajes sobre el expresar gratitud a Dios: la Tesalonicences 5:16-18; Efesios 5:19,20: Colosenses 1:10-14; Colosenses 3:15-17? ¿Por qué vamos a dar gracias? ¿Cuándo?

C. ¿Hasta qué punto son la alabanza y la gratitud una parte de nuestras oraciones? ¿Cómo se comparan con sus peticiones a Dios? ¿Cuándo fue la última vez que usted le agradeció verdaderamente a Dios por salvar su alma?

Capítulo 27: Cachorritos, mariposas y un salvador

1. *La culpabilidad se mete en las garras del gato y roba cualquier gozo que pueda haber parpadeando en nuestros ojos.*

A. El autor compara la culpabilidad con un gato robando nuestro gozo. ¿De qué otra manera podría describir el efecto de la culpa?

B. ¿Cómo describen estas escrituras los efectos de la culpa: Salmo 31:9,10; Salmo 38; Salmo 51? ¿Qué visión ofrecen para la cura de la culpa?

C. ¿Puede existir el gozo juntamente con la culpa? ¿Cuál es la emoción más fuerte? ¿Qué consejo daría usted para reemplazar la culpa con paz y gozo?

7. *Deje de tratar de ocultar su propia culpa. Usted no puede hacerlo. No hay manera. Ni una botella de licor o una asistencia perfecta a la Escuela Dominical lo absolverán.*

A. ¿Cómo tratamos de ocultar nuestros sentimientos de culpa? ¿Cómo tratamos de racionalizarlos?

B. En sus propias palabras explique el mensaje de los siguientes versículos: Isaías 43:25; I Juan 1:7-9; Hebreos 10-22.

C. ¿Cuándo la culpa es una emoción saludable y necesaria? ¿Cuándo es una emoción nada saludable? ¿Cuándo no es saludable no sentir culpa? ¿Cómo resumiría usted el papel que juega la culpa en la vida cristiana?

Capítulo 28: El testimonio de Dios

1. *Pensé en su fe, en su capacidad para creer, y en su sorpresa de que hubiera quienes no pudieran creer».*

A. Generalmente hablando, ¿quién tiene más facilidad para creer: aquellos que tienen poca educación o aquellos que tienen mucha educación? ¿Qué peligros potenciales hay en ser demasiados sofisticados en el conocimiento?

B. ¿Qué enseñan Romanos 1:18-20 y Hechos 14:15-17 sobre la capacidad de las personas para ver la existencia de Dios?

C. Confirme en sus propia palabras la definición de fe de Hebreos 11:1-3.

D. ¿Qué es para usted más difícil de creer: que hay un Dios o que no lo hay? ¿Cómo explicaría sus razones de fe a alguien que no cree en Dios?

2. *Para entender y creer realmente en el milagro de la cruz, haríamos bien en ver los milagros de Dios todos los días.*

A. Para usted, ¿qué evidencia diaria de la presencia de Dios es más demandante de una decisión? ¿Ha llegado esto a ser tan común que lo da por sentado?

B. ¿Qué evidencia de Dios celebra el salmista en Salmos 19:1-4 y Salmos 33:6-15?

C. Si usted fuera a escribir un salmo sobre los milagros diarios de Dios, ¿qué milagros incluiría?

Capítulo 29: Las decisiones dinamita

1. *Una afirmación hecha por nuestro Maestro nos ofrece dos herramientas básicas para mantener nuestra frialdad en el calor de una decisión. «Velad y orad para que no caigáis en tentación».*

A. ¿Ha visto alguna vez en «el jardín de la decisión» que usted mismo está allí? ¿En qué manera su lealtad ha sido desafiada? Cuando usted se enfrenta repentinamente con una decisión, ¿cómo tiende a reaccionar?

B. Vuelva a leer el relato en Marcos 14:32-52 de la escena del jardín. ¿Cómo vemos a Jesús usando estas herramientas? ¿Cuál fue el resultado? ¿Cuál fue el resultado en los discípulos al no usarlas?

C. ¿Cómo reafirmaría en términos modernos los siguientes pasajes: Proverbios 4:23-27; I Corintios 16:13; I Pedro 5:8?

D. Se dice que el carácter de una persona se manifiesta en momentos de crisis. ¿Qué sugerencias específicas tiene para quien desee que un carácter como el de Cristo se manifieste en momentos de crisis y de decisiones repentinas?

2. *Segunda herramienta: «Orad». Orar no es decirle nada nuevo a Dios. No hay un pecador ni hay un santo que pueda sorprenderlo. Lo que la oración hace es invitar a Dios a caminar con nosotros los senderos sombreados de vida.*

A. ¿Está de acuerdo con las afirmaciones del autor en cuanto a la oración? ¿Cómo podría ampliar la idea de invitar a Dios a caminar con nosotros?

B. Lea Lucas 18:1-8. ¿Qué lección nos enseña Jesús acerca de la oración? ¿Qué discernimiento adicional en la oración ofrecen estos versículos: Efesios 6:18; Colosenses 4:2-4; Hebreos 4:16? ¿Por qué tenemos que orar? ¿Cuál debe ser nuestra actitud en oración?

C. ¿Por qué aspectos específicos orando en relación con usted mismo está usted? ¿Por qué aspectos específicos está usted orando en relación con otros? ¿En qué otras áreas podría querer invitar a Dios a caminar con usted?

Capítulo 30: ¿Qué esperaba usted?

1. *Expectativas. Crean amor condicional.*

A. ¿Cuál es el problema con el amor condicional? ¿Qué hace a los matrimonios? ¿A los hijos? ¿A la fe?

B. ¿En qué manera dejó Jesús de llenar las expectativas de las personas en relación con el Mesías? ¿Qué esperaba la gente de Él? De acuerdo a Mateo 11:1-6 y a Juan 6:35-66, ¿cómo pudieron aun aquellos que estaban cerca de Jesús tener expectativas equivocadas? ¿Qué sucedió cuando sus expectativas no fueron cumplidas?

C. ¿Qué expectativas tenemos de Jesús? ¿Qué pasa cuando Él deja de encontrar nuestras expectativas? Por ejemplo, ¿qué le pasa a su fe y a su amor cuando Él no responde su oración de acuerdo a lo que usted esperaba?

2. *Jesús indicó sus expectativas con dos importantes compañías: perdón y aceptación.*

A. Dentro de este estudio, ¿cuáles son algunos ejemplos de las expectativas de Jesús que no se cumplieron? ¿Cómo respondió Él? Tome, por ejemplo, el caso de los discípulos en el jardín de Getsemaní.

B. Mire estos ejemplos en los cuales las personas no llenan las expectativas de Jesús: los discípulos (Mateo 17:14-21; Marcos 8:1-21); Judas (Mateo 26:47-50); Pedro (Mateo 16:21-23). En cada caso, ¿qué esperaba Jesús de ellos? ¿Por qué la gente falla en llenar sus expectativas y cómo los trata Él?

C. Pase algún tiempo en oración. Pida perdón por fallar a las expectativas de Jesús y alábelo por aceptarlo a pesar sus fracasos. También ore por la fortaleza necesaria para parecerse a Cristo en perdonar y aceptar a otros que fallan en llenar sus expectativas.

Capítulo 31: Vuelve a casa

1. *Cuando el orgullo se encuentra con el hambre, el ser humano puede llegar a hacer cosas que antes eran inconcebibles.*

A. ¿Está de acuerdo con el autor en que, dadas las circunstancias apropiadas, «un ser humano hará cosas que antes le eran inconcebibles»? ¿Hasta qué grado somos cada uno de nosotros capaces de los más atroces pecados?

B. ¿Cómo describiría la condición de la humanidad: básicamente buena, básicamente mala, un producto del medio ambiente, un producto de la genética? ¿Qué nos enseñan los siguientes pasajes sobre la pecaminosidad de la humanidad? Eclesiastés 7:20; Isaías 64:6; Romanos 3:9-23?

C. ¿Por qué es bueno para cada uno de nosotros reconocer nuestra pecaminosidad? ¿Cómo afecta nuestra perspectiva en el sacrificio que hizo Cristo por nosotros? ¿Cómo afecta nuestro entendimiento y perdón hacia los demás?

2. *«Cualquier cosa que hayas hecho, cualquier cosa que hayas llegado a ser, no importa. Por favor, vuelve a casa».*

A. ¿En qué manera Jesús nos dice lo mismo a nosotros?

B. Para usted, ¿qué imágenes en los siguientes pasajes ilustran mejor el viaje de un pecador y su regreso a casa: Deuteronomio 4:29-31; Deuteronomio 30; Lucas 15:3-10? ¿Cómo describen la actitud del pecador? ¿Cómo describen la recepción de Dios?

C. Describa una «vuelta a casa» especial que usted haya experimentado. ¿Qué recuerdos le son más vívidos? Si un terrenal regreso a casa puede ser tan poderoso, ¿puede usted imaginar cómo es una vuelta a casa espiritualmente hablando?

Capítulo 32: Inconsistencias consistentes

1. *El mal está paradójicamente cerca del bien.*

A. ¿Qué ejemplos puede dar de la afirmación del autor? ¿Ministros dedicados a sus feligreses pero descuidando a su familia? ¿Una amistad convirtiéndose en una aventura? ¿Un deseo de «buenas obras» negando la gracia de Dios?

B. La Biblia está llena de ejemplos de buenas intenciones conduciendo a malos resultados y de malas intenciones disfrazadas como buenas. ¿Cómo eran los fariseos agarrados en esta paradoja? Lea Mateo 23:1-12, 15, 23-24, 27-28. ¿Cómo se había pervertido el bien? De acuerdo a II Corintios 11:13-15, ¿cómo se disfraza, el mal de bien?

C. ¿Cómo podemos discernir el bien del mal, según la Juan 4:1-3 y Romanos 12? Haga una lista de los indicadores prácticos de la vida devocional, tal como está en Romanos 12.

2. *Nunca el bien estuvo tan íntimamente entrelazado con el mal como cuando Jesús estaba suspendido entre el cielo y la tierra.*

A. ¿Cómo la crucifixión fue la última y más grande batalla entre el bien y el mal? ¿De qué manera estuvieron el bien y el mal estrechamente conectados?

B. Busque en el relato de Mateo acerca de la crucifixión, comenzando con el versículo 26:1 y terminando con el 27:56. Tome una hoja de papel y trace una línea vertical. En el lado izquierdo haga una lista de los sustantivos significativos y de los verbos que están en la lectura que describen las fuerzas de las maldades que precipitaron la crucifixión. En el lado derecho de la línea haga una lista de los sustantivos y verbos que describen a Jesús durante esos acontecimientos.

C. ¿Cómo reaccionaría usted a esa lista? Resuma en una oración el mensaje de la lista. ¿En qué manera es ese el mensaje de este libro? ¿En qué manera es ese el mensaje de la Biblia misma?

Capítulo 33: El rugido

1. *Más de la mitad del mundo no ha oído la historia del Mesías, y mucho menos la ha estudiado.*

A. ¿Qué oportunidades hay para llevar la historia del Mesías a los lugares del mundo donde anteriormente ha sido negada? ¿Qué está haciendo su iglesia para aprovechar estas oportunidades?

B. ¿Cómo respondería a aquellos que creen que no están lo suficientemente preparados para llevar el evangelio? ¿Qué incentivo se halla en I Corintios 1:20-2:5, Romanos 1:16-17; Efesios 1:13,14; Colosenses 1:3-6?

C. ¿Cuáles son los asuntos esenciales al contar la historia del Mesías? ¿Cuál no es esencial?

2. *Tal vez todos nosotros necesitamos testificar de su majestad y suspirar por su victoria. Tal vez necesitamos oír de nuevo nuestra misión.*

A. ¿De qué manera está ajustándose este pasaje para concluir el libro? En su opinión, ¿cuál fue el propósito del autor al escribir este libro? Para usted, ¿ha sido bien logrado? ¿Cuál es su respuesta al Salvador que él ha presentado?

B. ¿Cuál es la comisión que Jesús dio en Mateo 28:18-20? ¿Por qué es llamada a menudo la «Gran Comisión»? ¿Qué estamos comisionados a hacer en Romanos 10:9-17?

C. ¿Cómo está participando usted en llevar la historia del Mesías a aquellos que no la han oído? ¿Qué podría hacer para estar más activamente involucrado? ¿Podría I Corintios 9:16 llegar a ser nuestra orden de marcha?

D. Al principio de este estudio usted escribió cinco metas para el estudio. Mírelas nuevamente. ¿Hasta qué punto las ha cumplido? ¿Hay algunas que a usted le gustaría continuar intentando alcanzar?

Notas

La parte que importa
1- I Corintios 15.3,4.

Capítulo 2
1 I Pedro 2:23.
2 Lucas 23:34.

Capítulo 3
1- Romanos 7:15 (paráfrasis del autor).

Capítulo 4
1- Walter Kaufman Ed. Esistencialism from Dostoyeosky to Sartre, New York, Meridian Books, 1956, pp. 294-295).

Capítulo 5
1- Hechos 20:35.
2- Lucas 9:24.
3- Mateo 13:57.

Capítulo 6
1- Madeleine Blais, «Who is going to love Judith Bucknell?» (Parte I) Tropic Magazine, del *Miami Herald, 12 de octubre de 1980.*
2- Ibid.
3- Ibid.

4- Ibid
5- Mateo 27:46
6- Levítico 16:22 (paráfrasis del autor).

Capítulo 8
1- Génesis 1:1.
2- Hebreos 1:1-2.

Capítulo 9
The «boxer», por Paul Simon, 1968.
2- Ibid.
3- Mateo 10:22.
4- Santiago 1:2-3.
5- Hebreos 12:12,13.
6- Gálatas 6:9.
7- II Timoteo 4:7-9.
8- Santiago 1:12.

Capítulo 12
1 Lucas 23:47.

Capítulo 13
1 Mateo 27:19.
2 Lucas 23:4,7,17,20,22.

Capítulo 16
1 Romanos 7:24.
2 Frederick Buechner, *The Sacred Journey*, *p.52*, *Harper and Row*, *1982*.

Capítulo 18
I Juan 14:5.
2 Juan 11:16.
3 Juan 20:25, paráfrasis del autor.
4 Efesios 3:20.
5 Juan 20:28.

Capítulo 19
1 Mateo 23.

Capítulo 22
1 Génesis 12:10-20.
2 Génesis 20:2.

Capítulo 25
1 Marcos 14:32-42.
2 Isaías 53:3.
3 Hebreos 5:7.

Capítulo 27
1 Romanos 7:24.
2 Génesis 6:6.

Capítulo 28
1 I Corintios 2:5.
2 Salmo 19.

Capítulo 29
1 Marcos 1:50.
2 Marcos 14:38.

Capítulo 30
1 Romanos 5:8.

Capítulo 31
1 Hebreos 1:3 (versión libre).
2 Mateo 11:28

Capítulo 33
1 Juan 20:21.

La
última
semana
de Jesús

Y LOS
ANGELES
GUARDARON
SILENCIO

Max Lucado

EDITORIAL
UNILIT

Contenido

*Dedicado
a mis suegros
Charles y Romadene Preston
por darme
tal regocijo*

Reconocimientos

*D*eseo saludar a algunos queridos amigos que han hecho posible este proyecto.

A Liz Heaney. Has sido más que una editora: has sido una amiga.

A John Van Diest. Nunca olvidaste los más elevados objetivos de la publicación cristiana: Llevar la Palabra de Dios al corazón de los hombres.

A Brenda Josee. Inagotable energía e ilimitada imaginación.

Para el resto del personal... Me quito el sombrero.

Unas palabras especialmente dedicadas a mi secretaria, Mary Stain. Tu retiro y el final de esta obra llegaron el mismo mes. Me duele tanto verte ir como me alegra terminar el libro. Gracias por tus incansables esfuerzos.

A Joseph Shulam de Jerusalén. Un amigo, un hermano y un celoso devoto.

A la congregación Netivyah de Jerusalén. Lo único triste de nuestro viaje a vuestra ciudad fue la partida.

A Steve Green. Por veinte años de amistad y muchos más de compañerismo.

A la Iglesia de Oak Hills. Me habéis enseñado más de lo que pude nunca enseñaros.

A mis hijas Jenna, Andrea y Sara. Si sólo pudiera yo tener vuestra inocencia y fe.

Para mi esposa Denalyn. Cuando llego tarde a casa no te quejas. Cuando salgo de viaje no refunfuñas. Cuando escribo por las noches no te molesta. ¿Todos los escritores tienen un ángel por esposa, o yo alcancé el último?

Y por último, para ti, lector. Si esta es la primera vez que lees un libro mío, me siento honrado por tu compañía. Me confías tu tiempo y tu corazón. Me comprometo a ser un buen administrador de ambos.

Si hemos pasado algún tiempo juntos antes, es bueno encontrarnos otra vez. Mi objetivo en este libro es el mismo de los otros: que tú lo veas a El y sólo a El.

¿Puedo pedirte algo? Por favor, ten presente nuestra obra en tus oraciones. Haz la oración de Colosenses 4:3-4: "Orando también al mismo tiempo por nosotros, para que el Señor nos abra puerta para la palabra, a fin de dar a conocer el misterio de Cristo ... para que lo manifieste como debo hablar".

Unas palabras iniciales

*C*omienza la última semana. La utilería y los actores del drama del viernes están esperando. Hay clavos de seis pulgadas. Un madero de cruz está recostado en un rincón. Ramas de espinos están enrolladas alrededor de un enrejado, esperando una señal de un soldado.

Los actores se acercan al escenario. Pilato está preocupado por la cantidad de peregrinos para la Pascua. Anás y Caifás vigilan sin cesar a un impredecible Nazareno. Judas mira a su Señor con ojos furtivos. Un centurión está disponible, esperando las próximas crucifixiones.

Los actores y la utilería. Sólo que no es una obra teatral, sino un plan divino. Un plan que comenzó antes que Adán sintiera el aliento del cielo, y ahora todo el cielo espera y observa. Todos los ojos están fijos en una figura: el Nazareno.

Vestido con ropas comunes. Extraordinariamente concentrado. Dejando a sus espaldas Jericó y acercándose a Jerusalén. No conversa. No se detiene. Está de viaje. Su último viaje.

Incluso los ángeles guardan silencio. Saben que ésta no es una caminata como otras. Saben que ésta no es una semana como otras. Porque en esta semana se abrirá la puerta de la Eternidad.

Caminemos con El.

Veamos cómo pasa Jesús sus últimos días.

Veamos lo que tiene importancia para Dios.

Cuando un hombre sabe que se acerca el fin, sólo se destaca lo importante. La cercanía de la muerte destila lo vital. Se pasa por alto lo trivial. Se descarta lo innecesario. Lo vital permanece. Así, si queremos conocer a Cristo, meditemos en sus últimos días.

El sabía que el fin se acercaba. Conocía la irrevocabilidad del viernes. El leyó el último capítulo antes que fuera escrito, y escuchó el coro final antes de ser cantado. Como resultado, lo crítico fue centrifugado de lo intrascendente. Enseñó verdades destiladas. Llevó a cabo tareas deliberadas. Calculando cada paso. Premeditando cada acción.

Sabiendo que sólo le quedaba una semana con sus discípulos, ¿qué les dijo? Enterado de que esa sería su última oportunidad en el templo, ¿qué hizo? Consciente de que los últimos granos se estaban escurriendo en el reloj de arena, ¿qué era importante?[1]

Entremos en la Semana Santa y observemos.

Sintamos Su pasión. Riendo mientras cantan los niños. Llorando mientras Jerusalén se mantiene impasible. Desdeñando mientras los sacerdotes acusan. Rogando mientras los discípulos duermen. Entristeciéndose mientras Pilato se vuelve.

Sintamos Su poder: Ojos ciegos... que ven. El árbol estéril... que se seca. Los cambistas... que huyen corriendo. Los líderes religiosos... que se acobardan. La tumba... que se abre.

Escuchemos Su promesa: La muerte no tiene poder. El fracaso no retiene prisioneros. El miedo no tiene poder. Porque Dios ha venido, Dios ha venido a nuestro mundo... para llevarnos a casa.

Sigamos a Jesús en Su último viaje. Porque mientras observamos el Suyo, podemos aprender cómo hacer el nuestro.

Capítulo 1

Demasiado poco, demasiado tarde, demasiado bueno para ser verdad

"Así, los primeros serán postreros,
y los postreros, primeros".

Mateo 20:16

*L*o único más lento que el paso de Ben, era su hablar pausado, arrastraba las palabras.

—Bueeeno, chico —estiró las palabras y esperó un mes entre frases—, aquí estamos tú y yo otra vez.

El cabello blanco se escapaba bajo su gorra de pelotero. Los hombros caídos. La piel curtida por siete décadas de inviernos en el oeste de Texas.

Lo que mejor recuerdo son sus cejas: repisas inclinadas en el borde de su frente. Gusanos que se movían con sus ojos.

Acostumbraba mirar al suelo cuando hablaba. Era de baja estatura, pero este hábito lo hacía parecer aun más bajito. Cuando deseaba hacer énfasis en algo, alzaba la vista y le lanzaba a uno una mirada a través de sus pobladas cejas. Le lanzaba esta mirada a cualquiera que pusiera en duda su

11

capacidad de trabajar en el campo de petróleo. Mas de todas formas, la mayoría de la gente lo hacía.

El haber conocido a Ben se lo debo a mi padre, quien estaba convencido de que los días libres de la escuela eran para que los chicos ganaran dinero. Quisieras o no, ya fuera Navidad, verano o Día de Dar Gracias, nos despertaba a mi hermano y a mí antes que saliera el sol y nos dejaba en alguna compañía local de peones eventuales para ver si podíamos conseguir que nos contrataran por un día.

El trabajo en los campos de petróleo tenía tantos altibajos como un equipo de perforación, así que a menos que uno fuera empleado de una compañía o tuviera su propia brigada, no había garantía de trabajar. Los peones eventuales empezaban a aparecer mucho antes que el jefe. Sin embargo, nada significaba llegar primero; todo lo que importaba era la fuerza que uno tuviera y la experiencia acumulada.

Ahí era donde Ben y yo no dábamos la talla. Yo tenía la fuerza, pero no la experiencia; Ben tenía las manos callosas, pero no la fuerza. Así que a menos que se presentara un trabajo especialmente grande que justificara la cantidad por encima de la calidad, solían pasarnos por alto a Ben y a mí.

Los sucesos de la mañana eran tan predecibles que, incluso ahora, veinte años después, todavía puedo experimentarlos.

Puedo sentir el viento mordaz que torturaba mis orejas en la oscuridad de la madrugada. Puedo sentir la manilla congelada de la pesada puerta metálica del cobertizo donde se trabajaba. Puedo oír la voz ronca de Ben procedente de junto a la estufa que acababa de encender antes de sentarse junto a mí:

—Cierra la puerta, muchacho. Va a hacer más frío antes que se sienta el calor.

Yo miraba la luz dorada que salía de la estufa e iluminaba el oscuro cobertizo, volvía la espalda al fuego y miraba a Ben. El estaba fumando, sentado en un barril de cincuenta y cinco galones. Sus botas de trabajo colgarían a un pie del suelo y las solapas de su abrigo estarían vueltas hacia arriba para abrigarle el cuello.

—Seguro que necesito el trabajo hoy, chico. Necesito mucho el trabajo.

Los otros trabajadores habrían comenzado a llegar. Cada uno de los que llegaba disminuía la oportunidad que Ben y yo podíamos tener de salir a trabajar. Pronto el aire estaría lleno de humo y chistes malos y quejas por tener que trabajar en un tiempo demasiado frío para las liebres.

Ben nunca hablaba mucho.

Al rato venía el capataz. Suena gracioso, pero yo me ponía nervioso cuando el jefe entraba en el cobertizo para leer la lista. Con la elocuencia de un sargento en maniobras, ladraba lo que necesitaba y a quiénes quería.

—Hoy necesito seis ayudantes para limpiar unos equipos.

O decía:

—Estamos instalando una línea nueva en el campo sur, necesitaré a ocho —entonces anunciaba su lista—: "Buck, Tom, Happy y Jack; vengan conmigo".

Había un cierto honor en ser escogido... algo especial por ser destacado, aunque fuera para cavar huecos. Pero al mismo tiempo que era un honor ser escogido, había una cierta vergüenza en ser descartado. Otra vez.

En el sistema de castas de los campos de petróleo, el único escalón inferior al de los peones eventuales, era la fila de los desempleados. Si uno no podía soldar, entonces metía cañería en el pozo. Si no podía meter cañería, entonces atendía los pozos. Si no podía atender los pozos, entonces era peón eventual. Pero si no podía ser peón eventual...

La mayoría de las veces Ben y yo no podíamos trabajar. Los que no éramos escogidos nos quedábamos un poco alrededor de la estufa e inventábamos excusas por las que no deseábamos en realidad salir a trabajar. Pronto todo el mundo se escurría hacia afuera y nos quedábamos Ben y yo solos en el cobertizo. No teníamos otro lugar adonde ir. Además, no podíamos saber si podía presentarse otro trabajo. Así que nos quedábamos aguardando.

Entonces era cuando Ben hablaba. Entretejiendo la realidad con la fantasía, urdía historias de exploración petrolífera con varillas de adivinar y mulas. El amanecer se convertiría en día mientras nosotros dos explorábamos los polvorientos caminos de la memoria de Ben, sentados en llantas de autos y latas de pintura.

Eramos tremenda pareja. En muchos sentidos éramos polos opuestos: yo con escasos quince años, Ben en sus setenta y tantos inviernos. Yo, vigoroso y convencido de que lo mejor estaba todavía por llegar; Ben, cansado y curtido, viviendo de las glorias pasadas.

Pero llegamos a ser amigos; porque en el campo petrolífero ambos éramos descartados; compañeros en el fracaso. Los "demasiado poco, demasiado tarde".

¿Sabe de lo que estoy hablando? ¿También usted lo es?

Sherri lo es. Después de tres hijos y doce años de matrimonio, su esposo encontró una esposa más joven. Un modelo más nuevo. Sherri fue descartada.

El señor Robinson lo es. Tres décadas en la misma compañía lo situaron en un puesto en la cumbre. Cuando el presidente se retiró, él sabía que era sólo cuestión de tiempo. Sin embargo, el consejo de dirección pensó diferente. Ellos querían juventud. Lo que no tenía el señor Robinson, y fue descartado.

Manuel se lo puede explicar. Por lo menos lo haría si pudiera. Es duro ser uno de nueve hijos en un hogar sin padre en el valle de Río Grande. Para Manuel es todavía más duro: es sordomudo. Aun cuando existiera una escuela para sordos a la que pudiera asistir, no tiene dinero.

"Una pelota perdida entre la hierba alta".

"Llegar un día tarde y con un dólar de menos".

"Un tipo bajito en un mundo gigante".

"Le faltó un ladrillo a la carga".

Escoja la frase; el resultado es el mismo. Si le repiten suficientes veces que sólo las frutas podridas se quedan en la cesta, uno empezará a creérselo. Empieza a creerse que es "demasiado poco y demasiado tarde".

Si eso lo describe a usted, entonces tiene en las manos el libro preciso en el momento exacto. Verá usted: Dios tiene una peculiar pasión por los olvidados. ¿No se ha percatado de ello?

¿Ha visto Su mano en la piel del leproso?

¿Ha visto el rostro de la prostituta tomado en Sus manos?

¿Observó cómo respondió a la mujer con el flujo de sangre?

¿Ha visto cómo rodeó con Su brazo al pequeño Zaqueo?

Una y otra vez Dios quiere que entendamos lo que nos quiere decir: tiene una particular pasión por los olvidados. Lo que la sociedad descarta, Dios lo toma. Lo que el mundo desecha, Dios lo recoge. Por eso debe ser que Jesús contó la parábola de los obreros de la viña. Es la primera historia de su última semana. Es la última parábola que El contará antes de entrar en Jerusalén. Una vez que penetra en la ciudad, se convierte en un hombre marcado. El reloj de arena se invierte por última vez, iniciando la cuenta final para que comience el caos.

Pero no está en Jerusalén. Y no se dirige a Sus enemigos. Está en las afueras de Jericó, y con Sus amigos. Y para ellos El urde esta parábola de gracia:

Cierto terrateniente necesita contratar obreros para su viña. A las seis de la mañana escoge una brigada, conviene con ellos en el salario y los pone a trabajar. A las nueve vuelve a donde se reúnen los desempleados y escoge unos pocos más. Al mediodía regresa por más y a las tres de la tarde vuelve otra vez; y a las cinco, ¡usted se lo imagina!, está de nuevo buscando algunos otros.

Ahora bien, lo interesante del caso reside en la ira que sienten los obreros que trabajaron doce horas cuando ven que los otros reciben el mismo salario. Ese es un gran mensaje, pero lo dejaremos para otro libro.

Deseo destacar una escena a menudo olvidada en la historia: la selección. ¿Se la imagina? Sucedió a las nueve. Sucedió al mediodía. También a las tres. Y más vehementemente a las cinco.

Cinco de la tarde. Dígame. ¿Qué hace todavía en el parque un obrero a las cinco? Hace mucho que pasó lo mejor. Los trabajadores mediocres se fueron al mediodía. El resto se fue a las tres. ¿Qué clase de obreros quedaban a las cinco?

Durante todo el día se les pasa por alto. Son trabajadores torpes. Sin preparación. Sin entrenamiento. Están colgando, asidos con una mano del último peldaño de la escalera. Dependen por completo de un patrón misericordioso que les dé una oportunidad que no se merecen.

Igual que nosotros, si viene al caso. A menos que nos volvamos engreídos, podemos seguir el consejo de Pablo y echar un vistazo a lo que éramos cuando Dios nos llamó.[1] ¿Recuerdan?

Algunos de nosotros éramos refinados e inteligentes, pero con el espesor del cartón piedra. Otros ni siquiera tratábamos de esconder nuestro desconsuelo. Lo bebíamos. Lo olíamos. Lo disparábamos. Lo vendíamos. La vida era una búsqueda apasionada. Estábamos empeñados en la búsqueda de tesoros de un cofre vacío en un desfiladero sin salida.

¿Recuerda cómo se sentía? ¿Se acuerda del sudor en su frente y la grieta en su alma? ¿Recuerda cómo trataba de ocultar su soledad hasta que ésta se hizo tan grande que usted se limitó a sobrevivir?

Imagínese ese cuadro por un momento. Ahora contésteme. ¿Por qué lo escogió El? ¿Por qué me escogió a mí? Sinceramente. ¿Por qué? ¿Qué tenemos nosotros que El necesite?

¿Inteligencia? Sinceramente, ¿se puede pensar por un minuto que tenemos —o alguna vez tendremos— alguna idea que El no haya tenido?

¿Fuerza de voluntad? Eso puede considerarse. Algunos de nosotros somos lo suficientemente testarudos como para caminar sobre el agua si nos sentimos llamados a hacerlo... pero ¿pensar que el reino de Dios podía haber sido derrotado sin nuestra determinación?

¿Y qué de dinero? Llegamos al reino con una buena reservita. Quizás por eso fue que nos escogieron. Quizás el Creador del cielo y la tierra pudiera usar un poco de nuestro dinero. Quizás el dueño de todo aliento y toda persona y el autor de la Historia estaba necesitado de capital y nos vio con fondos y...

¿Me comprende?

Fuimos escogidos por la misma razón que los obreros de las cinco. ¿Usted y yo? Somos los obreros de las cinco de la tarde.

Ahí estamos recostados en la valla del huerto, fumando cigarrillos que no podemos pagar y, lanzando monedas al aire, apostándonos cervezas que nunca compraremos. Obreros migratorios sin empleo y sin futuro. Tatuado en el brazo el nombre de "Betty". En mi bíceps no está su nombre, pero sus caderas se mueven cuando contraigo el brazo. Debíamos habernos dado por vencidos y habernos ido a casa después del silbido del almuerzo pero el hogar está en una habitación de un motel donde la esposa que nos aguarda pregunta al llegar nosotros: "¿Conseguiste algo?"

Así que esperamos. Los "demasiado poco, demasiado tarde".

¿Y Jesús? Bueno, Jesús es el terrateniente que anda en una camioneta negra. Es el tipo que nos ve cuando ya nos ha pasado por al lado, mientras nos cubre el polvo que levanta. El es el que detiene su camión, da marcha atrás, y regresa a donde esperamos.

El es ése de quien usted le contará a su esposa esta noche, mientras va hacia el mercado sonando las monedas en el bolsillo. —Yo nunca había visto antes a este hombre. Se detuvo, bajó el cristal de la ventanilla, y nos preguntó si queríamos trabajar. Ya casi era hora de dejar de trabajar, pero dijo que tenía un trabajo que no podía esperar. Te lo juro, Marta, no trabajé más que una hora y me pagó por todo el día.

—No, no conozco su nombre.

—Por supuesto que voy a averiguarlo. Ese tipo es demasiado bueno para que sea verdad.

¿Por qué lo escogió a usted? Quiso hacerlo. Después de todo, usted es Suyo. El lo hizo. El lo trajo a casa. El es su dueño. Y una vez, El lo tocó en el hombro y le recordó ese hecho. No importa cuánto tiempo usted esperó o cuánto tiempo haya perdido, usted es Suyo y El tiene un lugar para usted.

»

—¿Necesitan ustedes trabajar?

Ben saltó del barril y contestó por los dos.

—¡Sí señor!

—Recojan sus sombreros y sus almuerzos y suban al camión.

No tuvo que repetírnoslo. Ya yo me había comido mi almuerzo, pero recogí la cesta de todos modos. Saltamos a la cama del camión y nos recostamos contra la cabina. El viejo Ben encendió un cigarrillo rodeando con sus manos el fósforo para protegerlo del viento. Cuando el camión empezó a andar, habló. A pesar de que han transcurrido veinte años, todavía puedo ver sus ojos brillar a través de las enmarañadas cejas.

—¿Verdad que da gusto ser escogido, muchacho?

—Seguro que sí, Ben. Seguro que sí.

18

Capítulo 2

De Jericó a Jerusalén

"El Hijo del Hombre será entregado a los ... gentiles para que le escarnezcan, le azoten, y le crucifiquen; mas al tercer día resucitará".

Mateo 20:18-19

*H*asta donde el padre Alexander Borisov sabía, nunca regresaría vivo. La negra noche rusa no le ofrecía seguridad. Esperaba que la policía se impresionaría con su vestidura negra y dorada, pero no era seguro.

Moscú estaba sitiada. El oso que invernaba se había despertado de su sueño de invierno y estaba hambriento. Los antecedentes prometían nuevamente opresión para el pueblo.

Pero Borisov se atrevió a desafiar los precedentes. El 20 de agosto de 1991, él y unos pocos miembros de la recién constituida Sociedad Bíblica de la Unión Soviética, caminaron hacia los tanques, portando bultos de Nuevos Testamentos. Si los tripulantes no accedían a conversaciones cara a cara, el ministro se subía a los tanques y les metía las Biblias a través de las escotillas.

"El corazón me decía que soldados con Nuevos Testamentos en sus bolsillos no dispararían contra sus hermanos y hermanas", contaría más tarde.

Sabia idea. Es mejor marchar a la batalla con la Palabra de Dios en el corazón que con armas poderosas en las manos.

Pero Moscú está lejos de ser la primera demostración de eso. Porque para ver el cuadro más conmovedor de alguien marchando a la batalla con la verdad de Dios, no hay que ir a Rusia. Ni leer la Prensa Asociada. Ni ver las noticias de las seis. En vez de eso vaya a la Escritura y subraye un párrafo que usted no había notado hasta ahora.

Es fácil pasarlo por alto. Sólo tiene tres versículos. Sólo ochenta y siete palabras. Nada hay que lo distinga como único. Ninguna pista de su importancia. No tiene letras gruesa. Ni un título espectacular. La declaración es tan escueta que el lector no avisado puede descartarlos como una transición. Pero hacer eso es abandonar la mina sin haber visto la piedra preciosa.

Se trata tan solo de un suceso. No tiene el atractivo de la resurrección de Lázaro. Ni, por supuesto, la escala de la alimentación de los cinco mil. Ya ha pasado la magia del pesebre. Falta el drama de la tormenta aquietada. Es un pasaje tranquilo de la Escritura. Pero no se deje engañar. Porque en ese momento ni un ángel se atrevía a cantar.

Sólo se trata de un camino. De solamente catorce millas. Medio día de viaje a través de un peligroso desfiladero. Pero no es el camino lo que nos llama la atención. Los caminos polvorientos abundaban por aquel entonces. No, no es el camino, es lo que va por él... y es el hombre que lo transita.

Está al frente de su grupo. Es el único lugar donde encontramos a Jesús a la cabeza. Ni cuando descendió de la montaña después del Sermón del Monte. Ni después de dejar Capernaum. Ni cuando entró en Naín. El prefería estar rodeado de la gente y no estar al frente de todos.

Pero no es así ahora. Marcos nos dice que Jesús iba al frente.[1] Un solo hombre. Un joven soldado marchando a la batalla.

Si quiere conocer el corazón de alguien, observe a esa persona en su último viaje.

La historia del joven Mateo Huffman llegó a mi mesa la semana en que yo estaba escribiendo este capítulo. Era el hijo de seis años de unos misioneros en Salvador, Brasil. Una mañana empezó a quejarse de fiebre. Cuando le subió la temperatura, comenzó a perder la vista. Sus padres lo subieron al auto y a toda prisa lo llevaron al hospital.

Mientras lo conducían y él yacía en el regazo de su madre, hizo algo que sus padres jamás olvidarán. Extendió su mano en el aire. Su madre se la tomó y él se la soltó. Volvió a extenderla. Otra vez ella se la tomó y él de nuevo se la soltó y la alzó en el aire. Confundida su madre le preguntó:

—¿Qué estás tratando de alcanzar, Mateo?

—¡Estoy tratando de alcanzar la mano de Jesús! —contestó. Y con esas palabras cerró los ojos y entró en un coma del cual nunca salió. Murió dos días después de meningitis bacterial.

Con todas las cosas que él no aprendió en su corta vida, sí aprendió la más importante: a quién volverse en la hora de la muerte.

Uno puede aprender mucho de una persona por la forma en que muere. Considere el ejemplo de Jim Bonham.

De todos los héroes de El Alamo, ninguno más conocido que James Bonham, el valeroso joven abogado de Carolina del Sur. Había estado en Texas solamente tres meses, pero su ansia de libertad no le permitió vacilar en marchar junto a aquellos tejanos en su batalla por la libertad. Se ofreció como voluntario para servir en El Alamo, una pequeña misión cerca del río Guadalupe. Mientras el ejército mexicano llenaba el horizonte y el minúsculo bastión se preparaba para la batalla, Bonham se abrió paso por entre el cordón enemigo y galopó hacia el este a Goliad para pedir ayuda.

En su libro *Texas,* James Michener imagina cuál debe haber sido la solicitud del soldado: "Allá lejos hay ciento cincuenta hombres. Santa Ana ya tiene dos mil, con más todavía en camino... ¡Necesitamos que cada hombre capaz de disparar en Texas corra hacia El Alamo, para fortalecer nuestros alrededores! ¡Ayúdennos! ¡Salgan ahora mismo!"

No se le ofreció ayuda alguna. El coronel Fannin se limitó a prometerle a Bonham que lo pensaría. El joven carolinense sabía lo que eso significaba; disimuló su cólera y espoleó su caballo rumbo a Victoria.

Michener imagina una conversación entre Bonham y un niñito:

—¿Adónde va usted ahora? —pregunta el niño.

—Hacia El Alamo —responde Bonham sin vacilar.

—¿Regresará solo?

—Vine solo.

Mientras Bonham desaparece, el niño le pregunta a su padre:

—Si las cosas están tan mal, ¿por qué vuelve allá?

A lo que el padre responde:

—Dudo que él considere siquiera otra posibilidad.[2]

No sabemos si esas palabras se pronunciaron, pero sí sabemos que el viaje se hizo. Bonham cabalgó hacia la batalla sabiendo que sería la última para él.

Así hizo Jesús. Con Su última misión por delante, detuvo a Sus discípulos y les explicó por tercera vez cómo sería Su encuentro final con el enemigo: "He aquí subimos a Jerusalén, y el Hijo del Hombre será entregado a los principales sacerdotes y a los escribas, y le condenarán a muerte; y le entregarán a los gentiles para que le escarnezcan, le azoten, y le crucifiquen; mas al tercer día resucitará".[3]

Observe Su detallado conocimiento del suceso. El dice quiénes —"los principales sacerdotes y los escribas"—. Explica qué —"entregarán al Hijo del Hombre a los gentiles para que lo escarnezcan, lo azoten y lo crucifiquen"—. Aclara cuándo —"mas al tercer día resucitará".

Olvídense de cualquier sugerencia de que Jesús cayó en una trampa. Borre cualquier teoría de que Jesús calculó mal. Ignore cualquier especulación de que la cruz fue un último recurso para salvar una misión fracasada.

Porque si estas palabras nos dicen algo, nos revelan que Jesús murió... a propósito. Nada de sorpresas. Sin vacilaciones. Sin titubeos.

Uno puede conocer mucho acerca de una persona por la forma en que muere. Y la forma en que Jesús marchó hacia Su muerte no deja lugar a dudas: había venido a la tierra para este momento. Lea las palabras de Pedro: "A éste [Jesús] entregado por determinado consejo y anticipado conocimiento de Dios, prendisteis y matasteis por manos de inicuos, crucificándole".[4]

No, el viaje a Jerusalén no comenzó en Jericó. No empezó en Galilea. No se emprendió en Nazaret. Ni siquiera en Belén.

El viaje hacia la cruz se inició mucho antes. Mientras todavía resonaba el eco del crujido de la mordida de la fruta en el huerto de Edén, Jesús salía hacia el Calvario.

Y tal como el Padre Alexander Borisov se encaminó a la batalla con la Palabra de Dios en su mano, Jesús dirigió sus pasos hacia Jerusalén con la promesa de Dios en Su corazón. La divinidad de Cristo aseguraba la humanidad de Cristo, y Jesús habló lo suficientemente alto como para que los abismos del infierno vibraran: "Mas al tercer día resucitará".

¿Hay algún Jerusalén en su horizonte? ¿Sólo un breve viaje le separa de próximos encuentros dolorosos? ¿Se encuentra usted a sólo pocos pasos de los muros de su propia ordalía?

Aprenda una lección de su Maestro. No entre en la batalla contra el enemigo sin antes haber reclamado el valor de las promesas de Dios. ¿Puedo darle algunos ejemplos?

Cuando se sienta confundido: "Porque yo sé los pensamientos que tengo acerca de vosotros, dice Jehová, pensamientos de paz, y no de mal, para daros el fin que esperáis".[5]

Si te sientes pesaroso por los fracasos de ayer: "Ahora, pues, ninguna condenación hay para los que están en Cristo Jesús".[6]

En esas noches en que usted se pregunta dónde estará Dios: "Porque Dios soy, y no hombre, el Santo en medio de ti".[7]

Si piensa usted que puede perder el amor de Dios: "Seáis plenamente capaces de comprender con todos los santos cuál sea la anchura, la longitud, la profundidad y la altura, y de conocer el amor de Cristo, que excede a todo conocimiento.[8]

La próxima vez que se encuentre usted en un camino de Jericó hacia Jerusalén, ponga las promesas de Dios en sus labios. Cuando las tinieblas de la opresión se ciernan sobre su ciudad, recuerde las convicciones del Padre Borisov.

De paso, les diré que los trabajadores de la Sociedad Bíblica en Moscú recordarán durante largo tiempo la historia de un soldado que hizo exactamente eso. En la madrugada del 21 de agosto ellos le ofrecieron una Biblia para niños —ilustrada en colores— porque se les habían acabado los Nuevos Testamentos, que son más pequeños. El soldado comprendió que tendría que ocultarla de sus superiores si quería llevarla a casa. Pero su uniforme tenía solamente un bolsillo suficientemente grande.

El soldado titubeó, y entonces vació su bolsillo de las municiones. Se fue entonces a la barricada con una Biblia en lugar de balas.

Es sabio marchar a Jerusalén con la promesa de Dios en su corazón. Lo fue para Alexander Borisov. Lo fue para Mateo Huffman. Y lo es para usted.

Capítulo 3

El general sacrificado

"Como el Hijo del Hombre no vino a ser servido, sino para servir, y para dar su vida en rescate por muchos".
Mateo 20:28

*L*a decisión estaba tomada. Las tropas habían sido desplegadas y los buques de guerra estaban en camino. Cerca de tres millones de soldados se preparaban para embestir contra el muro atlántico de Hitler en Francia. Comenzaba el Día D. Toda la responsabilidad de la invasión descansaba por completo sobre los hombros del general de cuatro estrellas Dwight D. Eisenhower.

El general pasó la noche antes del ataque con los hombres de la División Aerotransportada 101. Se llamaban a sí mismos Las Aguilas Chillonas. Mientras sus hombres preparaban sus planes y comprobaban su equipo, Ike fue de soldado en soldado dándoles ánimo. Muchos de los aviadores eran tan jóvenes que podían ser sus hijos. El los trató como si lo fueran. Un corresponsal escribió que mientras Eisenhower observaba los C-47 despegar y desaparecer en la oscuridad, hundió las manos profundamente en sus bolsillos con los ojos llenos de lágrimas.

El general entonces se dirigió a sus cuarteles y se sentó en su mesa. Tomó pluma y papel y escribió una nota; un mensaje que debía ser enviado a la Casa Blanca en caso de una derrota.

Era tan breve como valiente: "Nuestros desembarcos... han fracasado... las tropas, aéreas y navales, hicieron todo lo que el valor y la devoción al deber permitían. Si puede achacarse al intento alguna culpa o falta, es enteramente mía".[1]

Se puede argumentar que el mayor gesto de valor de aquel día no se llevó a cabo en una carlinga o una trinchera, sino en un buró cuando el que estaba en la cima tomó sobre sí la responsabilidad por los que estaban a sus órdenes. Cuando el que estaba al mando asumió la culpa... incluso antes que fuese necesario que alguien la asumiera.

Extraño líder, este general. Poco usual este alarde de valor. Es el modelo de una calidad rara vez vista en nuestra sociedad de reclamaciones legales, despidos y divorcios. La mayoría de nosotros estamos dispuestos a recoger el mérito por lo bueno que hacemos. Algunos estamos dispuestos a aceptar la culpa de los errores cometidos. Pero muy pocos asumirán la responsabilidad por las equivocaciones de otros. Y todavía menos aceptarán la culpa por errores no cometidos todavía.

Eisenhower lo hizo. Por consecuencia, se convirtió en héroe.

Jesús lo hizo. Como resultado, es nuestro Salvador.

Antes que comenzara la guerra, El perdonó. Antes que pudiera cometerse un error, ofreció Su perdón. Antes que la culpa pudiera acreditarse, proveyó la gracia.

El que estaba en la cumbre aceptó la responsabilidad por los que estaban por debajo de El. Lea cómo Jesús describe lo que El vino a hacer:

"El Hijo del Hombre no vino para ser servido, sino para servir, y para dar su vida en rescate por muchos".[2]

Para los judíos contemporáneos de Cristo, la frase "Hijo del Hombre" tenía el mismo significado que para usted y para mí tiene el título de "general". Era una declaración de autoridad y poder.

Considere todos los títulos que Jesús pudo haber usado para definirse a sí mismo en la tierra: Rey de reyes, el gran YO SOY, el Principio y el Fin, el Señor de todo, Jehová, Altísimo y Santo. Todos éstos y una docena más hubiesen sido apropiados.

Pero Jesús no los usó.

En su lugar, se llamó a sí mismo el Hijo del Hombre. Este título aparece ochenta y dos veces en el Nuevo Testamento. Ochenta y una de estas aparecen en los Evangelios. Ochenta de ellas de labios del propio Jesús.

Para comprender a Jesús necesitamos comprender lo que este título significa. Si Jesús pensó que era lo bastante importante para usarlo ochenta veces, seguro que es lo suficiente importante para que lo analicemos.

Pocos discutirán que el título proviene de Daniel 7, un texto que es precisamente un marco para una obra maestra de la cinematografía. Al espectador se le proporciona un asiento en un teatro que ofrece un vistazo a las futuras potencias de la tierra. Los imperios se presentan como bestias: feroces, hambrientas y violentas. El león con las alas de águila[3] representa a Babilonia y el oso con tres costillas en su boca[4] representa al Imperio Medopersa. Un leopardo con cuatro alas y cuatro cabezas simboliza a Alejandro el Grande,[5] y una cuarta bestia con dientes de hierro representa a Roma.[6]

Pero según las escenas se desenvuelven, los imperios se desvanecen. Uno tras otro caen las potencias del mundo. Al final el Dios conquistador, el Anciano de Días, recibe en Su presencia al Hijo del Hombre. A El le confía la autoridad, la gloria y el poder soberano.[7] Se le describe en blanco resplandeciente. Sobre un gallardo corcel y con una espada en Su mano.

Para el judío el Hijo del Hombre era un símbolo de triunfo. El conquistador. El nivelador. El estabilizador. El hermano mayor. El desafiador. El buque insignia. El brazo derecho del Altísimo y Santo. El rey que descendió tonante de los cielos en un carro de fuego con venganza y cólera hacia aquellos que habían oprimido al santo pueblo de Dios.[8]

El Hijo del Hombre era el general de cuatro estrellas que llamó a Su ejército a invadir y condujo a Sus tropas a la victoria.

Por esa razón cuando Jesús habló del Hijo del Hombre en término de poder, el pueblo lo aclamó.

Cuando habló de un nuevo mundo donde el Hijo del Hombre se sentaría en Su trono glorioso,[9] el pueblo comprendió.

Cuando habló del Hijo del Hombre que vendría en las nubes del cielo con gran poder y autoridad,[10] la gente podía imaginar la escena.

Cuando habló del Hijo del Hombre sentado a la diestra del Poder,[11] todos podían ver el cuadro.

Pero cuando dijo que el Hijo del Hombre sufriría... el pueblo permaneció silencioso. Eso no encajaba en el cuadro... no era lo que esperaban.

Póngase en el lugar de ellos. Usted ha sido oprimido por el gobierno romano durante años. Desde su juventud le han enseñado que el Hijo del Hombre lo liberará. Ahora El está aquí. Jesús se llama a sí mismo el Hijo del Hombre. El prueba que es el Hijo del Hombre. Puede resucitar a los muertos y calmar la tempestad. Las multitudes de seguidores siguen creciendo. Usted está entusiasmado. Finalmente los hijos de Abraham serán liberados.Pero ¿qué es esto que está diciendo? "El Hijo del Hombre no vino para ser servido sino para servir a otros". Antes les había dicho: "El Hijo del Hombre será entregado en manos de hombres, y le matarán; pero después de muerto, resucitará al tercer día".[12] ¡Esperen un poco! Eso es una contradicción imposible, increíble, e intolerable. No en balde "ellos no entendían estas palabras y tenían miedo de preguntarle".[13] ¿El rey que vino, servir? ¿El Hijo del Hombre, traicionado? ¿El Conquistador... asesinado? El Embajador del Anciano de Días... objeto de escarnio? ¿Escupido?

Pero tal es la ironía de que Jesús llevara el título de "el Hijo del Hombre". Esta es también la ironía de la cruz. El Calvario es un híbrido de la condición elevada de Dios y Su profunda devoción. El trueno que retumba cuando la soberanía de Dios choca con Su amor. El matrimonio de la realeza y la compasión del Cielo.[14]

Nos parece difícil pensar a la vez de un Dios que es el Juez que castiga y el Amante que perdona. Pero ese es el Dios de la Escritura. El es el Dios que "nos ama de una forma maravillosa y divina incluso cuando nos odia". (John R. W. Stott, *La Cruz de Cristo* [Downers Grove, Ill.:InterVarsity Press, 1986], 131.) Está, al mismo tiempo, enojado por nuestro pecado y enternecido por nuestra crítica situación. El mismo instrumento de la cruz es simbólico, el madero vertical de la santidad interceptado por la barra horizontal del amor.

Jesús usa una corona de soberano pero tiene un corazón de padre.

Es un general que asume la responsabilidad por los errores de sus soldados.

Pero Jesús no escribió una nota; El pagó el precio. No se limitó a aceptar la culpa, El tomó el pecado. Se convirtió en el rescate. Es el General que muere en el lugar del soldado raso, el Rey que sufre por el campesino, el Señor que se sacrifica por el siervo.

Cuando era niño, leí una fábula rusa acerca de un señor y un siervo que se fueron de viaje a una ciudad. He olvidado muchos detalles, pero recuerdo el final. Antes que los dos hombres pudieran llegar a su destino los envolvió una ventisca enceguecedora. Perdieron la dirección y fueron incapaces de arribar a la ciudad antes de la caída de la noche.

A la mañana siguiente, amigos preocupados fueron en busca de los dos hombres. Finalmente encontraron al señor, congelado, boca abajo en la nieve. Cuando lo levantaron, encontraron debajo de él al siervo... frío pero vivo. El mismo sobrevivió y contó cómo el señor se había colocado voluntariamente encima del siervo para que éste pudiera vivir.

Yo no había pensado en esa historia en muchos años. Pero cuando leí lo que Cristo dijo que haría por nosotros, recordé la historia... porque Jesucristo es el Señor que murió por sus siervos.

El es el General que previó los errores de sus soldados.

El es el Hijo del Hombre que vino para servir y dar Su vida en rescate... por usted.

Capítulo 4

Deplorable religión

"Entonces Jesús, compadecido, les tocó los ojos, y en seguida recibieron la vista".

Mateo 20:34

Sucede en los negocios cuando uno fabrica productos que no se venden.

Sucede en el gobierno cuando se mantienen departamentos que no se necesitan.

Sucede en medicina cuando sus investigaciones jamás salen del laboratorio.

Sucede en la educación cuando el objetivo es la promoción y no el aprendizaje.

Y sucedió en el camino a Jerusalén cuando los discípulos de Jesús no permitían que los ciegos se acercaran a Cristo.

Al salir ellos de Jericó, le seguía una gran multitud. Y dos ciegos que estaban sentados junto al camino, cuando oyeron que Jesús pasaba, clamaron, diciendo: "¡Señor, Hijo de David, ten misericordia de nosotros!"[1]

La gente reprendió a los ciegos para que callaran, pero ellos gritaron todavía más alto diciendo: "¡Señor, Hijo de David, ten misericordia de nosotros!"

Jesús se detuvo y les dijo a los ciegos: "¿Qué queréis que os haga?"

31

Ellos contestaron: "Señor, que sean abiertos nuestros ojos.

Jesús les tocó los ojos y en seguida recibieron la vista; y le siguieron".[2]

Mateo no nos dice por qué la gente no quería permitir que los ciegos se acercaran a Jesús, pero es fácil de imaginarlo. Querían protegerlo. El tiene una misión, una misión crítica. El futuro de Israel está en juego. El es un hombre importante con una tarea crucial. No tiene tiempo para mendigos al borde del camino.

Además, mírenlos: sucios, alborotadores, repulsivos, avergonzantes. ¿No tendrán algún sentido de la discreción? ¿No tienen dignidad? Estas cosas hay que manejarlas de manera apropiada. Primero hay que hablarle a Natanael, quien habla con Juan, que a su vez habla con Pedro, que entonces decide si el asunto merece que se moleste al Maestro o no.

Mas a pesar de su sinceridad, los discípulos estaban equivocados.

Y también, de paso, nosotros cuando pensamos que Dios está demasiado ocupado para la gente sin importancia o es demasiado formal para algo fuera de protocolo. Cuando los más cercanos a Cristo le niegan a la gente el acceso a El, todo se convierte en religión vacía, hueca. Religión deplorable.

Un paralelo fantástico a esto tuvo lugar en un hospital de San Antonio.

Paul Loetz sufrió una mala caída que le produjo una perforación en un pulmón, costillas rotas y lesiones internas. Mientras yacía en la sala de emergencia, apenas consciente, probablemente pensaba que las circunstancias no podían empeorar.

Estaba equivocado: empeoraron.

Cuando alzó los ojos desde su cama del hospital, los dos médicos responsables de su atención comenzaron a discutir acerca de quién de ellos iba a introducirle un tubo dentro del pecho aplastado. De la discusión pasaron a los empujones y un médico amenazó con hacer desalojar al otro con la policía de seguridad.

—Por favor, que alguien salve mi vida —pedía Loetz mientras los doctores peleaban por encima de él.[3]

Los dos médicos estaban discutiendo acerca de procedimiento. Mientras ellos debatían el tema, otros dos médicos asumieron la responsabilidad por el paciente y le salvaron la vida.

Es difícil de creer, ¿verdad? Desatender las necesidades mientras se discuten diferentes opiniones. Esta semana me llamó un hombre que escucha mi programa de radio. El nació en un hogar no cristiano. Trabaja, sin embargo, con dos cristianos de diferentes denominaciones. Me pareció extraño que me llamara cuando trabajaba con dos cristianos. Entonces él me contó: "Uno dice una cosa y el otro dice otra. Todo lo que yo quiero es encontrar a Jesús".

Sucede hoy en día.

Sucede cuando una iglesia emplea más tiempo discutiendo el estilo de su santuario que el que dedica a las necesidades del hambriento. Sucede cuando las inteligencias más preclaras de la iglesia se ocupan de controversias inútiles en vez de las verdades primordiales. Sucede cuando a una iglesia se la conoce más por su opinion en cuanto a un asunto que por su confianza en Dios.

Sucede hoy en día. Y sucedió entonces.

Verá usted, a los ojos de los más cercanos a Jesús, estos ciegos no tenían derecho a interrumpir al Maestro. Después de todo, El estaba en camino a Jerusalén. El Hijo del Hombre va a establecer el reino. No tiene tiempo que perder escuchando las necesidades de algunos ciegos que mendigan al borde del camino.

Por eso la gente reprendió a los ciegos para que callaran.

Aquellos ciegos eran una molestia. Miren cómo están vestidos. Miren como actúan. Miren la forma en que gritan pidiendo ayuda. Jesús tiene cosas más importantes que hacer que molestarse por tales gentes insignificantes.

Cristo pensaba diferente. "Jesús, compadecido de ellos, les tocó los ojos, y en seguida recibieron la vista".

Jesús les escucha a pesar del clamor. Y de toda aquella gente, son los ciegos quienes realmente ven a Jesús.

Algo les dijo a aquellos dos mendigos que Dios está más preocupado por el corazón bueno y justo que por las ropas o el procedimiento correcto. De alguna forma supieron que su carencia de método quedaba compensada por su motivo, así que gritaron todo lo más que podían. Y fueron escuchados.

Dios siempre escucha a los que le buscan. ¿Puedo citar otro caso? Retrocedamos varios siglos.

Ezequías, rey de Israel, promotor de un avivamiento religioso en el país, exhorta al pueblo a abandonar a los falsos dioses y regresar al verdadero Dios. Convoca al pueblo a venir a Jerusalén para celebrar la Pascua. Pero hay dos problemas.

Primero: ha pasado tanto tiempo desde que la gente participó en la Pascua, que no hay nadie ceremonialmente limpio. Nadie está preparado para participar. Incluso los sacerdotes han estado adorando ídolos y han dejado de observar los necesarios rituales de purificación.

Segundo: Dios ha mandado que la Pascua se celebre el día catorce del primer mes. Para cuando Ezequías puede reunir al pueblo, ya empezó el segundo mes.

Así que celebraron la Pascua un mes después participantes impuros.

Ezequías oró por ellos: "Jehová, que es bueno, sea propicio a todo aquél que ha preparado su corazón para buscar a Dios, a Jehová el Dios de sus padres, aunque no esté purificado según los ritos de purificación del santuario.[4] ¿Se da cuenta del dilema?

¿Qué hace Dios cuando el motivo es legítimo pero el método es defectuoso?

Y oyó Jehová a Ezequías, y sanó al pueblo.[5] El corazón justo con el ritual incorrecto es mejor que el corazón equivocado con el ritual exacto.

Hace un tiempo estaba yo en Atlanta, Georgia, en una conferencia. Llamé a casa y hablé con Denalyn y las niñas. Jenna tenía unos cinco años entonces y me dijo que me tenía una sorpresa. Llevó el teléfono hasta el piano y comenzó a tocar una composición muy original.

Desde el punto de vista musical, toda la pieza estaba mal: más bien que tocar daba porrazos. Era más aleatoria que rítmica. Los versos no rimaban. La sintaxis era espantosa. Técnicamente la canción era un fracaso.

Pero para mí, la pieza fue una obra maestra. ¿Por qué? Porque ella la escribió para mí.

Tú eres un gran papito.
Te echo mucho de menos.
Cuando estás lejos estoy triste y lloro.
Por favor, vuelve pronto a casa.

¿A qué padre no le hubiera gustado eso? ¿Qué padre no hubiese disfrutado de la alabanza incluso de una adulación desafinada?

Algunos de ustedes ahora están murmurando: "Espérate un minuto, Max. ¿Estás diciendo que el método que usemos no tiene que ver? ¿Estás diciendo que lo único que importa es por qué vamos a Dios y la forma en que lo hacemos es relativa?"

No, eso no es lo que estoy diciendo (pero agradezco la pregunta). En condiciones ideales, nos acercamos a Dios con el motivo justo y el método correcto. Y a veces lo hacemos. Algunas veces las palabras de nuestra oración son tan hermosas como el motivo que impulsa la oración. De cuando en cuando la forma en que cantamos es tan fuerte como la razón por la que lo hacemos.

En ocasiones nuestra adoración es tan atractiva como sincera.

Pero muchas veces no lo es. Muchas veces tartamudeamos nuestras palabras. Otras, nuestra música es deficiente. A menudo nuestra adoración es menos intensa de lo que desearíamos. Es frecuente que nuestras peticiones por la presencia de Dios son tan atrayentes como las de aquellos ciegos en el lado del camino.

"Señor, ayúdanos".

Y a veces, incluso hoy en día, discípulos sinceros nos mandarán a callar hasta que lo hagamos bien.

Jesús no les dijo a los ciegos que se callaran. Dios no le dijo a Ezequías que suspendiera la celebración. Yo no le dije a Jenna que practicara un poco y me llamara entonces después que hubiera mejorado.

Los ciegos, Ezequías y Jenna lo hicieron lo mejor que pudieron con lo que tenían... y eso basta.

"Y me buscaréis y me hallaréis, porque me buscaréis de todo vuestro corazón".[6]

¡Qué promesa! Y El la demostró con los mendigos ciegos.

La última escena de esta historia merece observarse. Los dos mendigos harapientos y malolientes, pero de ojos relucientes, caminan —no, saltan— trás Jesús en el camino a Jerusalén. Señalando a las flores que siempre habían olido, pero nunca visto. Mirando el sol que siempre habían sentido, pero nunca visto. Irónico. De toda la gente que estaba en el camino aquel día, ellos resultaron ser los únicos con la visión más clara, incluso antes que pudieran ver.

Capítulo 5

No es todo hacer algo, quédate quieto

"Seis días trabajarás y harás toda tu obra; mas el séptimo día es de reposo para Jehová tu Dios".
Exodo 20:9-10

Hace un tiempo me llevé a mi hija Andrea de paseo. Ella tenía cuatro años y era curiosa, así que nos fuimos a explorar la vecindad.

—Vamos a algún lugar nuevo —sugerí. Así que nos fuimos, caminando confiados fuera del puerto seguro de la calle sin salida en que vivimos y encaminándonos a regiones desconocidas.

El Capitán Kirk se hubiera sentido orgulloso.

El área era totalmente nueva para ella. Bajamos por calles que nunca había visto y le dimos palmaditas a perros que nunca había tocado. Territorio virgen. Andanzas por lugares desiertos. Los patios tenían un aspecto diferente. Los niños parecían mayores. Las casas parecían más grandes.

Pensé que todo aquel cambio podía trastornarla. Creí que los nuevos paisajes y sonidos podían provocarle ansiedad.

—¿Estás bien? —le pregunté.

—Claro.

—¿Sabes dónde estamos?

—No.

—¿Sabes cómo volver a casa?

—No.

—¿Y no estás preocupada?

Sin aflojar el paso alzó la mano y tomó la mía y dijo:

—No tengo que saber cómo volver a casa. Ya tú lo sabes.

Dios una vez hizo con sus hijos lo que yo hice con Andrea. El los condujo a una tierra extraña. Los hizo marchar a través de un mar y los guió por un territorio inexplorado.

Ellos no sabían dónde estaban. El desierto era extraño. Los sonidos eran nuevos y el escenario desconocido. Pero una cosa era diferente: ellos no eran tan confiados como Andrea.

—Llévanos de vuelta a Egipto —le exigieron.

Pero el Padre quería que sus hijos confiaran en El, que tomaran Su mano y se relajaran. El Padre deseaba que sus hijos dejaran de preocuparse por el *cómo* y se dieran por satisfechos con el *quién*.

El los liberó de la esclavitud y creó un paso a través del mar. Les dio una nube para que la siguieran de día y un fuego para guiarlos de noche. Y les dio alimento. El suplió sus necesidades básicas: les llenó el estómago.

Una vez al día venía el maná [mañana]. Una vez al día llegaban las codornices [tarde]. "Creed en mí. Confiad en mí y yo os daré todo lo que necesitéis". A la gente se le decía que recogieran únicamente lo necesario para un día. Sus necesidades serían cubiertas, cada una a su tiempo. A pesar de la fidelidad de Dios en guardar Su promesa, a la gente le costaba mucho trabajo creer que su provisión provenía de Dios. Iba en contra de su lógica ver comida y no almacenarla.

"¿Y si se le olvida mañana? ¿Y si El no vuelve?" Así que tomaron más de la que necesitaban para un día y a la mañana siguiente amaneció podrida.

"Recojan sólo lo necesario para hoy", fue el mensaje de Dios. "Dejen que yo sea quien se preocupe por el mañana.

El Padre quiso que el pueblo confiara en El.

El viernes se les dijo que recogieran lo suficiente para dos días, porque el siguiente día era el sábado: el día que Dios había consagrado para que la humanidad se reuniera con su Creador. El sábado no se echó a perder la comida recogida para ese día durante el anterior.

Pero a la gente le resultaba duro permanecer quieta el sábado. Iba en contra del sentido común hacer una pausa y escuchar cuándo podía echar a andar y trabajar. Así que, a pesar de la orden de Dios, salieron a buscar comida.

(Es curioso cómo el cansado es el más renuente a descansar.)

Observe la sabiduría de Dios. Necesitamos un día en el cual el trabajo se detenga de súbito. Necesitamos un período de veinticuatro horas en el cual las ruedas paren de girar y los motores dejen de funcionar. Necesitamos detenernos.

El sábado es el día en que los hijos de Dios en tierra extranjera aprietan la mano de su Padre y dicen: "No sé dónde estoy ni cómo regresar a casa, pero Tú sí y eso basta".

Hace un par de semanas que Andrea y yo nos fuimos a correr otra aventura; esta vez en bicicleta. Ella acababa de aprender a mantener el equilibrio en una de dos ruedas y estaba lista para dejar la seguridad de la calle de enfrente e intentar la colina de atrás de la casa. Nunca antes había manejado loma abajo.

Nos sentamos en la cúspide de la elevación y miramos hacia abajo. Para ella era el Everest.

—¿Estás segura de que quieres intentarlo? —pregunté.

—Creo que sí —dijo tragando en seco.

—Cuando quieras parar, pon los frenos. No te olvides de los frenos.

—Está bien.

Yo conduje hasta la mitad del camino y esperé. Ahí venía ella. La bicicleta empezó a ganar velocidad. Los manubrios comenzaron a temblar. Los ojos se le desorbitaron. Sus pedales se movían vertiginosos. Mientras pasaba por mi lado a toda velocidad, gritó: —¡No puedo acordarme de cómo dejar de pedalear!

Se estrelló contra la cuneta.

Si uno no sabe parar, el resultado puede ser doloroso. Es así con las bicicletas. Y también en la vida.

¿Recuerda usted cómo parar?

¿Alguna vez se ha sentido como si estuviera bajando una loma a toda velocidad en una bicicleta sin control y sin recordar cómo aplicar los frenos? ¿Alguna vez ha sentido las ruedas de su vida rodar cada vez más rápido mientras le pasa por al lado a la gente que usted ama? ¿Le sería útil un recordatorio de cómo disminuir la velocidad?

Si es así, lea lo que Jesús hizo durante el último sábado de su vida. Comience en el Evangelio de Mateo. ¿No encuentra nada? Inténtelo en Marcos. Lea lo que Marcos registra acerca de la forma en que Jesús estaba pasando el sábado. ¿Tampoco encuentra nada? Qué raro. Pruebe con Lucas. ¿Qué dice Lucas? ¿Tampoco hay nada? Ensaye con Juan. Seguramente Juan menciona el sábado. ¿No? ¿No hay nada? Hummmm. Parece que Jesús se estuvo tranquilo ese día.

"Espere un poco. ¿Es eso?" Eso es.

"¿Usted me quiere decir que con sólo una semana por delante para vivir, Jesús observó el sábado?" Hasta donde podemos saberlo.

"¿Me quiere decir que con todos aquellos apóstoles para entrenar y gente para enseñar, se tomó un día para descansar y adorar?" Eso es exactamente lo que le estoy diciendo.

Porque ése es el propósito del sábado. Y esa era la práctica de Jesús. "Y en el día de reposo entró en la sinagoga, *conforme a su costumbre,* y se levantó a leer".[1] ¿Haremos nosotros menos?

Si Jesús encontró tiempo con tanto que tenía que hacer para detener el apuro y sentarse en silencio, ¿no cree que pudiéramos hacer nosotros lo mismo?

¡Ah!, ya sé lo que está usted pensando. Se le ve en la cara. Ahí está. Me está mirando con el ceño fruncido: "Pero Max, es el único día que tengo para ponerme al día en el trabajo de la oficina". O: "Buena idea, Max, pero ¿has oído a nuestro predicador? El me provee descanso muy bien —¡yo me duermo [escuchándolo]!— Pero ¿quién provee la adoración?" O: "Es fácil decir eso, Max. Usted es un predicador. Si fuera un ama de casa como yo y tuviese cuatro hijos como los míos..." No es fácil aminorar el paso.

Es casi como si la actividad fuera un signo de madurez. Después de todo, ¿no dice una de las bienaventuranzas "Bienaventurados los ocupados"? No, ninguna dice así. Pero hay un versículo que describe muchas vidas: "Ciertamente como una sombra es el hombre; ciertamente en vano se afana; amontona riquezas y no sabe quién las recogerá."[2]

¿Se parece eso a su vida? ¿Está tan poco tiempo en un lugar que sus amigos lo consideran un fantasma? ¿Se mantiene tanto en constante movimiento que su familia ha empezado a preguntarse si existe? ¿Alardea de su actividad frenética a expensas de su fe?

¿Son sus palabras como las de Andrea?: "No recuerdo cómo parar". Si es así, va directo a un choque.

Aminore el paso. Si Dios lo ha ordenado, es porque usted lo necesita. Si Jesús dio el ejemplo, es porque a usted le hace falta. Dios todavía suministra el maná. Confíe en El. Tómese un día para decirle no al trabajo y sí a la alabanza.

Una última recomendación.

Uno de los puntos de referencia en Londres es Charing Cross (La Cruz de Charing). Está cerca del centro geográfico de la ciudad y sirve como instrumento de orientación a quienes están confundidos por las calles.

Una niñita estaba perdida en la gran ciudad. Un policía la encontró. Entre sollozos y lágrimas ella le explicó que no sabía cómo volver a casa. El le preguntó si sabía su dirección. No la sabía. Le preguntó su número de teléfono. Tampoco lo sabía. Pero cuando él le preguntó qué sabía, de repente se iluminó su rostro:

—Conozco la Cruz —dijo—, enséñeme la Cruz y ya puedo encontrar mi camino desde allí.

Así mismo puede hacer usted. Mantenga una clara imagen de la cruz en su horizonte y podrá volver a casa. Ese es el propósito de su día de descanso: descansar el cuerpo, pero mucho más importante: restaurar su perspectiva. Un día en el cual orientarse para encontrar el camino a casa.

Hágase un favor. Alce la mano y alcance la mano de su Padre y diga lo que Andrea me dijo a mí: "Yo no estoy segura de dónde estoy. No estoy segura del camino a casa. Pero tú sí, y con eso basta."

Capítulo 6

*Amor
arriesgado*

---

*"Entonces María tomó una libra de perfume de nardo puro,
de mucho precio, y ungió los pies de Jesús, y los enjugó con
sus cabellos: y la casa se llenó del olor del perfume".*

Juan 12:3

*E*l habilidoso Eddie no carecía de nada.

Era el más astuto de todos los abogados astutos. Era uno de los estruendos de los estruendosos años veinte. Amigote de Al Capone, estaba a cargo de las carreras de perros del pandillero. Dominaba la técnica simple de arreglar la carrera por el método de alimentar excesivamente a siete perros y apostarle al octavo.

Riqueza. Posición. Distinción. Al habilidoso Eddie no le faltaba nada.

Entonces ¿por qué se entregó? ¿Por qué se ofreció para declarar contra Capone? ¿Qué lo impulsaba? No sabía de la segura sentencia de muerte que le acarrearía la traición a la mafia?

Lo sabía, pero había tomado su decisión.

¿Qué tenía que ganar? ¿Qué podía darle la sociedad que no poseyera ya? Tenía dinero, poder, prestigio. ¿Cuál era el problema?

Eddie reveló cuál era el problema. Su hijo. Eddie había pasado su vida con lo despreciable. Había aspirado el hedor de lo clandestino durante suficiente tiempo. Para su hijo, quería algo mejor. Deseaba darle un nombre a su hijo. Y para darle un nombre a su hijo, necesitaba limpiar el suyo. Eddie estaba dispuesto a arriesgarse con tal de que su hijo tuviera borrón y cuenta nueva. El habilidoso Eddie nunca vio su sueño hecho realidad. Después que Eddie confesó, la mafia recordó. Dos pistoleros lo silenciaron para siempre.

¿Valió la pena?

Para su hijo sí lo valió. El hijo del habilidoso Eddie fue digno del sacrificio. El suyo es uno de los nombres más conocidos en el mundo.

Pero, antes de hablar del hijo, hablemos del principio: el amor arriesgado. Amor que se arriesga. Amor que se expone al peligro. Amor que establece algo y deja un legado. Amor que se sacrifica.

Amor inesperado, sorpresivo y conmovedor. Actos de amor que roban el corazón y dejan huellas en el alma. Actos de amor que jamás se olvidan.

Durante la última semana de la vida de Jesús se pudo ver un acto de amor así. Una demostración de devoción que el mundo nunca olvidará. Un acto de ternura desbordante en el cual no fue Jesús quien dio sino quien recibió.

»

Un grupo de amigos rodeaba a Jesús. Estaban en Betania, sentados a la mesa, en la casa de Simón.

Este había sido conocido como Simón el leproso. Pero ya no lo era. Ahora era solamente Simón. No sabemos cuándo lo sanó Jesús. Pero sí sabemos que lo era antes de sanarlo Jesús. Hombros encorvados, manos sin dedos, brazo cubierto de costras y espalda infectada vendada con harapos. Un trapo envolvía su rostro dejando fuera los ojos sufrientes.

Pero eso fue antes del toque de Jesús. ¿Fue Simón al que Jesús sanó después de pronunciar el Sermón del Monte? ¿Fue, de los diez sanados, el que regresó a dar las gracias? ¿Fue uno de los cuatro mil que Jesús ayudó en Betsaida? ¿O uno de los incontables que los evangelistas ni siquiera mencionaron?

No lo sabemos, Pero sí sabemos que invitó a Jesús y a sus discípulos para cenar.

Una acción sencilla, pero debe de haber tenido mucho significado para Jesús. Después de todo, los fariseos ya le estaban preparando una celda en el pabellón de los condenados a muerte. No demorarían mucho en señalar a Lázaro como su cómplice. Podría ser que todos ellos estuvieran reclamados por la justicia a fines de esa semana. Hace falta valor para recibir en la casa a un fugitivo de la justicia.

Pero se necesita mucho más valor para poner la mano en la llaga de un leproso.

Simón no olvidó lo que Jesús había hecho. No podía olvidarlo. Donde antes había habido un muñón, ahora había un dedo para que su hija se agarrara. Donde antes había habido llagas ulcerosas, había ahora piel nueva para que su esposa lo acariciase. Y donde antes había habido horas solitarias en aislamiento, ahora había horas felices como ésta: una casa llena de amigos, una mesa llena de comida.

No, Simón no olvidó. Simón sabía lo que era mirar cara a cara a la muerte. Sabía lo que era no tener un hogar propio y ser incomprendido. El quería que Jesús supiese que si alguna vez necesitaba una comida y un lugar donde reclinar la cabeza, había una casa en Betania adonde podría ir.

Otros hogares no serían tan benevolentes como el de Simón. Antes que terminara la semana, Jesús visitaría la casa del sumo sacerdote, la mejor de Jerusalén. Con tres establos al fondo y una preciosa vista del valle. Pero Jesús no vería el paisaje, sino únicamente al testigo falso; escucharía las mentiras y sentiría las bofetadas en Su rostro.

El no encontraría hospitalidad en el hogar del sumo sacerdote.

Antes que termine la semana, Jesús visitará los salones de Herodes. Salas elegantes, llenas de sirvientes. Quizás haya frutas y vino sobre la mesa. Pero Herodes no ofrecerá nada de esto a Jesús. Herodes quiere ver un truco. Un ilusionismo. "Déjame ver un milagro, campesino", pedirá irónico. Los guardias se burlarán.

Antes que termine la semana, Jesús visitará el hogar de Pilato. Rara oportunidad de estar ante el sofá del procurador de Israel. Debía ser un honor. Debía ser una ocasión para recordar, pero no lo será. Es un momento que el mundo preferiría olvidar. Pilato tiene una oportunidad de llevar a cabo el mayor acto de misericordia del mundo... y no lo hace. Dios está en su casa y Pilato no lo ve.

No podemos menos que preguntarnos: *¿Qué hubiese sucedido si?* ¿Y si Pilato hubiera salido en defensa del inocente? ¿Y si Herodes le hubiese pedido a Jesús ayuda y no distracción? ¿Y si el sumo sacerdote se hubiera preocupado tanto por su salvación como lo estaba por su posición? ¿Y si alguno de ellos hubiese vuelto la espalda a la multitud y su rostro hacia Cristo y se hubiera opuesto a la injusticia?

Pero no lo hicieron. La montaña del prestigio era demasiado alta. La caída hubiese sido demasiado grande.

Pero Simón lo hizo. El amor arriesgado aprovecha el momento. Simón se arriesgó. Le ofreció a Jesús una buena comida. No era mucho, pero más de lo que había hecho la mayoría. Y cuando los sacerdotes acusaban y los soldados abofeteaban, quizás Jesús recordó lo que Simón había hecho y se sintió reconfortado.

Y cuando recordó la cena de Simón, quizás recordó el gesto de María. Quizás, incluso, pudo oler el perfume.

Nada tiene de particular que haya podido hacerlo. Después de todo valía doce onzas. Era importado, concentrado, dulce, lo bastante fuerte para perfumar la ropa de un hombre durante días.

Entre uno y otro latigazo, ¿reviviría aquel momento? Mientras abrazaba el poste romano y se aprestaba a soportar el siguiente desgarramiento de su espalda, ¿recordó el aceite que suavizó Su piel? ¿Pudo El, entre los rostros de las mujeres que observaban, ver el pequeño y suave rostro de María, que sufría?

Ella fue la única que lo creyó a El. Siempre que El habló de Su muerte, los otros se encogían de hombros, los otros dudaban, pero María creía. María creyó porque El hablaba con una firmeza que ella jamás había oído antes.

"¡Lázaro, ven fuera!" ordenó, y su hermano salió. Después de cuatro días de yacer en una tumba sellada con una piedra, salió.

Y mientras María besaba las ahora tibias manos de su recién fallecido hermano, ella se volvió y miró. Jesús estaba sonriendo. Las huellas de las lágrimas en el rostro se habían secado y los dientes brillaban rodeados de barba. El sonreía.

Y ella tuvo la convicción de que nunca dudaría de Sus palabras.

Así que cuando El habló de Su muerte, ella lo creyó.

Y cuando ella los vio a los tres juntos, no pudo resistirlo: Simón, el leproso sanado, riendo a carcajadas; Lázaro, el cadáver resucitado, inclinándose para atender mejor a lo que decía Jesús; y Jesús, la fuente de vida de ambos, repitiendo su chiste.

"Ahora es el momento" se dijo.

No fue un acto impulsivo. Ella había cargado el frasco de perfume desde su casa a la de Simón. No fue un gesto espontáneo. Pero sí fue derrochador. El perfume valía el equivalente a un año de salario. Quizás fuera la única cosa de valor que ella tenía. No era un acto lógico pero ¿desde cuándo el amor se ha guiado por la lógica?

La lógica no significó nada para Simón.

El sentido común no pasó por la tumba de Lázaro.

El sentido práctico no alimentó las multitudes ni amó a los niños. Fue el amor lo que lo hizo. Amor derrochador y arriesgado.

Y ahora alguien necesita demostrarle lo mismo al dador de semejante amor.

Así que María lo hizo. Se detuvo detrás de El, de pie con el envase de alabastro en sus manos. En dos minutos todas las bocas se callaron y todos los ojos se abrieron mientras observaban sus nerviosos dedos destapar el frasco.

Solamente Jesús estaba ajeno a su presencia. Cuando notó que todos miraban detrás de El, ella comenzó a verterlo. Sobre Su cabeza. Sobre Sus hombros. Por Su espalda. Se hubiera vertido ella misma sobre El si hubiese podido.

La fragancia se esparció por la habitación. El olor del cordero asado y las hierbas se perdió en el aroma del dulce ungüento.

El gesto hablaba por sí mismo: "Dondequiera que vayas, aspira el perfume y recuerda a alguien a quien le importas".

Sobre Su piel la fragancia de la fe. En Sus ropas el bálsamo de la confianza. Incluso cuando los soldados rasgaron en dos Su vestidura, su gesto trajo un buqué a un cementerio.

Los otros discípulos se habían burlado de su derroche. Pensaron que era tonto. Es irónico: Jesús acababa de salvarlos de un bote que se hundía en un mar tormentoso. Los había capacitado para sanar y predicar. El había traído atención a sus vidas borrosas. Ellos, los recipientes de un amor exorbitante, castigaron su generosidad.

"¿Para qué este desperdicio? Porque esto podía haberse vendido a gran precio, y haberse dado a los pobres", adujeron.

No se pierdan la rápida defensa que Jesús hace de María: ¿Por qué molestáis a esta mujer? pues ha hecho conmigo una buena obra.[1]

El mensaje de Jesús es tan poderoso hoy como lo fue entonces. No lo pasen por alto: "Hay un tiempo para el amor arriesgado. Hay un tiempo para los gestos derrochadores.

Hay un tiempo para derramar nuestros afectos sobre alguien a quien uno ama. Y cuando llega el tiempo... aprovéchelo, no lo deje pasar".

El joven esposo está empacando las pertenencias de su esposa. Su solemne tarea. El corazón pesaroso. Nunca soñó que ella moriría tan joven. Pero el cáncer llegó muy rápido e inevitable. En el fondo de la gaveta encuentra una caja con una bata de dormir. Sin usar, todavía envuelto en el papel. "Siempre estaba esperando por una ocasión especial" dice para sí, "siempre esperando..."

Mientras el chico que monta la bicicleta observa a los estudiantes acosar a otro, hierve por dentro. Se están burlando de su hermanito menor. Sabe que debía meterse y defender a su hermano, pero... los que lo mortifican son sus amigos. ¿Qué pensarían? Y como le importa lo que piensen, se vuelve y sale pedaleando.

Mientras el esposo observa la vidriera de la joyería, se justifica: "Seguro que ella desearía el reloj, pero es muy caro. Ella es una mujer práctica, ella comprenderá. Compraré el brazalete hoy y compraré el reloj... algún día".

Algún día. El enemigo del amor arriesgado es una serpiente cuya lengua ha dominado la conversación del engaño. "Algún día", silba.

"Algún día, puedo llevarla en un crucero".

"Algún día, tendré tiempo de llamarle y conversar".

"Algún día, los niños comprenderán por qué yo estuve tan ocupado".

Pero usted sabe la verdad, ¿cierto? La sabe antes que yo la escriba. Podría decirla mejor que yo:

Los algún día nunca llegan.

Y el precio del sentido práctico es a veces más alto que el del derroche.

Pero las recompensas del amor arriesgado siempre son mayores que su costo.

Haga el esfuerzo. Invierta el tiempo. Escriba la carta. Excúsese. Haga el viaje. Compre el regalo. Hágalo. La opor-

tunidad aprovechada produce regocijo. El descuido trae remordimientos.

La recompensa fue grande para Simón. Tuvo el privilegio de dar descanso a Aquel que hizo la tierra. El gesto de
Simón jamás será olvidado.

Tampoco el de María. Jesús prometió: "De cierto os digo
que dondequiera que se predique este evangelio, en todo el
mundo, también se contará lo que ésta ha hecho, para memoria de ella.[2]

Simón y María: ejemplos del regalo arriesgado entregado en el momento preciso.

Lo cual nos trae de vuelta a Eddie el habilidoso, el
pandillero de Chicago que denunció a Al Capone para que su
hijo pudiera tener una oportunidad justa. Si Eddie hubiese
vivido para ver crecer a su hijo Butch, se hubiera sentido
orgulloso.

Se hubiera enorgullecido de su admisión en Annapolis.
De su designación como piloto naval durante la Segunda
Guerra Mundial. Hubiese sentido el orgullo de que su hijo
derribara cinco bombarderos y salvara las vidas de cientos de
hombres de la tripulación del portaaviones *Lexington*. El
nombre había sido reivindicado. La Medalla de Honor del
Congreso que recibió Butch era la prueba.

Cuando la gente menciona el nombre de O'Hare en
Chicago, no piensa en pandilleros; piensa en heroísmo en la
aviación. Y ahora cuando uno dice su nombre, piensa en otra
cosa distinta. Piensa en los inmortales dividendos del amor
arriesgado. Piense en esto la próxima vez que lo oiga mencionar. Piense en ello la próxima vez que vuele a un aeropuerto que lleva el nombre del hijo de un pandillero que se
regeneró.

El hijo de Eddie O'Hare.

Capítulo 7

El tipo
del asno

"Y si alguien os dijere algo [por tomar los asnos], decid:
El Señor los necesita; y luego los enviará".

Mateo 21:3

*C*uando todos lleguemos al Hogar, yo sé lo que quiero hacer. Habrá alguien a quien yo quiero conocer. Ustedes pueden ir a cambiar impresiones con María o hablar de doctrina con Pablo. Yo los alcanzaré pronto. Pero primero, quiero conocer al tipo del asno.

No sé su nombre ni el aspecto que tiene. Sólo sé una cosa: lo que él dio. Le dio un asno a Jesús el domingo que El entró en Jerusalén.

"Id a la aldea que está enfrente de vosotros, y luego hallaréis una asna atada, y un pollino con ella; desatadla, y traédmelos. Y si alguien os dijere algo, decid: El Señor los necesita; y luego los enviará.[1]

Cuando todos lleguemos al Cielo yo quiero visitar a este hombre. Tengo muchas preguntas que hacerle.

¿Cómo lo sabías? ¿Cómo sabías que era Jesús quien necesitaba un asno? ¿Tuviste una visión? ¿Recibiste un telegrama? ¿Se apareció un ángel en tu plato de lentejas?

51

¿Te fue difícil darlo? ¿Fue difícil darle algo a Jesús para que lo usara? Quiero hacerle esta pregunta porque a veces es duro para mí. A veces quiero guardar mis animales para mí. Algunas veces, cuando Dios quiere algo, me comporto como si no supiera que El lo necesita.

¿Cómo te sentiste? ¿Qué sentiste cuando miraste y viste a Jesús sentado en el lomo del asno que vivía en tu establo? ¿Te sentiste orgulloso? ¿Te sorprendiste? ¿Te molestó?

¿Tú lo sabías? ¿Tenías idea de que tu generosidad se usaría para tan noble propósito? ¿Se te ocurrió alguna vez que Dios iba a montar en tu asno? ¿Te diste cuenta de que los cuatro evangelistas contarían tu historia? ¿Te pasó por la mente alguna vez que dos milenios después, un predicador curioso del sur de Texas estaría meditando sobre tu situación en medio de la noche?

Y mientras medito en la tuya, medito en la mía. Algunas veces tengo la impresión de que Dios quiere que yo le dé algo y a veces no Se lo doy porque no estoy seguro, y entonces me siento mal porque he perdido mi oportunidad. Otras veces sé que El quiere algo pero no se lo doy porque soy demasiado egoísta. Y otras veces, muy pocas, lo escucho y lo obedezco y me siento honrado de que un regalo mío pudiera usarse para llevar a Jesús a otro lugar. Y todavía hay otras veces en que me pregunto si mis pequeñas obras de hoy significarán una diferencia a largo plazo.

Quizás usted se ha hecho estas preguntas también. Todos nosotros tenemos un asno. Usted y yo, cada cual tiene algo en su vida, lo cual, si se le devuelve a Dios, pudiera, como el asno, hacer adelantar en el camino a Jesús y su historia. Tal vez usted pueda cantar, o abrazar, o programar una computadora, o hablar swahili o escribir un cheque.

Cualquier cosa que sea, ese es tu asno.

Y tu asno le pertenece a El.

En realidad le pertenece a El. Tus dones son Suyos y el asno era Suyo. Las palabras originales de las instrucciones

que Jesús les dio a Sus discípulos es la pru...
os dice algo, diréis que el Señor, de ellos n...

El lenguaje usado por Jesús es el leng...
real. Había una antigua ley que requería q...
entregara al rey cualquier objeto o servicio...
sus emisarios pudiera requerir.[2] Al hacer tal ...... Jesús
está reclamando que es rey. Está hablando como alguien que
tiene autoridad. Está declarando que como rey tiene derecho
a cualquier posesión de sus súbditos.

Pudiera ser que Dios quiera montar en tu asno y entrar
por las puertas de otra ciudad, otra nación, otro corazón. ¿Se
lo permites? ¿Se lo entregas? ¿O vacilas?

El hombre que le dio a Jesús el asno es sólo uno en una
larga lista de quienes dieron cosas pequeñas a un Dios grande.
Las Escrituras contienen una gran galería de entregadores de
asnos. De hecho, en el Cielo puede que haya una capilla para
honrar los usos no comunes que hace Dios de lo común.

Es un lugar que no nos gustaría dejar de ver. Entremos y
veamos la cuerda de Rahab, la canasta de Pablo, la honda de
David, la quijada de asno de Sansón. Agarra con tu mano la
vara que dividió el mar y que golpeó la roca. Aspira el olor
del ungüento que suavizó la piel de Jesús y alentó Su corazón.
Descansa tu cabeza sobre el mismo manto que confortó a
Cristo en la barca, y pasa tu mano a lo largo del borde de
madera lisa del pesebre, suave como la piel de un bebé. O
coloca tu hombro bajo el pesado madero romano, áspero
como el beso de un traidor.

No sé si esos objetos estarán allí. Pero sí estoy seguro de
una cosa: la gente que los usó sí estará.

Los que se arriesgaron: Rahab que escondió al espía. Los
hermanos que sacaron de contrabando a Pablo.

Los conquistadores: David, lanzando una piedra. Sansón, blandiendo un hueso. Moisés, alzando una vara.

Los que prodigan cuidados: María a los pies de Jesús. Lo
que ella Le dio costaba mucho, pero de alguna manera ella
sabía que lo que Él daría costaría mucho más.

El discípulo anónimo de la barca. El hizo del bote una cama para que Dios pudiera dormir una siesta.

Y el curioso peregrino a un lado de la Vía Dolorosa. Por lo que nos ha llegado, él sabía muy poco. Sólo sabía que la espalda ensangrentada y azotada de Jesús era incapaz de resistir más, y la suya propia era fuerte. Así que cuando el soldado lo señaló, este hombre se adelantó.

Tremenda fraternidad, ¿verdad? Auxiliares fuertes que consideraban lo de ellos como Suyo y lo pusieron a Su disposición para cuando El pudiera necesitarlo. Aparceros del viñedo que no olvidaron quién es el dueño de la propiedad. Estudiantes leales que recuerdan quién está pagando la educación.

Otro ejemplo: Un maestro de escuela dominical del siglo pasado que guió a un empleado de una zapatería a Cristo. El nombre del maestro jamás lo han oído ustedes: Kimball. El nombre del zapatero que él convirtió sí: Dwight Moody.

Moody se convirtió en un evangelista y tuvo una gran influencia sobre un joven predicador llamado Frederick B. Meyer. Meyer empezó a predicar en ciudades universitarias, y mientras lo hacía, convirtió a J. Wilbur Chapman. Chapman se relacionó con la YMCA [Asociación de Jóvenes Cristianos] e hizo los arreglos para que uno que había sido jugador de béisbol llamado Billy Sunday viniera a Charlotte, North Carolina, para un avivamiento. Un grupo de líderes de la comunidad de Charlotte se entusiasmaron tanto después de eso, que planearon otra campaña y trajeron a Mordecai Hamm a la ciudad para que predicara. En ese avivamiento un joven llamado Billy Graham entregó su vida a Cristo.

¿Se imaginó el maestro de escuela dominical de Boston cuál sería el resultado de su conversación con el zapatero? No. El, como el dueño del asno, tuvo una oportunidad de ayudar a Jesús en su viaje hacia otro corazón, y lo hizo.

Hace unos años, yo estaba en una campaña en Hawaii. (¡Bueno, alguien tiene que ir a esos lugares desolados!) Mi tarea consistía en ir de puerta en puerta invitando a la gente a nuestras reuniones nocturnas. La mayoría de las personas eran amables pero no estaban interesadas. Aunque nadie fue grosero, nadie nos invitó a entrar. Entonces llegamos a una dama bendita a quien no se menciona en las Escrituras sólo porque nació con dos milenios de atraso.

No sé su nombre, pero recuerdo su aspecto... y sus regalos.

Era una diminuta damita oriental. Hombros encorvados por los años. De medios modestos, trabajaba como camarera en uno de los muchos hoteles que se levantan en la playa. Cuando supo que estábamos predicando a Cristo, insistió en que entráramos en su casa y viéramos cómo estaba tratando de influir en sus compañeros de trabajo. Penetramos en una habitación trasera. En ella había una enorme mesa cubierta de recortes. Pegamento. Pintura. Marcos de madera.

Pero la mayor parte del espacio estaba ocupado por piezas de madera talladas con la apariencia de un libro abierto.

Explicó que no sabía leer, así que le sería muy difícil enseñar. Que tenía entradas muy limitadas, así que no podía dar dinero. Pero había aprendido esta artesanía y la estaba usando para compartir su fe con sus amigos. Su plan era simple. Tomó el libro de madera y en un lado puso una foto Polaroid de su amigo. En el otro puso un versículo de la Biblia.

¿Su razonamiento? A la gente le encanta ver una foto suya. La mayoría de sus amigos eran gente simple que tenía pocos adornos en las paredes. Esta era una manera de colgar un versículo de la Biblia en sus paredes donde lo verían diariamente. ¿Daría resultado? Uno nunca sabe.

Pero Dios sí. Dios usa semillitas para recoger grandes cosechas. El viaja a lomo de asno —no en corcel ni en carroza—, simples burros.

Si le hubiera hecho mi pregunta a la dama de Hawaii, me habría contestado: "El siempre nos necesita. Nosotros somos sus bocas. Somos sus manos". Puedo verla sonrojarse, honrada de que sus regalos pudieran ser escogidos por un rey.

Yo no hubiera tenido que preguntarle: "¿Es difícil? ¿Es difícil dar?" La respuesta estaba en su sonrisa.

Y esa última pregunta. No, yo no tendría que hacerla tampoco: "¿Cree usted que de aquí a dos mil años..." Ella no tiene manera de saberlo"? El tipo del asno, menos. Ni Sansón tampoco. Moisés y Rahab no la tuvieron. El zapatero no la tuvo y nosotros no la podemos tener. Ningún sembrador de semillitas puede saber la magnitud de su cosecha.

Pero no se sorprenda si en el cielo, junto a la honda de David, la vara de Moisés y la soga del burro, usted se encuentra un libro de recortes con una foto y un versículo.

Capítulo 8

Los mercachifles
y los
hipócritas

"Mi casa, casa de oración será llamada; mas vosotros la
habéis hecho cueva de ladrones".

Mateo 21:13

Speedy Morris es el entrenador de baloncesto de la Universidad de LaSalle. Se estaba afeitando cuando su esposa le dijo que lo llamaban por teléfono del *Sports Ilustrated*. Se entusiasmó tanto con la perspectiva del reconocimiento nacional, que se apresuró a afeitarse y se cortó. No queriendo hacer esperar a quien lo llamaba, salió corriendo del baño, perdió el equilibrio y rodó escaleras abajo. Cojeando, la cara cubierta de espuma con sangre, llegó finalmente al teléfono.

—¿*Sports Illustrated?* —dijo sin aliento.

Imagínense el desencanto de Morris cuando la voz del otro lado le contestó:

—Sí, y por setenta y cinco centavos el ejemplar, puede suscribirse por un año...["1]

Es duro llevarse un chasco. Es desilusionante cuando uno piensa que alguien está interesado en uno y se da cuenta de que está interesado en el dinero que uno tiene. Cuando los

57

vendedores lo hacen, es irritante; pero cuando lo hace el pueblo de la fe, puede ser devastador.

Es un hecho triste pero cierto: se usa la religión para ganancia y prestigio. Cuando es así, suceden dos cosas: se explota a la gente y Dios se enfurece.

No hay mejor ejemplo de esto que lo que sucedió en el templo. Después que El había entrado en la ciudad a lomo de asno, Jesús "entró en el templo; y habiendo mirado alrededor todas las cosas, como ya anochecía, se fue a Betania con los doce.[2]

¿Se percataron de esto? El primer lugar adonde Jesús fue cuando llegó a Jerusalén fue el Templo. Había desfilado por las calles y lo habían tratado como a un rey. Era domingo, el primer día de la semana de la Pascua. Cientos de miles de personas se apiñaban en las estrechas calles de piedra. Ríos de peregrinos inundaban el mercado. Jesús se abrió paso a través del mar de gente cuando el anochecer se acercaba. Caminó hacia el área del templo, miró alrededor y salió.

¿Quiere saber lo que vio? Entonces lea lo que El hizo el lunes, la mañana siguiente, cuando regresó: "Y entró Jesús en el templo de Dios, y echó fuera a todos los que vendían y compraban en el Templo, y volcó las mesas de los cambistas, y las sillas de los que vendían palomas; y les dijo: Escrito está: Mi casa, casa de oración será llamada. Más vosotros la habéis hecho cueva de ladrones".[3] ¿Qué vio? Mercachifles. Mercaderes de fe. ¿Qué encendió el fuego de la ira de Jesús? ¿Cuál fue su primer pensamiento el lunes? La gente que en el Templo comerciaba con la fe.

»

Era la semana de la Pascua. La Pascua era la celebración más importante del calendario judío. El pueblo venía de todas las regiones y muchos países para estar presente en la celebración. A su llegada todos estaban obligados a cumplir dos requisitos:

Primero, el sacrificio de un animal, por lo regular, una paloma. La paloma tenía que ser perfecta, sin defecto. El animal podía venir desde cualquier parte, pero era probable que si uno traía un sacrificio de otro lugar, ese sacrificio fuera considerado insuficiente por las autoridades del Templo. Así que, bajo el disfraz de conservar el sacrificio puro, los vendedores vendían palomas... al precio de ellos.

Segundo, el pueblo tenía que pagar un impuesto, un impuesto del Templo. Debía pagarse cada año. Durante la Pascua el impuesto tenía que entregarse en la moneda local. Sabiendo que muchos extranjeros estarían en Jerusalén para pagar el impuesto, los cambistas situaban convenientemente sus mesas y ofrecían cambiar la moneda extranjera por la local... por unos modestos honorarios, desde luego.

No es difícil ver qué indignó a Jesús. Los peregrinos viajaban durante días para ver a Dios, para ser testigos de lo sagrado, para adorar Su Majestad. Pero antes que pudieran llegar a la presencia de Dios, eran llevados a los purificadores. Lo que se prometía y lo que se entregaba eran dos cosas diferentes.

¿Quiere indignar a Dios? Interpóngase en el camino de los que quieren llegar a El. ¿Quiere sentir Su ira? Explote a la gente en el nombre de Dios.

Anótelo. Los mercachifles religiosos atizan el fuego de la ira divina.

—Ya he soportado demasiado —expresaba el rostro del Mesías. Entró como una tromba. Las palomas aletearon y las mesas volaron. La gente salió corriendo y los mercaderes se dispersaron.

Esta no fue una exhibición impulsiva. No fue una rabieta de mal genio. Fue un acto deliberado con un mensaje intencional. Jesús había visto a los cambistas el día antes. Se fue a dormir con imágenes de esta plaza y sus pregoneros en su mente. Y cuando despertó a la mañana siguiente, sabiendo que le quedaban pocos días, decidió dejar sentado un principio: "Ustedes se aprovechan de mi pueblo y tendrán que responderme a mí por eso". Dios nunca considerará inocentes a quienes explotan el privilegio de adorarlo.

Hace unos años yo estaba en el aeropuerto de Miami para recoger a un amigo. Mientras caminaba por la terminal, una devota de un culto oriental me llamó la atención.

Ya saben a qué me refiero: cuentas, sandalias, sonrisa estereotipada, mochila de libros.

—Señor —me dijo. (Yo debí haber seguido caminando.)

—Señor, un momento, por favor —bueno, tenía un tiempo para atenderla. Yo había llegado temprano y el avión llegaría tarde, así que ¿por qué no? (Yo debí haber seguido caminando.)

Me detuve y ella empezó su perorata. Dijo que ella era una maestra y que su escuela estaba celebrando un aniversario. En honor del acontecimiento, estaban regalando un libro que explicaba su filosofía. Me puso una copia en la mano. Era un grueso volumen de tapas duras con cubierta mística. Un tipo con aspecto de guru sentado con las piernas cruzadas y las manos dobladas.

Le di las gracias por el libro y comencé a alejarme.

—¿Señor? —me detuve. Ya sabía lo que se avecinaba—. ¿Desearía hacer una donación a nuestra escuela?

—No —respondí—, pero gracias por el libro.

Reanudé mi camino. Ella me siguió y me tocó en el hombro.

—Señor, hasta ahora todo el mundo ha entregado un donativo en agradecimiento por el regalo.

—Está bien —repliqué—, pero yo no pienso darlo. Pero de todas formas le agradezco el libro —me volví y empecé a alejarme. No había dado el primer paso, sin embargo, cuando ella habló de nuevo. Esta vez estaba nerviosa.

—Señor —y abrió su bolso para que yo pudiera ver su recaudación de billetes y monedas—. Si usted fuera sincero en su agradecimiento, nos haría una donación.

Aquello era bajo. Despreciable. Insultante. Yo no acostumbro a ser mordaz, pero no lo pude resistir:

—Puede que tenga razón —contesté—, pero si usted hubiera sido sincera, no me hubiese regalado algo para pedirme que se lo pague después.

Ella hizo ademán de tomar el libro, pero yo lo apreté bajo mi brazo y me alejé.

Una pequeña victoria contra el monstruoso mercantilismo.

Tristemente, los mercachifles ganan más veces de las que pierden. E, incluso más triste, se visten con ropajes cristianos tanto como con los de esos cultos orientales.

Usted los ha visto. El hablar suave. El vocabulario elocuente. La apariencia genuina. Están en su televisión. En su radio. Incluso puede que en su púlpito.

¿Puedo hablar con franqueza?

Ha llegado el momento de no seguir tolerando a los buhoneros religiosos. Estos buscadores de "sacrodinero" han manchado la reputación del cristianismo. Han enfangado los altares y destrozado los vitrales. Han manipulado a los que son fáciles de engañar. No están dominados por Dios; están dominados por la avaricia. No los guía el Espíritu Santo; los impulsa el orgullo. Son falsificaciones de melcocha que sobresalen por su emotividad y fracasan por su doctrina. Despellejan la fe para conseguir un dólar y violan los bancos de la iglesia para sacar un pago. Nuestro Señor puso al descubierto sus fraudes y nosotros debemos hacer lo mismo.

¿Cómo? Reconociéndolos. Dos características los denuncian: Primero, hacen más hincapié en su provecho que en el Profeta.

En la iglesia de Creta algunos vivían de las almas crédulas de la iglesia. Pablo le aplicó calificativos fuertes: "A los cuales es preciso tapar la boca; que trastornan casas enteras, enseñando por ganancia deshonesta lo que no conviene".[4]

Escuche atentamente al evangelista de la televisión. Analice las palabras del predicador del radio. Observe el énfasis del mensaje. ¿Dónde está el peso? ¿Su salvación o su donación? Escuche lo que se dice. ¿Se necesitaba el dinero siempre ayer? ¿Le prometen la sanidad si usted da y el infierno si no lo hace? Si es así, no les haga caso.

Una segunda característica del estafador eclesiástico: levantan más barreras que fe.

Los curanderos le dicen a usted que no acuda a las farmacias. No quieren que usted pruebe otros tratamientos. Tampoco los mercachifles. Se presentan como pioneros que la iglesia normal no puede soportar, pero en realidad son lobos solitarios en busca de su presa.

Tienen la concesión de un enfoque y quieren protegerla. El pan de cada día de ellos es la exclusividad de su fe. Sólo ellos pueden darle a usted lo que necesita. Su botiquín cura-lotodo es la solución de todos sus dolores. Tal como los vendedores de palomas no toleraban las importadas, los mercachifles no toleran otra fe que no sea la suya.

Su objetivo es cultivar una clientela de libretas de cheques leales.

"Os ruego, hermanos, que os fijéis en los que causan divisiones y tropiezos en contra de la doctrina que vosotros habéis aprendido, y que os apartéis de ellos. Porque tales personas no sirven a nuestro señor Jesucristo, sino a sus propios vientres, y con suaves palabras y lisonjas engañan los corazones de los ingenuos".[5] La pasión de Cristo el lunes es la indignación. Por esa razón no me excuso por desafiarlo a usted a desenmascarar a estos tipejos. Dios ha estado durante siglos ordenando a los charlatanes que dejen de construir torres. Así debemos hacer nosotros también.

Si no lo hacemos, puede volver a suceder.

Nadie esperaba que sucediera la primera vez. Especialmente con esta iglesia. Era la congregación modelo. Los niños pobres tenían a su disposición una piscina de agua tibia. Los niños de la ciudad disponían de caballos para pasear. La iglesia concedía becas y proporcionaba alojamiento para los ancianos. Incluso tenía un asilo para animales e instalaciones médicas, una para pacientes externos, y un programa para la rehabilitación de drogadictos.

Walter Mondale escribió que el pastor era una "inspiración para todos nosotros". El Secretario de Salud, Educación y Bienestar citaba la contribución importante del pastor. Nos dijeron: "El supo inspirar esperanza. Estaba realmente comprometido con el pueblo, asesoraba a los prisioneros y delincuentes juveniles. Inició un centro de ubicación laboral; abrió casas para convalecientes y hogares para retrasados mentales; tenía una clínica de salud; organizó un centro de entrenamiento vocacional; suministró asistencia legal gratis; fundó un centro comunitario; predicó acerca de Dios. Incluso declaró que echaba fuera demonios, hacía milagros y sanaba".[6]

Palabras arrogantes. Un extenso resumé para lo que parecía ser un poderoso líder espiritual y su iglesia. ¿Dónde está hoy esa congregación? ¿Qué está haciendo ahora?

La iglesia está muerta... literalmente.

La muerte tuvo lugar el día que el pastor llamó a los miembros al pabellón. Escucharon su voz hipnótica por el sistema de altavoces y vinieron de todas las esquinas de la granja. El se sentó en su enorme silla y habló por el micrófono acerca de la belleza de la muerte y la certeza de que se encontrarían de nuevo.

Guardias armados rodearon a la gente. Trajeron una tina llena de *Kool-Aid* (refresco) con cianuro. La mayoría de los miembros del culto bebió el veneno sin hacer resistencia. Quienes intentaron resistirse fueron obligados a beber.

Primero le administraron el veneno a los bebés y a los niños —alrededor de ochenta—. Después, los adultos: mujeres y hombres, líderes y seguidores, y finalmente, el pastor.

Todo estuvo en calma unos minutos; entonces comenzaron las convulsiones, los gritos que llenaron el cielo de Guyana, y fué una confusión general. En cuestión de minutos, todo había terminado. Los miembros de la Iglesia Cristiana del Templo de los Pueblos estaban todos muertos. Los 780.

Y también su líder, Jim Jones.

Tome nota y esté alerta: hay mercaderes en la casa de Dios. No se deje engañar por su apariencia. No se deje deslumbrar por sus palabras. Tenga cuidado. Recuerde por qué Jesús saneó el Templo. Los que están más cerca de éste pueden ser los que más lejos de él se encuentren.

Capítulo 9

Valor para volver a soñar

"Si tuviereis fe ... será hecho".
Mateo 21:21

*H*ans Babblinger, de Ulm, Alemania, quería volar. El quería romper la atadura de la gravedad. Deseaba alzar el vuelo como un pájaro.

El problema era que vivía en el siglo dieciséis. No había aviones, ni helicópteros, nada de máquinas voladoras. Había nacido soñador demasiado pronto. Lo que él quería era imposible.

Hans Babblinger, sin embargo, hizo una carrera de ayudar a la gente a vencer lo imposible. El fabricaba prótesis. En aquella época la amputación era una cura muy socorrida para las enfermedades y las heridas, así que siempre estaba ocupado. Su tarea era ayudar a los impedidos a vencer las circunstancias.

Babblinger anhelaba hacer lo mismo para sí.

Con el tiempo, utilizó sus habilidades para construirse un par de alas. Pronto llegó el día de probarlas, y las probó en las faldas de los Alpes bávaros. Buena selección. Afortunada selección. Las corrientes ascendentes son comunes en la región. En un día memorable, mientras sus amigos lo

65

observaban y el sol brillaba, saltó de un terraplén y voló flotando con seguridad hasta abajo.

El corazón le palpitaba con fuerza. Sus amigos aplaudieron. Y Dios se regocijó.

¿Que cómo sé que Dios se regocijó? Porque Dios siempre se regocija cuando nos atrevemos a soñar. De hecho, nos parecemos a Dios cuando soñamos. El Señor exulta con las novedades. Se deleita en sobrepasar lo viejo. El escribió el libro sobre hacer posible lo imposible.

¿Ejemplos? Escudriñe el Libro.

Por lo regular los pastores de ochenta años no fanfarronean retando a faraones... pero no se lo digan a Moisés.

Normalmente los pastores adolescentes no luchan contra gigantes... pero no se lo digan a David.

Los pastores que hacen el turno de noche no acostumbran a oír ángeles cantar y a ver a Dios en un establo... pero no se lo digan al grupo de Belén.

Y por supuesto, no se lo digan a Dios. El ha hecho una eternidad al hacer volar a los que estaban atados a la tierra. Y se enoja cuando se le cortan las alas a la gente. Ese es el mensaje del drama de la higuera, una escena peculiar referente a una higuera estéril y una montaña en el mar.

Jesús y sus discípulos caminaban hacia Jerusalén el lunes por la mañana después de haber pasado la noche en Betania. Estaba hambriento y vio una higuera a un lado del camino. Al acercarse, notó que aunque tenía hojas, no tenía fruto. Algo acerca de un árbol sin fruto le recordó lo que había visto en el Templo el domingo y lo que El se proponía hacer después ese día.[1]

Así que El reprende la higuera: "Nunca jamás nazca de ti fruto. Y el árbol se seca inmediatamente.

Al día siguiente, martes, los discípulos ven lo que ha sucedido al árbol. Están asombrados. Sólo veinticuatro horas antes la higuera estaba verde y saludable; ahora está improductiva y seca.

"¿Cómo es que se secó enseguida la higuera?", preguntan.

Jesús les da esta respuesta: "De cierto os digo, que si tuviereis fe, y no dudareis, no sólo haréis esto de la higuera, sino que si a este monte dijereis: Quítate y échate en el mar, será hecho. Y todo lo que pidiereis en oración, creyendo, lo recibiréis".[2] No encontraremos las palabras *sueño* o *volar* o *alas* en el relato. Pero si miramos con más atención, veremos una historia de un Dios que llama a los Babblingers del mundo a subir al terraplén y a probar sus alas. También veremos a un Dios que desprecia a quienes encierran a los soñadores en una jaula y se guardan la llave en el bolsillo.

Jesús, hambriento y en camino a Jerusalén, se detiene a ver si una higuera tiene higos. No tiene. Tiene la apariencia de alimentar, pero no ofrece nada. Es toda promesas y nada de cumplimiento. El simbolismo es demasiado preciso para que Jesús lo pase por alto.

El le hace al árbol el lunes por la mañana lo que le hará al Templo el lunes por la tarde: lo maldice. Observe que no está enojado con el árbol. Está indignado con lo que el árbol representa. Jesús está asqueado de los creyentes tibios, plácidos y vanos, que tienen pompa pero no propósito ni objetivo. No tienen fruto. Este simple acto descarga la guillotina en el cuello de la religión vacía.

¿Quiere un ejemplo gráfico de esto? Observe a la iglesia de Laodicea. Esta iglesia era rica y autosuficiente. Pero tenía un problema: fe vacía y sin fruto. Dios le dice a este grupo: "Yo conozco tus obras, que ni eres frío ni caliente. ¡Ojalá fueses frío o caliente! Pero por cuanto eres tibio, y no frío ni caliente, te vomitaré de mi boca.[3]

La traducción literal es "vomitar". ¿Por qué el cuerpo vomita algo? ¿Por qué reacciona con repugnancia en presencia de ciertas sustancias? Porque son incompatibles con el cuerpo. El vomitar es la forma en que el cuerpo rechaza algo que no puede soportar.

¿Qué podemos deducir? Dios no puede soportar la fe tibia. Se encoleriza con una religión que hace alardes pero pasa por alto el servicio... y esa es precisamente la religión que El estaba enfrentando durante Su última semana. Y la religión que había enfrentado durante todo Su ministerio.

Cuando El servía, ellos se quejaban.

Se quejaban de que Sus discípulos comían el día que no se permitía. Se quejaban de que El sanara el día que no podía hacerlo. Se quejaban de que El perdonara a quien no debía. Se quejaban de que andaba por ahí con la compañía indebida y tenía en los niños una mala influencia. Pero, todavía peor, cada vez que El trataba de liberar a la gente, los líderes religiosos intentaban atarlos de nuevo. Los más allegados al Templo eran los más diligentes con los grilletes. Cuando un alma valiente trataba de volar, allí estaban ellos para decirle que no podía.

A propósito, a Hans Babblinger le dijeron lo mismo. Parece que el rey iba a visitar Ulm y el obispo y los ciudadanos deseaban impresionarlo. Les habían llegado noticias acerca de la proeza voladora de Hans, así que le pidieron que hiciera un rizo para el rey. Hans consintió.

Sin embargo, deseaban un cambio: como la multitud sería grande y las montañas eran difíciles de subir, ¿no podía Hans escoger un lugar en el llano donde pudiera volar?

Hans escogió los acantilados cerca del Danubio. Eran amplios y planos y el río estaba a una buena distancia abajo. Podría saltar desde el borde del acantilado y flotar hasta el agua.

Mala selección. Las corrientes ascendentes de las montañas no existían cerca del río. Así que ante el rey, su corte y la mitad de la ciudad, Hans saltó y cayó como una piedra en el río. El rey se desilusionó y el obispo se disgustó.

Adivinen lo que el obispo predicó el domingo siguiente: "El hombre no estaba destinado a volar". Hans lo creyó. Aprisionado por un púlpito, escondió sus alas y nunca más trató de volar. Murió poco después, atrapado por la gravedad, enterrado con sus sueños.

La catedral de Ulm no es la primera iglesia que enjauló a un volador. A través de los años se han vuelto muy eficientes en decirles a las personas lo que no pueden hacer. Lo hicieron en los días de Cristo, lo hicieron en los días de Hans Babblinger y lo hacen hoy... y puede estar seguro de que es tan repugnante para Dios hoy como entonces.

Pero mientras estamos mirando a la religión, haríamos bien en mirarnos al espejo. Verá usted, es muy conveniente señalar con el dedo a la religión organizada y decir: "Amén. ¡Diles como es!" Es cómodo hacer eso, pero insuficiente. Mientras hablamos acerca de liberar a la gente para que pueda volar, piense en usted. ¿Qué tal es usted en eso de dar alas? ¿Y de liberar a la gente?

¿Ese amigo que le ofendió y necesita su perdón?

¿El compañero de trabajo que tiene miedo a la tumba?

¿El pariente que arrastra el saco de los fracasos pasados?

¿Su amigo doblegado por la ansiedad?

Hábleles acerca de la tumba vacía... y mírelos volar.

Una miembro hispana de nuestra iglesia se casó recientemente. Es una hermana preciosa con una fe poderosa. Cuando llegó el momento, el ministro preguntó:

—¿Puedes repetir los votos?

A lo cual contestó ella con toda sinceridad:

—Sí, puedo, pero será con acento hispano.

Esa es la forma en que Dios lo concibió. El pensó que cada uno de nosotros hiciera sus votos pero con nuestro acento particular. Para algunos, es con acento en el enfermo. Para otros, es la preocupación por el preso. Otros más tienen carga por la investigación científica o por dar. Pero cualquiera que sea nuestro acento, el mensaje es el mismo.

El mensaje de la higuera no es para que todos demos el mismo fruto. El mensaje es para que demos algún fruto. No es fácil. Jesús lo sabe. "Si tuviereis fe, y no dudareis, seríais capaces de hacer esto de la higuera, y aun más".

¿Fe en quién? ¿En la religión? Difícilmente. La religión es el engaño que Jesús está a punto de descubrir. De hecho, cuando Jesús dijo: "Seríais capaces de decirle a este monte: Quítate y échate en el mar", probablemente estaba mirando desde el valle de Cedrón al monte del Templo —el Templo conocido por muchos como el Monte de Sion—. Si ese es el caso, tiene razón si se sonríe cuando Jesús le dice qué hacer con la iglesia que trata de enjaularlo: "Dile que salte al lago".

No, la fe no está en la religión, la fe está en Dios. Una fe resistente y atrevida que cree que Dios hará lo que es justo, en cada ocasión. Y ese Dios hará lo que sea necesario —cualquier cosa que sea— para traer a Sus hijos a casa.

El es un pastor en busca de Su oveja. Tiene las piernas arañadas, los pies lastimados y los ojos le arden. Sube las cumbres y atraviesa los campos. Explora las cuevas. Hace bocina con las manos y grita en el cañón.

Y el nombre que grita es el de usted.

El es el ama de casa en busca de la moneda perdida. No importa que tenga otras nueve, no descansará hasta que haya encontrado la décima. Registra la casa. Mueve los muebles. Levanta las alfombras. Limpia las repisas. Se acuesta tarde. Se levanta temprano. Todas las otras tareas pueden esperar. Una sola importa. La moneda tiene mucho valor para El. Es Suya. No se detendrá hasta que la encuentre.

La moneda que busca, es usted.

Dios es el padre que se pasea por el portal. Abre los ojos en su búsqueda. Tiene el corazón pesaroso. Busca a su hijo pródigo. Escudriña el horizonte. Examina el camino; ansioso de distinguir la figura familiar, el paso conocido. No se preocupa por su negocio, sus inversiones, sus pertenencias. Se preocupa por el hijo que lleva Su nombre, el hijo que tiene Su imagen. Usted. El lo quiere en casa.

Es solamente a la luz de tal pasión que podemos comprender esta increíble promesa: "Y todo lo que pidiéreis en oración, creyendo, lo recibiréis".[4]

No reduzca esta gran declaración a la categoría de autos nuevos y cheques de salario. No limite la promesa de este pasaje al estanque egoísta de las ganancias y los favores. El fruto que Dios asegura es mucho mayor que la riqueza terrena. Sus sueños son mucho mayores que los ascensos y las propuestas.

Dios quiere que usted vuele. Quiere que vuele libre de las culpas de ayer. Quiere que vuele libre de los temores de hoy. Quiere que vuele libre de la tumba de mañana. Pecado, miedo y muerte. Esas son las montañas que Él movió. Esas son las oraciones que Él contestará. Ese es el fruto que Él concederá. Eso es lo que Él anhela hacer: desea liberarlo para que usted pueda volar... volar a casa.

Una última palabra acerca de la iglesia de Ulm. Está vacía. Ahora la mayor parte de los que entran en ella son turistas. ¿Y cómo viajan la mayor parte de los turistas hasta Ulm?

Vuelan.

Capítulo 10

De callos y compasión

"El reino de Dios será quitado de vosotros, y será dado a gente que produzca los frutos de él".

Mateo 21:43

*P*eculiar, este recuerdo infantil mío de la iglesia.

Para muchos, los primeros recuerdos de la iglesia consisten en Biblias con cierres de cremallera, zapatos de charol el Domingo de Resurrección, celebraciones de Navidad o escuelas dominicales. El mío no es tan religioso. El mío consiste de callos, alfileres y sermones aburridos.

Allí estoy yo sentado, con mis seis años, pecoso y con el pelo corto erizado. La mano de mi padre descansando en mi regazo. Para impedir que me mueva. Un poderoso predicador está tras el púlpito, uno de los más buenos pero también de los más monótonos siervos de Dios. Aburrido, fijo mi atención en las manos de mi padre.

Si uno no sabía que él era mecánico, bastaba una mirada a sus manos para saberlo. Gruesa, fuerte, restregada para limpiarla, pero todavía con visos de la grasa.

Me intriga pasar mis dedos sobre sus callos. Se levantan en la palma como una cordillera de montañas. Callos. Capa sobre capa de piel sin nervios. La defensa de la mano contra las horas de apretar la llave inglesa y dar vuelta a destornilladores.

73

En el respaldo del banco enfrente de mí hay una colección de tarjetas de asistencia. Encima de cada tarjeta hay una cinta para que el visitante la use. La cinta está unida a la tarjeta con un alfiler.

Se me ocurre una idea: *¿Cuán gruesos serán esos callos?*

Tomo el alfiler, y con la habilidad de un cirujano, comienzo la inserción. (Ya dije que era peculiar.) Miro a Papá. No se mueve. Sigo más adentro. No hay reacción. Otro octavo de pulgada. No se entera. Mientras el resto de la iglesia está atento a las palabras del predicador, yo estoy fascinado por la profundidad de un callo. Decido darle un empujón final.

"¡Uff¡", gruñe, retirando la mano de golpe, y cerrando el puño, lo que entierra más el alfiler. El me mira, mi madre se vuelve y mi hermano suelta una risita. Algo me dice que esa misma mano se encargará más tarde ese domingo de dejar sentado otro principio.

Peculiar este recuerdo infantil. Pero, todavía más extraño es que tres décadas después, me encuentro haciendo lo mismo que hice a los seis años: en la iglesia, tratando de penetrar callos con una punta. Sólo que ahora estoy en el púlpito, no en el banco. Y mi herramienta es la verdad, no un alfiler. Y los callos no están en la mano, sino en el corazón.

Piel gruesa y muerta enrollada alrededor de los nervios del alma. El resultado de horas de restregarse contra la verdad sin recibirla. Tejido endurecido, costroso, muerto, que desafía los sentimientos e ignora los toques.

El corazón encallecido.

A esos corazones les habla Jesús en su último jueves. Con la persistencia de un hombre con un mensaje final, su punta iba destinada a pinchar el alma.

Contó dos historias que contienen un hilo común, enrojecido de culpa: la inclinación de la gente a rechazar la invitación de Dios no una ni dos veces, sino una y otra y otra vez.

La primera historia fue la del dueño de la viña.[1] El arrendó una viña a unos labradores y, al tiempo de la cosecha, envió a sus siervos para que recibiesen su parte de los frutos "Mas los labradores, tomando a los siervos, a uno golpearon, a otro mataron y a otro apedrearon".

La segunda es la historia del rey que preparó un banquete de bodas para su hijo.[2] Y cuando todo estuvo listo, "envió a sus siervos a llamar a los convidados a las bodas; mas éstos no quisieron venir".

¿Un terrateniente cuyos siervos son golpeados y muertos? ¿Un rey a cuyos mensajeros no se les hace caso? Seguro que el terrateniente y el rey dejarán de favorecer a esa gente. Sin duda, la próxima vez enviarán a la policía y al ejército.

Se equivocan.

En ambos casos envían más emisarios. El terrateniente "envió de nuevo otros siervos, más que los primeros; e hicieron con ellos de la misma manera".

Entonces el rey "volvió a enviar otros siervos diciendo: Decid a los convidados: He aquí he preparado mi comida".

¡Qué sorprendente tolerancia! ¡Qué inesperada paciencia! Siervo tras siervo. Mensajero tras mensajero. Jesús está describiendo el cuadro de un Dios determinado.

Cuando nuestra hija mayor, Jenna, tenía diez años, se nos perdió en una tienda por departamentos. En un momento estaba a mi lado y al siguiente había desaparecido. Me llené de pánico. De pronto sólo importó una cosa: tenía que encontrar a mi hija. Las compras quedaron olvidadas. La lista de artículos que había ido a buscar no tenía importancia. Grité su nombre. Lo que pensara la gente no me importaba. Durante unos minutos, cada onza de energía tenía un objetivo: encontrar a mi hija perdida. (De paso diré que la encontré: ¡se estaba escondiendo detrás de unos abrigos!)

Ningún precio es demasiado alto para que un padre lo pague por liberar a su hijo. Ningún gasto de energía es demasiado grande. Ningún esfuerzo es demasiado exigente.

Un padre llegará a cualquier extremo para encontrar a su retoño.

Así hará Dios.

Anótelo. La creación más grande de Dios no es la estrella fugaz o el desfiladero espectacular, es Su plan eterno para llegar a sus hijos. Detrás de su búsqueda de nosotros está la misma genialidad y brillantez que tras las estaciones que se suceden y los planetas que siguen su órbita. El cielo y la tierra no conocen una pasión mayor que la pasión personal de Dios por usted y su regreso. Mediante sus divinas sorpresas ha establecido esto muy claramente.

Noé lo vio cuando las nubes se abrieron y el arco iris apareció. Abraham lo sintió cuando puso su mano sobre el vientre envejecido de Sara. Jacob lo encontró a través del fracaso. José lo experimentó en la prisión. El faraón lo oyó por medio de Moisés.

"Deja ir a mi pueblo".

Pero el faraón se negó. Como resultado, le proporcionaron un asiento de primera fila en la arena de la devoción divina. El agua se volvió sangre. El día se volvió noche. Llegó la langosta. Los primogénitos murieron. El mar Rojo se abrió. El ejército egipcio murió ahogado.

Escuchen estas rara vez leídas pero apasionadas palabras de Moisés a los israelitas: "Porque pregunta ahora si en los tiempos pasados que han sido antes de ti, desde el día que creó Dios al hombre sobre la tierra, si desde un extremo del cielo al otro se ha hecho cosa semejante a esta gran cosa, o se haya oído otra como ella. ¿Ha oído pueblo alguno la voz de Dios, hablando de en medio del fuego, como tú la has oído, sin perecer? ¿O ha intentado Dios venir a tomar para sí una nación de en medio de otra nación, con pruebas, con señales, con milagros y con guerra, y mano poderosa y brazo extendido, y hechos aterradores como todo lo que hizo con vosotros Jehová vuestro Dios en Egipto ante tus ojos.[3]

¿El mensaje de Moisés? Dios cambiará al mundo para alcanzar al mundo. Dios es incansable, incesante. Se niega a desistir.

Escuchen mientras Dios pronuncia su pasión: "Mi corazón se conmueve dentro de mí, se inflama toda mi compasión. No ejecutaré el ardor de mi ira, ni volveré para destruir a Efraín; porque Dios soy, y no hombre, el Santo en medio de ti.[4]

Antes de seguir leyendo, reflexione en esas últimas cuatro palabras: "en medio de ti" ¿Lo cree usted? ¿Cree que Dios está cerca? Eso es lo que El quiere. El desea que usted sepa que El está en medio de su mundo. Donde quiera que usted esté cuando lea estas palabras, El está presente. En su auto. En un avión. En su oficina, su dormitorio, su saloncito. El está cerca.

Y está más que cerca: está activo. El Dios de Noé es su Dios. La promesa dada a Abraham se la dio a usted. El poder que obró en el mundo del faraón, se está moviendo en el suyo.

Dios está en el meollo de las cosas de su mundo. El no reside en una galaxia distante. No se ha apartado de la historia. No ha decidido recluirse en un trono en un castillo incandescente.

El se ha acercado. Se ha introducido en los autos que llevan varios amigos al trabajo, en las funerarias y las congojas de hoy en día. Está tan cerca de nosotros el lunes como el domingo. En la sala de clases como en el santuario. Durante la merienda como durante la cena de comunión.

¿Por qué? ¿Por qué Dios ha hecho eso? ¿Qué razones ha tenido?

»

Hace algún tiempo Denalyn se fue por un par de días y me dejó solo con las niñas. Aunque la temporada no estuvo exenta de las habituales peleas entre niños y alguna desobediencia ocasional, todo anduvo de lo mejor.

—¿Cómo se portaron las niñas? —preguntó Denalyn cuando regresó a casa.

—Bien. No hubo problemas.

Jenna escuchó la respuesta e intervino:

—No nos portamos bien, Papi —objetó—. Nos peleamos una vez y no te obedecimos otra. No nos portamos bien. ¿Cómo puedes decir que fuimos buenas?

Jenna y yo teníamos diferentes apreciaciones de lo que a un padre le complace. Ella pensaba que dependía de lo que ella hacía, y no es así. Lo mismo nos sucede con Dios. Pensamos que Su amor aumenta o disminuye de acuerdo a nuestra conducta. No es así. Yo no amo a Jenna por lo que hace. La amo porque es mía. Es mi hija.

Dios lo ama a usted por la misma razón. Lo ama porque es Su hijo. [5] Fue este amor el que buscó con ahinco a los israelitas. Fue este amor lo que envió a los profetas. Fue este amor el que se envolvió en carne humana y nació de María. Fue este amor el que caminó los agrestes senderos de Galilea y habló a los corazones endurecidos de los religiosos.

"Esto no es normal, Señor Dios", exclamó David cuando observó el amor de Dios. [6] Tienes razón, David. El amor de Dios no es un amor normal. No es normal amar a un asesino y adúltero, pero Dios lo hizo cuando amó a David. No es normal amar a un hombre que se aparta de uno, pero ese fue el amor de Dios por Salomón. [7] No es normal amar a gente que ama ídolos de piedra más que a uno mismo, pero Dios lo hizo cuando rehusó dejar por imposible a Israel.

Y fue este amor el que Jesús estaba describiendo en Su último martes. El mismo amor que, el viernes, lo llevaría a la cruz.

La cruz, el zenit de la historia. Todo el pasado señalaba hacia ella y todo el futuro dependería de ella. Es el gran triunfo del cielo: Dios está en la tierra. Y es la gran tragedia de la tierra: el hombre ha rechazado a Dios.

Los líderes religiosos sabían que Jesús estaba hablando de ellos. Lo mismo que sus padres habían rechazado a los profetas, ahora ellos estaban rechazando al Profeta: Dios en persona.

Jesús les habló a aquellos que habían vuelto la espalda a la historia. A quienes tan desvergonzadamente habían despreciado señal tras señal, siervo tras siervo. No era que hubieran interpretado mal un párrafo o pasado por alto la frase graciosa de un chiste. No era que hubiesen comprendido mal un capítulo. Habían pasado por alto el libro completo. Dios había penetrado en su ciudad, caminado por sus calles, tocado a sus puertas y no le habían permitido entrar.

Por esa razón —porque se negaron a creer— Jesús pronuncia las más graves palabras del Evangelio de Mateo: "El reino de Dios será quitado de vosotros, y será dado a gente que produzca los frutos de él.[8] Dios no tolera el corazón encallecido.

El es paciente con nuestros errores. Se ha resignado a nuestros tropiezos. No le molestan nuestras preguntas. No se aleja cuando forcejeamos. Pero cuando repetidamente rechazamos Su mensaje, cuando somos insensibles a Sus ruegos, cuando El cambia la historia misma para llamar nuestra atención y todavía seguimos sin atender, El cumple nuestra petición.

Dijo Pablo a los judíos: "A vosotros a la verdad era necesario que se os hablase primero la palabra de Dios; mas puesto que la desecháis, y no os juzgáis dignos de la vida eterna, he aquí, nos volvemos a los gentiles.[9]

Observe que no fue Dios quien hizo indigna a la gente. Fue su rechazo a escuchar lo que los excluyó de la gracia. Jesús condena el corazón frío, el alma tan hinchada de orgullo y suficiencia que blasfema la fuente de la esperanza; el corazón tan malvado que miraría al Príncipe de Paz y lo llamaría el Señor de las Moscas.[10]

Tal blasfemia es imperdonable, no porque Dios no desee perdonar, sino por la negativa del hombre a buscar el perdón. El corazón encallecido es el corazón maldito. El corazón encallecido representa a los ojos que se niegan a ver lo evidente y los oídos que rehúsan escuchar lo claro. Como resultado, no buscan a Dios, y no recibirán el perdón porque no lo buscan.

Quizás mi recuerdo de la infancia no es tan peculiar después de todo. En cierto sentido es la historia del Evangelio: Jesús horadó sus manos a fin de pinchar nuestros corazones. ¿Por qué Dios perforó Sus manos? ¿Por qué Su devoción por nosotros? ¿Por qué ha liberado a Sus hijos y rescatado a Su pueblo?

Permitamos a dos hombres que escribieron en los dos extremos de la Biblia contestar esa pregunta. Primero, Moisés. Ya usted ha leído su respuesta: "Para que supieses que Jehová es Dios, y no hay otro fuera de él".[11] Tras miles de años, cientos de mensajeros, incontables milagros y una ensangrentada cruz, el apóstol Pablo dice lo mismo: "Ignorando que Su benignidad te guía al arrepentimiento".[12]

¿El propósito de Su paciencia? Nuestro arrepentimiento.

Comenzamos este capítulo con un recuerdo infantil de la iglesia, concluiremos con otro. Es el recuerdo que tengo del cuadro de Jesús de Holman Hunt. Quizás usted lo ha visto. Arco de piedra... ladrillos cubiertos de hiedra... Jesús ante una pesada puerta de madera.

Estaba en una Biblia que a menudo yo miraba cuando era niño. Al pie del cuadro estaban las palabras: "He aquí, yo estoy a la puerta y llamo; si alguno oye mi voz y abre la puerta, entraré a él, y cenaré con él, y él conmigo".[13]

Años después leí acerca de una sorpresa que había en el cuadro. Holman Hunt había omitido intencionalmente algo que sólo el más avisado ojo podía percibir. Yo no lo había notado. Cuando supe de eso volví atrás y miré. Efectivamente, faltaba: no había picaporte en la puerta. No podía abrirse más que desde el interior. El mensaje de Hunt era el mismo que el de este capítulo. El mismo de Dios. El mismo de toda la historia.

Dios viene a tu casa, sube los peldaños y toca a la puerta. Pero eres tú quien tienes que dejarlo entrar.

Capítulo 11

Está usted invitado

"Venid a las bodas".

Mateo 22:4

*E*scribo esto mientras estoy sentado en el juzgado del condado de San Antonio, Texas. Estoy aquí por invitación. Una citación para actuar como jurado. No era muy personal. No era muy elegante. Una simple tarjeta con mi nombre e indicaciones concernientes al juzgado. Pero era una invitación para mí y para otro centenar de tipos para que visitáramos al juez.

Cierto que ésta no ha sido la más importante invitación de mi vida, pero, de todas maneras, es una invitación. Me hace pensar en otras en las cuales he desempeñado un papel.

Hace algunos años le extendí a una persona una invitación muy especial. Le pedí a Denalyn que se casara conmigo. Puesto que las declaraciones matrimoniales no son cosas que uno repite todos los días, traté de hacer de aquella ocasión un suceso memorable.

Empecé por ordenar comida china de nuestro restaurante chino preferido. Ordené nuestro plato favorito: puerco agridulce. Hice una solicitud especial de galletitas de la suerte adicionales. Mientras que la comida iba en camino de mi apartamento, tomé una tira de papel e imprimí mi declaración matrimonial. Cuando llegó la comida, puse el papelito en la galletita, me vestí con mis mejores galas y esperé por Denalyn.

La noche rebosaba de romanticismo: música suave; luz de las velas. Cuando ella vio las servilletas de tela supo que yo tenía en mente algo especial, pero no estaba segura de qué. Yo comí poco. Las mariposas que tenía en el estómago dejaban poco espacio para la comida. No podía esperar hasta que llegara el momento del postre, porque en el postre esperaba la invitación.

Cuando llegó el momento de las galletitas, ella dijo que no tenía hambre. Tuve que rogarle que tomara una. Le dije que si no quería, que no la comiera, pero que leyera su suerte. Así lo hizo. Abrió la galletita y leyó las palabras que yo había escrito en la tira de papel.

Y empezó a llorar.

Me desesperé. Pensé que la había ofendido, que la había insultado. No sé cómo yo había pensado que ella reaccionaría, pero nunca había esperado que llorara. (Eso demuestra lo poco que yo sabía de las mujeres. Ahora sé que el llanto es el recurso más socorrido de la emoción: sirve en momentos de tristeza, de alegría, de entusiasmo.)

Felizmente, las suyas eran lágrimas de entusiasmo. Y dijo que sí. (Sin embargo, desde entonces se resiste a abrir más galletitas de la suerte.)

Las invitaciones son especiales. Algunas son informales, como para salir a pasear. Algunas son significativas, como ofrecerle un empleo a alguien. Otras son permanentes, como proponer matrimonio. Pero todas son especiales.

Invitaciones. Palabras grabadas en una carta: "Está usted invitado a la gala con que se celebrará la inauguración de ..." Solicitudes recibidas por correo: "El Sr. John Smith y Sra. tienen el honor de invitarle a la boda de su hija ..." Sorpresas por teléfono: "Hola, Pepe. Tengo una entrada de más para el juego. ¿Te interesa?"

Recibir una invitación es ser honrado: ser tenido en mucha estima. Por esa razón todas las invitaciones merecen una respuesta amable y atenta.

Pero las más increíbles invitaciones no se encuentran en sobres o en galletitas de la suerte, sino en la Biblia. No puede usted leer acerca de Dios sin encontrarlo en el acto de extender invitaciones. El invitó a Eva a casarse con Adán, a los animales a entrar en el arca, a David a ser rey, a Israel a dejar las ataduras, a Nehemías a reconstruir Jerusalén. Dios es un Dios invitador. Invitó a María a tener Su hijo, a los discípulos a ser pescadores de hombres, a la mujer adúltera a empezar de nuevo, y a Tomás a tocar sus heridas. Dios es un Rey que prepara el palacio, pone la mesa e invita a Sus súbditos a entrar.

De hecho, parece que Su palabra favorita es *Venid.*

"*Venid* luego, y estemos a cuenta: si vuestros pecados fueren como la grana, como la nieve serán emblanquecidos".[1]

"A todos los sedientos: *Venid* a las aguas"[2]

"*Venid* a mí todos los que estáis trabajados y cargados, y yo os haré descansar".[3]

"*Venid* a las bodas".[4]

"*Venid* en pos de mí, y haré que seáis pescadores de hombres".[5] "Si alguno tiene sed, *venga* a mí y beba".[6]

Dios es un Dios que invita. Dios es un Dios que llama. Dios es un Dios que abre la puerta y convida con la mano a los peregrinos a que se sienten a una mesa puesta.

Sin embargo, Su invitación no es sólo para una comida, es de por vida. Una invitación para entrar en Su reino y residir en un mundo sin lágrimas, sin tumbas, sin dolor. ¿Quién puede entrar? Cualquiera que lo desee. La invitación es a la vez universal y personal.

En la última semana de Su vida, Jesús nos comunicó dos relatos acerca de invitaciones urgentes.

El primero es acerca de dos hijos cuyo padre los invitó a trabajar en su viña.[7] Las invitaciones eran idénticas pero sus respuestas opuestas. Uno dice no, entonces cambia de opinión y va. El otro dice sí, pero después tiene otra idea y se queda.

El segundo es acerca de un rey que preparó la fiesta de bodas de su hijo. Invitó a la gente a venir, pero no vinieron.[8] Algunos no hicieron caso a la invitación, otros dieron excusas de que estaban muy ocupados, y aun otros llegaron a matar a los siervos que llevaban la invitación.

¿Se ha preguntado alguna vez cómo se sentía Jesús mientras contaba esas historias? Si alguna vez le han desairado una invitación, usted sabe cómo se sentía. Mucha gente no rechaza a Jesús... simplemente no le conceden atención a la invitación.

Imagínese lo que yo hubiera sentido si Denalyn me hubiese contestado en la misma forma en que muchos le responden a Dios. ¿Qué tal si hubiera sido vaga sin concretar un compromiso? Imagíneme sentado en el borde del asiento observándola leer la declaración a la luz ambarina de las velas. ¿Y si, en lugar de lágrimas, me hubiese contestado con una frase frívola?

—Oh, el matrimonio ha sido una tradición en mi familia durante años.

—¿Cómo?

—Que el matrimonio ha sido una tradición en mi familia por años. Mi tío se casó. Mi tía se casó. Mi mamá y mi papá. Incluso tengo una hermana...

—¡Un momento! ¿Qué tiene que ver esto con nosotros? Estoy hablando de ti y de mí.

—Bueno, Max, como te dije, estoy por completo en favor del matrimonio. Pienso que es una maravillosa idea, una institución estupenda.

—Pero, yo no te estoy pidiendo tu opinión acerca de una institución, te estoy pidiendo tu mano en matrimonio.

Debe entristecerse mucho el Padre cuando le damos respuestas vagas a Su invitación específica de venir a El:

—¡Qué amable de tu parte el invitarme, Jesús! Tú sabes que mi familia siempre ha sido religiosa. De hecho, nosotros podemos trazar nuestro árbol genealógico hasta la revolución de los hugonotes. ¿No te acuerdas de mi tatarabuelo Horacio? El fue sacerdote y muy popular entre los indios.

—¿Cómo?

—Como te dije, nuestra familia ha sido pro religión durante años. Mi tía Macy cantaba en el coro de la Primera Iglesia Bautista y mi primo Arnold es diácono en...

Fue a los que respondían con semejantes divagaciones que Dios le dirigió estas palabras de Jeremías 7:13: "Aunque os hablé desde temprano y sin cesar, no oísteis, y os llamé, y no respondisteis".

Qué les parece si Denalyn hubiera dicho:

— Max, eres muy amable por pensar en mí, pero ¿no podías hablar acerca de esto mañana? Dentro de pocos minutos ponen por TV una película que realmente deseo ver.

O incluso peor:

—¿Matrimonio? Bueno, tú sabes Max, es necesario que conversemos de esto algún día. Déjame ver, tengo un ratito el próximo... no, ese no es un buen día... ¿qué te parece dos semanas después del martes? Me llamas por teléfono y nos ponemos de acuerdo.

Oh, eso lastimaría mucho. ¿Ve usted? Una cosa es ser rechazado. Otra bien distinta es no ser tomado en serio. Nada hiere más profundamente que hacer una invitación que es "una en un millón" y "sólo para ti" y verla relegada a una lista de decisiones que deben tomarse la semana que viene.

Jesús ofrece la invitación: "He aquí, yo estoy a la puerta y llamo".[9] Conocer a Dios es recibir Su invitación. No sólo oírla, no limitarse a estudiarla, no únicamente reconocerla, sino recibirla. Es posible aprender mucho acerca de la invitación de Dios y jamás responder a ella personalmente.

No obstante, su invitación es clara y no es negociable. El nos lo da todo, y nosotros le damos todo. Simple y absolutamente. El es muy claro en lo que pide y en lo que da. La decisión es nuestra.

¿No es increíble que Dios nos deje la decisión a nosotros? Piénselo. Hay muchas cosas en la vida que nosotros no podemos escoger. Por ejemplo: no podemos escoger el tiempo. No podemos controlar la economía.

No podemos escoger si vamos a nacer con una nariz grande o con ojos azules o con mucho pelo. No podemos siquiera escoger la acogida que la gente nos va a dar.

Pero sí podemos escoger dónde vamos a pasar la eternidad. La gran decisión, Dios nos la deja a nosotros. La decisión crítica es nuestra.

¿Qué está haciendo usted con la invitación de Dios?

¿Qué va a hacer con Su solicitud personal de que usted viva con El para siempre?

Esa es la única decisión que realmente importa. Si se decide o no a cambiar de empleo no es crítica. Si compra o no un auto nuevo no es crucial. Qué universidad escoge o qué profesión selecciona es importante, pero no puede compararse con dónde va usted a pasar la eternidad. Esa es la decisión que usted recordará.

¿Qué está haciendo usted con Su invitación?

Como dije antes, escribo esto mientras espero en un amplio salón de nuestra corte del condado. Estoy aquí por invitación. Al mirar a mi alrededor, veo a unos cien extraños que también recibieron la misma citación para ser jurados. Ellos leen revistas. Hojean periódicos. Se levantan y se estiran. Hacen trabajos de oficina. Y yo medito en la ironía de terminar un capítulo acerca de la invitación de Dios en un salón donde espero a que el juez me llame por mi nombre.

Cada pocos minutos las conversaciones en voz baja se acallan al entrar un caballero de apariencia oficial para llamar en voz alta a las personas: Yvonne Campbell, Johnny Solis, Thomas Adams. Aquéllos que son llamados reciben instrucciones y el resto de nosotros volvemos a nuestras actividades.

Siento aprensión ante la idea de la entrevista: no sé lo que el juez hará. No sé lo que me preguntará. No sé lo que requerirá. No sé cuál será el resultado. Ni siquiera sé quién es el juez.

Así que estoy un poco ansioso.

Sin embargo, ésta no es mi primera invitación a presentarme ante un juez. Tengo otra citación: "Está establecido para los hombres que mueran una sola vez, y después de esto el juicio". Pero no tengo la misma ansiedad por esa citación.

Porque yo sé lo que el juez hará. Ya sé cuál será el resultado. Y más que todo, yo sé quién es el Juez.

Capítulo 12

Manipulación de boca a boca

---

*"Entonces se fueron los fariseos y consultaron cómo
sorprenderle en alguna palabra".*

Mateo 22:15

*E*n los arrecifes de coral del Caribe vive un pececito
conocido como el pez besador. Tiene sólo dos o tres pulgadas
de largo, es de un azul brillante, rápido y da gusto contem-
plarlo. Lo más fascinante es su beso. Es frecuente ver a dos
de estos peces con los labios unidos y las aletas batiendo. Dan
la apariencia de un serio romance submarino.

Uno pensaría que la especie sería el sueño de un aficio-
nado a los acuarios. Parecen muy enérgicos, vivos, luminosos
y cariñosos. Pero las apariencias engañan a veces. Porque lo
que aparenta ser un amable amigo en el mar es en realidad un
abusador en miniatura de las profundidades.

Ferozmente territorial, el pez besador ha reclamado su
territorio y no quiere visitantes. Su pie cuadrado de coral es
suyo y de nadie más. El lo encontró, lo delimitó y no quiere
cerca a ningún otro de su especie.

Al que desafíe sus fronteras lo sujetará por la mandíbula con sus dientes. Lo que parece ser un flirt es en realidad artes marciales submarinas. Empujones con la boca. Inmovilización de labio. Literalmente lucha de quijadas. El poder se mueve con la lengua.

Suena peculiar, ¿verdad?

Suena familiar, ¿verdad?

No necesitamos ir al Caribe para ver ese tipo de lucha por el poder. La manipulación de boca a boca no está limitada al Caribe.

Mire con detenimiento a la gente en su mundo (o la persona en su espejo). Podría sorprenderle ver cuán turbias pueden volverse las cosas cuando la gente empieza a exigir salirse con la suya. El pez besador no es el primero en usar su boca para hacer valer una opinión.

En los primeros tiempos del Oeste las disputas se resolvían con los puños; hoy en día utilizamos un instrumento más refinado: la lengua. Tal como lo hace el pez besador, disfrazamos nuestras peleas. Las llamamos debates, desafiar el statu quo. En realidad, no es otra cosa que defender testarudamente nuestro territorio.

Ese fue el caso el martes durante la última semana de la vida de Jesús. Mucho antes que los látigos restallaran, se lanzaron las palabras. Mucho antes que se clavaran los clavos, se hicieron las acusaciones. Mucho antes que Jesús tuviera que cargar la cruz, tuvo que soportar las lenguas cáusticas de los líderes religiosos.

El diálogo parece inocente. No se desenvainan las espadas. No se hacen arrestos. Pero no se deje engañar por la inocencia aparente. Igual que el pez besador, los acusadores buscaban la sangre.

Hubo tres encuentros.

Caso Uno: Muéstreme su diploma, por favor

El procedimiento para ser reconocido como un maestro religioso en Palestina era simple. Originalmente, los candidatos a rabinos habían sido ordenados por el rabino principal, al cual respetaban y bajo cuya enseñanza servían. Esto, sin embargo, condujo a variaciones en las calificaciones y enseñanzas, así como a abusos muy difundidos. Así que el alto consejo judío, el Sanedrín, tomó la responsabilidad de ordenar.

En su ordenación un hombre era declarado rabino, anciano y juez, y recibía autoridad para enseñar, expresar sabiduría y emitir veredictos.

Procedimiento justo. Salvaguardia necesaria. Y por eso no nos sorprende que los líderes religiosos le preguntaran a Jesús: "¿Con qué autoridad haces estas cosas? ¿y quién te dio esta autoridad?"[1] Si sus preguntas hubieran surgido de su preocupación por la pureza del Templo y la integridad de la posición, no hubiera habido problemas. Pero lo que ellos perseguían era su territorio: "Tememos al pueblo".[2]

Si hubieran sentido alguna preocupación por el futuro de la nación, no se habrían procupado por lo que el pueblo pensara. Hubiesen tomado en sus manos el asunto del rabino en vez de escurrirse lejos de El para al final entregarlo a un gobierno extranjero. Ellos no habían aprendido la primera lección del liderazgo: "Un hombre que desea dirigir la orquesta debe volver la espalda a la multitud".

A propósito, hay algo muy extraño en este cuadro. ¿No lo ve? La criatura le pide Sus credenciales al Creador. La vasija le pide al Alfarero que muestre su identificación. No se hace referencia a los milagros. No se hacen preguntas acerca de Sus enseñanzas. Quieren saber quién lo ordenó. ¿Salió del seminario apropiado? ¿Es miembro de la denominación correcta? ¿Tiene las credenciales legítimas?

Increíble. Se interroga a Dios. Ahora veo por qué la gente poderosa a menudo usa gafas de sol: los reflectores los ciegan a la realidad. Sufren la ilusión de pensar que el poder significa algo (no es así). Tienen la idea falsa de que los títulos significan una diferencia (no es cierto). Tienen la impresión de que la autoridad terrena les proporcionará una diferencia en el cielo (no es verdad).

¿Que si puedo probar mi afirmación?

Conteste este cuestionario.

Nombre los diez hombres más ricos del mundo.

Nombre a los diez últimos ganadores del trofeo Heisman.

Nombre a las diez últimas ganadoras del concurso Miss América.

Nombre ocho personas que hayan ganado el premio Nobel o el Pulitzer.

¿Y qué le parece los últimos ganadores de los Premios de la Academia para la mejor película o los ganadores de las Series Mundiales de la última década?

¿Cómo le fue? Yo tampoco salí muy bien. Con la excepció de los cazadores de trivialidades, ninguno de nosotros recuerda muy bien los titulares de ayer. Es sorprendente cuán rápidamente olvidamos, ¿verdad? Y lo que acabo de mencionar no son logros de segunda clase. Estos son los mejores en sus campos. Pero el aplauso muere. Los premios se oxidan. Los logros se olvidan. Los espaldarazos y certificados son enterrados junto con sus dueños.

Ahí tiene otro cuestionario. Mire a ver qué tal lo hace esta vez.

Piense tres personas cuya compañía usted disfrute.

Nombre diez personas que le hayan enseñado algo que merezca la pena.

Nombre cinco amigos que le hayan ayudado en momentos difíciles.

Relacione unos pocos maestros que le hayan ayudado en su tránsito por la escuela.

Nombre media docena de héroes cuyas historias le hayan inspirado.

¿Más fácil? Para mí también. ¿La lección? Las personas que significan una diferencia no son las que tienen las credenciales, sino las que se preocupan.

Caso dos: La espada en la vaina tachonada

"Los fariseos ... consultaron cómo sorprenderle en alguna palabra.... Maestro, sabemos que eres amante de la verdad, y que enseñas con verdad el camino de Dios, y que no te cuidas de nadie, porque no miras la apariencia de los hombres. Dinos, pues, qué te parece: ¿Es lícito dar tributo a César o no?"[3]

Hay posibilidades de que cuando un hombre le da una palmada en la espalda lo que quiere es que usted tosa algo. Esta no es la excepción. Los fariseos están palmeando fuerte la espalda en este versículo. Aunque su pregunta sea válida, su motivo no lo es. De todos los textos que chorrean manipulación, éste es el peor.

Como el pez besador, los fariseos parecen amables. Pero también como en el caso del pez, algo huele mal.

Dios ha dejado bien claro que la adulación nunca debe ser un instrumento del siervo sincero. La adulación no es más que deshonestidad de lujo. No la utilizaba Jesús ni debían usarla sus seguidores.

"Jehová destruirá todos los labios lisonjeros", afirmaba el salmista.[4]

"El que reprende al hombre, hallará después mayor gracia que el que lisonjea con la lengua", admitió Salomón.[5]

"Cuídate del hombre de suaves palabras y obras malvadas", aprendió Lucy.

Al salmista ya usted lo ha leído. A Salomón ya lo admira. Pero ¿Lucy? Ella aprendió lo que era la lisonja de la forma más dura. Esta es su historia:

Corre el año 1860 en Washington D.C. La nación está arrasada por la guerra. El país está dividido por la contienda. Pero para la joven Lucy la mayor guerra se desarrolla en su corazón.

Lucy Lambert Hale era la hija más joven de John P. Hale, uno de los senadores de la Guerra Civil de Nueva Hampshire.

Era una de las más fascinadoras solteritas de la capital de nuestra nación. Su larga lista de pretendientes daba testimonio de su popularidad. La lista de los que aspiraban a su corazón no era sólo larga, sino histórica. Más de uno de sus jóvenes amores llegó a ser una figura nacional.

Ya desde los doce años estaba recibiendo flores de Will Chandler, un novato en Harvard. Lucy simpatizaba con él, pero después de todo, tenía sólo doce años. Will se convirtió en secretario de la marina y, finalmente, en senador de los Estados Unidos.

Entonces estaba Oliver. Sólo dos años mayor que ella, él creía que había encontrado su verdadero amor. Ella no estaba de acuerdo. Aunque nunca alcanzó la mano de Lucy, Oliver Wendell Holmes sí consiguió un asiento en la Corte Suprema.

Pero había otro hombre que, por un tiempo, ocupó un lugar en su corazón. Y es éste el hombre cuyo legado a la historia es uno de palabras bondadosas y obras mortíferas. Su nombre era John.

Mientras la guerra hacía estragos en la nación, su amor hacía estragos en Washington. Y mientras la nación se estaba peleando, ellos también peleaban con frecuencia. Lo que confundía a Lucy acerca de este más reciente amigo era su inconsecuencia. El declaraba una cosa y vivía otra. Sus promesas y su conducta no venían bien. La cortejaba con sus palabras y la incomodaba con sus actos.

Observe ésta, la primera carta que él le mandó, el día de San Valentín de 1862.

Mi querida Srta. Hale:

Si no fuera por la licencia que concede la observancia de una tradición en estos días, no le habría escrito esta pobre nota.

Usted me recuerda de una forma asombrosa a una dama, muy querida para mí, ahora muerta, y su sorprendente parecido con ella me asombró la primera vez que la vi. Esta será mi disculpa por cualquier aparente indiscreción que haya podido usted notar. Verla a usted me ha proporcionado un placer melancólico, si puede usted concebir tal cosa y si nunca nos volviéramos a encontrar ni vernos otra vez, créamelo, yo siempre la asociaré a usted en mi recuerdo, con ella, quien fue muy hermosa, y cuyo rostro, como el suyo confío, era un fiel índice de amabilidad y bondad. Deseos para su futura dicha, soy, para usted,

Extraño

Con palabras tan dulces como la melaza y una determinación tan furiosa como la de un toro, John se aseguró de no permanecer demasiado tiempo como un extraño. Y con el tiempo, él y Lucy se comprometieron. Entonces estalló la guerra... no en el país, sino entre John y Lucy.

El era insensatamente celoso. Peleaban constantemente. Discutían mientras escuchaban el segundo discurso inaugural del Presidente Lincoln. Reñían a la noche siguiente cuando John encontró a Lucy bailando con el hijo mayor del presidente, Robert. Pelearon cuando el presidente designó al padre de Lucy embajador en España. Y John explotó cuando Lucy decidió romper el compromiso e irse con su padre para España.

John era bondadoso hablando, pero posesivo y celoso en sus actos. Lucy aprendió con John que una persona puede tener palabras de miel y manos de acero. Por esa razón ella lo dejó. Irónicamente, ella terminó casándose con el hombre que le había mandado flores a la edad de doce años, Will Chandler.

Pero aunque ella vivió una vida larga y feliz, nunca olvidó el tormentoso romance con el hombre de las palabras amables y las obras ásperas. Tampoco el resto del mundo olvidará jamás a John Wilkes Booth [asesinó a Lincoln].[6]

Caso tres: Merodeos miopes

Presentamos: los saduceos. "En esta esquina, pesando mucho en opinión y débiles en equilibrio, están los aristócratas de Jerusalén, los deportistas universitarios de Israel, la extrema izquierda de los liberales: ¡los saduceos!"

Este grupito de líderes amaba la filosofía griega y despreciaba la enseñanza tradicional de la Tora por considerarla muy rígida, demasiado conservadora. Era pro Roma. Los fariseos no: pertenecían al country club. Los saduceos eran comunes: consideraban que no había vida después de la muerte. Los fariseos podían decirle qué ropa iba a usar después de la muerte.

Normalmente, estos dos grupos nunca hubiesen estado en el mismo lado. Pero su miedo a Jesús los unió. Los saduceos ganaban mucho dinero con el cambio de moneda y la venta de palomas en el Templo. La limpieza del lunes los convenció de que necesitaban mandar a aquel tipo a freír espárragos con el rabo entre las piernas.

Así que los saduceos utilizaron el tercer truco de la lengua: merodeos hipotéticos. Si esto y lo otro sucede, habiendo ocurrido aquello antes... Su estratagema es crear una versión extrema de un incidente poco probable y atrapar a Jesús en Su respuesta.

Si quiere usted la versión detallada de su pregunta, lea Mateo 22:24-28. Si quiere una versión abreviada y mi interpretación, aquí está: "Maestro, Moisés dijo que si un hombre casado moría sin haber tenido hijos, su hermano debía casarse con la viuda y tener los hijos por él. Una vez había siete hermanos entre nosotros, bla, bla, bla..."

Igual que el pez besador, los saduceos protegían testarudos un minúsculo territorio. Ellos, como el pez besador, tenían una visión limitada. Ambos luchan por un territorio diminuto en un inmenso océano.

En la iglesia hay quienes encuentran un pequeño territorio y se obsesionan con él. En la familia de Dios hay quienes encuentran una controversia y plantan su argumento en ella. Cada iglesia tiene por lo menos un alma testaruda que ha dominado un pequeño detalle del mensaje y ha hecho una misión de éste.

Criaturas miopes que libran batallas sobre pistas inútiles.

La respuesta de Jesús es digna de subrayarse: "Ustedes se han extraviado". Bueno, su traducción no utiliza esas palabras ni la mía tampoco. Pero podía hacerlo. Una buena traducción del griego podría ser: "Ustedes están descentrados. No comprenden. Están persiguiendo un conejo por un camino sin salida".

Hace algún tiempo me encontré una canción de Dennis Tice que demuestra lo absurdo de luchar por un territorio inútil. Con su autorización, se la voy a presentar. Le encantará el título; se llama: "¿Tenían ombligos Adán y Eva?"

¿Tenían ombligos Adán y Eva o un espacio en blanco donde debía haber estado?
¿Otra gente pierde el sueño durante la noche o únicamente yo?
Pensando en la cuestión que persigue a toda la humanidad.
Hummmmmmmmmmmmmmmm.
El botón de la barriga fue una parte de la creación, ¿cómo pude ser tan ciego?
Pienso que voy a fundar una iglesia algún día para predicar este credo mío.
Porque Adán y Eva tenían ombligos y yo lo probaré al fin.
Seguro que "Dios es amor" y "Jesús salva", pero ¿y qué de esta verdad?
Encontré la respuesta sólo el año pasado en 1 de Juan capítulo 2.
Busca la verdad, la verdad os hará libres.
Sirve al Señor con sinceridad y entonces alcanzarás el más alto nivel de cristianismo.

Cuando te conviertas en ombligista; tus ojos al fin verán que Adán y Eva tenían ombligos, te lo digo hoy.

Sí, yo estoy rajando pelos por Jesús y eso lo arregla todo.

Y voy a llevarte más profundo de lo que tus ojos pueden ver ahora.

Estoy rajando pelos por Jesús para alcanzar más espiritualidad.

Yo prediqué esta verdad por toda la tierra y el ombliguismo creció.

Un millar de miembros más fuerte cada día, (porque yo también predico la salvación).

Pero ahora la iglesia se está dividiendo por un tecnicismo:¿sus ombligos eran hundidos o salientes? ¿cuán quisquillosos pueden ser?[7]

Mientras los cristianos sigan rajando pelos, seguirán dividiendo iglesias.

»

En la última semana Jesús dejó un mensaje muy claro: Dios tiene en cuenta el mal uso de la boca. Los líderes religiosos pensaron que podían manipular a Jesús con sus palabras. Estaban equivocados.

Dios no cae en la trampa de los trucos; no es halagado por la adulación, ni engañado por hipótesis. Ni entonces ni ahora.

La tragedia del pez besador es que ve muy poco. Toda su guerra bucal lo lleva al mismo punto de vista desde el mismo pedacito de coral. Si yo pudiese hablarle, si yo pudiera encontrarme un momento con la criatura poseída por una pasión de proteger lo que tiene y mantener afuera todo lo nuevo... los retaría a mirar a su alrededor.

Yo diría que necesito de alguien que me diga cuando mis opiniones están sonando territoriales: Suelta un poco tu territorio. Explora algún arrecife nuevo. Descubre nuevas regiones. Se gana mucho cerrando la boca y abriendo los ojos.

Capítulo 13

Lo que el hombre no se atrevió a soñar

"Qué pensáis del Cristo? ¿De quién es hijo?"
Mateo 22:42

*L*os héroes reflejan una sociedad. Estudie a los héroes de una nación y comprenda la nación. Nosotros honramos a aquellos que encarnan nuestros sueños: los miembros de una pandilla brindan por el despiadado, los esclavos estiman al luchador por la libertad y los miembros de una secta exaltan al dominante. El frágil agasaja al fuerte y el oprimido aclama al valiente.

El resultado es un mosaico de héroes mundiales tan opuestos como José Stalin lo es de Florence Nightingale; Peter Pan, de George Patton; y Mark Twain, de la Madre Teresa. Cada uno es un índice de un capítulo del libro que se llama gente.

Hay un personaje legendario, sin embargo, que refleja más de una cultura: refleja al globo. Se le conoce en todo el mundo. Un rostro tan fácil de reconocer en Nigeria como en Indiana. Un inmortal cuya historia ha sido escrita por la gente en todas las tierras y contada a todos los pobladores del mundo.

Si es verdad que las leyendas reflejan a la gente, entonces el hombre es un espejo del mundo. Y llegamos a aprender mucho acerca de nosotros mismos cuando aprendemos acerca de él.

Algunos lo llaman Sinterklaas. Otros, Pere Noel o Papa Noel. Ha sido conocido como Hoteiosho, Sonnerklaas, Padre Navidad, Barriga de Gelatina y en la mayoría de los de habla inglesa, Santa Claus.

Su nombre original fue Nicolás, que significa victorioso. Nació en 280 A.D. en lo que hoy es Turquía. Se quedó huérfano a los nueve años cuando sus padres murieron de una plaga. Aunque muchos piensan que Santa es muy diestro en hacer juguetes pero no sabe de negocios, en realidad el Nicolás original estudió filosofía griega y doctrina cristiana.

Fue honrado por la Iglesia Católica al nombrarlo obispo de Mira a principios del siglo cuarto. Se mantuvo en el cargo hasta su muerte, el 6 de diciembre del año 343.

La historia lo reconoce como un santo, pero en el siglo tres fue un poco conflictivo. Fue encarcelado dos veces; una por el emperador Diocleciano por razones religiosas; la otra por darle un porrazo a un camarada obispo durante un feroz combate. (Tanto para descubrir a quién es travieso y amable.)

El viejo Nico nunca se casó. Pero eso no quiere decir que no fuera romántico. Era mejor conocido por la bondad que demostró hacia un pobre vecino que era incapaz de mantener a sus tres hijas o proveerlas de la acostumbrada dote para que pudieran atraer esposos. El viejo San Nicolás se escurrió hasta la casa por la noche y dejó caer un puñado de monedas de oro a través de la ventana para que la hija mayor pudiera permitirse el casarse. Y repitió esto en otras dos noches para las otras dos hijas.

Esta historia fue la semilla que, regada por los años, se convirtió en la leyenda de Santa. Parece que cada generación la adornó con otro ornamento hasta que brilló más que un árbol de Navidad.

El regalo creció de un puñado de monedas hasta una bolsa de monedas. En vez de dejarlas caer a través de la ventana, las dejó caer por la chimenea. Y en vez de caer en el suelo, las bolsas de monedas cayeron en las medias de las chicas, las cuales colgaban en el hogar para secarse. (Así fue como empezó todo eso de las medias rellenas.)

Los siglos han mejorado la imagen de Nicolás, así como la de sus buenas obras. No sólo han embellecido sus actos, sino que su guardarropa y su personalidad han sufrido cambios también.

Como obispo de Mira él usaba las túnicas eclesiásticas y la mitra. Se sabía que era delgado, con barba oscura y personalidad seria.

Para 1300 ya tenía la barba blanca. Para el siglo diecinueve ya se le describía con un vientre redondo y el siempre presente cesto de comida sobre el brazo. Pronto aparecieron las botas negras, una capa roja y una alegre media en la cabeza. Durante el siglo diecinueve la cesta de comida se convirtió en un saco de juguetes. En 1866 era pequeñito como un gnomo, pero en 1930 ya era un fornido ejemplar de seis pies con mejillas rosadas y una Coca-Cola.

Santa refleja los deseos de la gente a través de todo el mundo. Con los siglos se ha vuelto un compuesto de lo que deseamos:

Un amigo que quiere lo suficiente para hacer un largo viaje venciendo todos los obstáculos para traer buenos regalos a buena gente.

Un sabio que, aunque conoce cada acción, tiene una forma de recompensar al bueno y pasar por alto lo malo.

Un amigo de los niños que nunca se enferma y jamás envejece.

Un padre que le permite a uno sentarse en su regazo y contarle sus más profundos deseos.

Santa. La culminación de lo que necesitamos en un héroe. La personificación de nuestras pasiones. La expresión de nuestros anhelos. El cumplimiento de nuestros deseos.

Y... la traición a nuestras exiguas esperanzas.

¿Qué dice usted? Permítame explicarme.

Verá usted: Santa no puede proporcionarnos lo que realmente necesitamos. Porque él viene una sola vez al año. Cuando soplan los vientos de enero que nos hielan el alma... él ya es historia. Cuando las necesidades de diciembre se convierten en los pagos de febrero, Santa ya se fue del centro comercial. Cuando abril reclama los impuestos o mayo trae los exámenes finales, a Santa todavía le faltan meses para su próxima visita. Y si julio nos encuentra enfermos o agosto nos encuentra solos, no podemos ir hasta su butaca para que nos conforte... todavía está vacía. El viene una sola vez al año.

Y cuando viene, aunque da mucho, no se lleva mucho: No se lleva la intriga de la tumba, la carga de los errores o la ansiedad de las exigencias. El es bueno y rápido y gracioso; pero cuando se trata de sanar heridas... no vaya a Santa.

No crea que yo pretendo ser un mezquino. No quiero darle con la puerta en las narices al simpático viejécito. Solamente señalo que nosotros somos tímidos cuando se trata de componer una leyenda.

Usted pensaría que podíamos hacerlo mejor. Es de suponerse que a lo largo de seis siglos fabricaríamos un héroe que resolviera esos temores.

Pero no podemos. Hemos fabricado muchos héroes, desde el rey Arturo hasta Kennedy; de Lincoln a Lindberg; de Sócrates hasta Santa y Superman. Le damos lo mejor que podemos, cada beneficio de cada duda, cada fuerza sobrenatural, y, durante un instante brillante, tenemos el héroe que necesitamos: el rey que puede liberar a Camelot. Pero entonces se filtra la verdad y la realidad sale a la superficie en medio de la ficción y se ven las grietas en la armadura. Y comprendemos que los héroes, por nobles que hayan sido, por valientes que fueran, fueron concebidos en la misma sociedad manchada como usted y yo.

Excepto uno. Hubo uno que declaró que venía de otro lugar. Hubo uno que, aunque tenía la apariencia de hombre, reclamó tener el origen de Dios. Hubo uno que, aunque llevaba el rostro de un judío, tenía la imagen del Creador.

Aquellos que lo vieron —que Lo vieron en realidad— supieron que en El había algo diferente. Al toque de sus manos los mendigos ciegos recobraron la vista. Al escuchar su orden las piernas tullidas caminaron. Con su abrazo las vidas vacías se llenaron de visión.

Alimentó a miles con una cesta. Calmó una tormenta con una orden. Levantó al muerto con una declaración. Cambió vidas con una solicitud. Cambió la dirección de la historia del mundo con una vida, vivida en un país, nació en un establo y murió en una colina.

Durante su última semana resumió sus atribuciones con una pregunta: Hablando de sí mismo le preguntó a sus discípulos: "¿Qué pensáis del Cristo? ¿De quién es hijo?"[1]

Una pregunta penetrante. Una pregunta apropiadamente colocada. El "qué" es contestado por el "quién". Qué pensáis del Cristo está encerrado en de quién es hijo. Observe que Jesús no preguntó: "¿Qué pensáis del Cristo y sus enseñanzas?"; o: "¿Qué pensáis del Cristo y sus opiniones sobre asuntos sociales?"; o: "¿Qué pensáis del Cristo y su capacidad para dirigir al pueblo?"

Después de tres años de ministerio, cientos de millas recorridas, miles de milagros, innumerables enseñanzas, Jesús pregunta: "¿Quién?" Jesús exhorta a la gente a meditar no en lo que El ha hecho, sino en quién es El.

Es la pregunta final del Cristo: "¿De quién es hijo?"

¿Es el hijo de Dios, o la suma de nuestros sueños? ¿Es la fuerza de la creación, o una criatura de nuestra imaginación?

Cuando hacemos esa pregunta acerca de Santa, la respuesta es la culminación de nuestros deseos. Una descripción de nuestros más acariciados sueños.

No es así cuando hacemos la pregunta con relación a Jesús. Porque nadie pudo nunca soñar una persona tan admirable como El. La idea de que Dios escogiera a una virgen para darlo a luz... La noción de que Dios pudiera revestirse de cabellos y dedos y dos ojos... El pensamiento de que el Rey del universo pudiera estornudar y eructar y ser picado por los mosquitos... Es demasiado increíble. Demasiado revolucionario. Jamás hubiésemos creado tal Salvador. No somos lo suficientemente atrevidos.

Cuando creamos un redentor, lo mantenemos a buen recaudo en su castillo distante. Le permitimos solamente los encuentros más breves con nosotros. Le permitimos irrumpir entrando y saliendo en su trineo antes que podamos acercarnos demasiado. No le pediríamos que viniera a vivir en medio de una gente contaminada. En nuestros más extravagantes sueños no le hubiéramos conjurado para que se volviera uno de nosotros.

Pero Dios lo hizo. Dios hizo lo que no nos hubiésemos atrevido a soñar. El hizo lo que no podíamos imaginar. Se convirtió en un hombre para que pudiéramos confiar en El. Se convirtió en un sacrificio para que pudiésemos conocerlo. Y derrotó a la muerte para que pudiéramos seguirlo.

Eso desafía la lógica. Es una locura divina. Una santa incredibilidad. Unicamente un Dios que sobrepasa todo sistema y todo sentido común podría crear un plan tan absurdo como este. Y sin embargo, es su misma imposibilidad lo que lo hace posible. Lo insensato de la historia es su más poderoso testigo.

Porque sólo un Dios podría crear un plan tan descabellado. Unicamente un Creador que va más allá de toda barrera lógica pudo brindar semejante ofrenda de amor.

Lo que el hombre no puede hacer, Dios lo hace.

Así que, cuando se trata de dulces y golosinas, mejillas rosadas y narices rojas, vaya al Polo Norte.

Pero cuando se trate de eternidad, perdón, objetivo y verdad, vaya al pesebre. Arrodíllese con los pastores. Adore al Dios que se atrevió a hacer lo que el hombre no se atrevió a soñar.

Capítulo 14

El cursor
¿o
la cruz?

"¿Cómo escaparéis de la condenación del infierno?"
Mateo 23:33

*L*o que no me gusta de las computadoras es que hacen lo que yo digo pero no lo que yo quiero decir.

Por ejemplo: quiero golpear el botón de "control" pero toco el SEGURO DE MAYUSCULAS Y DE PRONTO LAS LETRAS GIGANTES DOMINAN LA PANTALLA. mIRO A LA PANTALLA Y DIGO: "eSO NO ES LO QUE QUIERO DECIR!" Y corrijo mi error.

Otro ejemplo: Quiero corregir una letra pero sin darme cuenta toco el botón que borra toda la   . "Eso no es lo que yo quería", le murmuro al monstruo de un ojo, y entonces corrijo mi error.

Comprendo que no debía ser tan severo con la mAQUI-NA (OH, LO HICE OTRA VEZ). Después de todo, es sólo un instrumento. No me puede leer el pensamiento (aunque considerando lo que cuesta, al menos debería impedirme seguir cometiendo el mismo error una y otra vez). Una computadora computa. No piensa. No pregunta. No se sonríe, sacude su monitor y dice: "Max, Max, sé lo que estás tratando de hacer. No quieres tocar el botón de borrar, y desaparecer las mismas letras que deseas conservar. Si miras a tu pantalla lo podrás ver. Pero puesto que no lo haces y puesto que tú y yo somos buenos amigos y tú me dejas conectada, voy a darte lo que necesitas y no lo que solicitas".

Las computadoras no hacen eso. Las computadoras son legalistas, pragmáticas impersonales. Aprieto un botón y obtengo una respuesta. Aprendo el sistema y obtengo la impresión. Trabo el sistema y tengo que prepararme para una larga noche.

Las computadoras son criaturas sin corazón. No espere ninguna compasión de la que usa en su regazo. No le llaman un disco duro por gusto. (Incluso la caja es dura.)

Algunos tipos tienen una teología computarizada cuando se trata de comprender a Dios. Dios es el último modelo de mesa. La Biblia es el manual de mantenimiento, el Espíritu Santo es el disco flexible y Jesús es el número de servicio 1-800.

Se llama cristianismo computarizado. Apriete los botones apropiados, entre el código correcto, inserte la información debida, y ¡acerté! imprima su propia salvación.

Es religión profesional. Usted hace su parte y la Computadora Divina hace la suya. No hay necesidad de orar (después de todo usted controla el teclado). No son necesarios vínculos emocionales (¿quién puede desear abrazar circuitos?) ¿Y adorar? Bueno, adorar es un ejercicio de laboratorio: inserte los rituales y mire los resultados.

Religión computarizada. Sin arrodillarse. Sin llorar. Sin gratitud. Sin sentimiento. Es formidable... a menos que usted se equivoque. A no ser que usted cometa un error. A menos que usted entre la información equivocada u olvide salvar el manuscrito. A no ser que lo sorprendan en el lado equivocado de una erupción de poder. Y entonces... mala suerte, mi amigo, arréglatelas como puedas.

Religión por computadora. Eso es lo que sucede cuando usted...

reemplaza al Dios viviente con un sistema frío;

reemplaza el amor inestimable con un formato de presupuesto;

reemplaza el sacrificio fundamental de Cristo con los endebles logros del hombre.

Cuando mira a Dios como a una computadora y al cristiano como un machacador de números, un ordenador de cursor, un pulsador de botones... esa es la religión por computadora.

Dios la odia. Aplasta a la gente. Contamina a los líderes. Corrompe a Sus hijos.

¿Que cómo lo sé? El lo dice. Jesús condena la religión reglamentada. Con los ojos echando fuego, Jesús perfora una y otra vez el globo de aire caliente de los fariseos. Su sermón del martes es un tiroteo de un solo lado. El resultado es una permanente proclamación de Dios contra la salvación sistemática.

Veamos si un simple ejercicio aclara este punto. ¿Cómo llenaría usted este espacio en blanco?

El hombre es justificado ante Dios por medio de_____.

Una simple declaración. Sin embargo, no se deje engañar por su brevedad. La forma en que usted conteste es crucial; refleja la naturaleza de su fe.

El hombre es justificado ante Dios por medio de...

Ser bueno. El hombre es justificado mediante la bondad. Pague sus impuestos. Reparta emparedados a los pobres. No conduzca su auto demasiado rápido ni beba mucho, o ni beba en absoluto. Conducta cristiana: ese es el secreto.

Sufrir. Esa es la respuesta. Esa es la forma de ser justificado ante Dios: sufrir. Dormir en el suelo sucio. Atravesar selvas malsanas. Malaria. Pobreza. Frío. Vigilias nocturnas. Votos de castidad. Cabezas rapadas, pies descalzos. Mientras mayor el dolor, mayor la santidad.

No, no, no. ¿La manera de ser justificado ante Dios? Doctrina. Interpretación de la verdad en punto muerto. Teología a prueba de infiltraciones que explica cada misterio. El Milenio simplificado. La inspiración aclarada. El papel de la mujer definido de una vez por todas. Dios tiene que salvarnos: nosotros sabemos más que El.

¿Cómo nos justificamos ante Dios? Todo lo anterior se ha tratado. Todo se ha enseñado. Todo está demostrado. Pero nada de eso viene de Dios.

De hecho, ése es el problema. Ninguno viene de Dios. Todos vienen de la gente. Piense en eso. ¿Quién es la fuerza mayor en los ejemplos anteriores? ¿La humanidad o Dios? ¿Quien hace la salvación, usted o El?

Si uno se salva por las buenas obras, no necesitamos a Dios; recordatorios semanales de lo que hay que hacer y no hacer nos conducirán al cielo. Si nos salvamos por el sufrimiento, por supuesto que no necesitamos a Dios. Todo lo que necesitamos es un látigo y una cadena y el evangelio de la culpa. Si nos salvamos por doctrina, entonces, ¡por Dios, estudiemos! No necesitamos a Dios, lo que necesitamos es un léxico. Sopese los asuntos. Explore las opciones. Descifre la verdad.

Pero tenga cuidado, estudiante. Porque si usted se salva por tener la doctrina exacta, entonces un solo error sería fatal. Y esto va por aquellos que creen que nos reconciliamos con Dios a través de las obras: espero que la tentación no sea nunca mayor que la fortaleza. Si es así, una mala caída puede ser un mal augurio. Y aquellos que creen que nos salva el sufrimiento, tengan cuidado también, porque usted no sabe cuánto sufrimiento se requiere.

De hecho, si usted se está salvando a sí mismo, nunca está seguro de nada en absoluto. Jamás sabe si está sufriendo lo suficiente, llorando bastante, o aprendiendo lo que hace falta. Tal es el resultado de la religión computarizada: el temor, la inseguridad, la inestabilidad. E, irónicamente, la arrogancia.

Así es: la arrogancia. El inseguro es el que más alardea. Los que están tratando de salvarse a sí mismo se promueven a sí mismos. Quienes se salvan por las obras, exhiben obras. Quienes se salvan por el sufrimiento, descubren cicatrices. Quienes se salvan por el sentimiento, exhiben sus sensaciones. Y aquellos que se salvan por doctrina... exacto! Llevan la doctrina impresa en sus mangas.

O, como en el caso de los fariseos, en su frente: "Pues ensanchan sus filacterias".[1]

O en sus hombros: "Y extienden los flecos de sus mantos".[2]

O exigen los asientos selectos: "Y aman los primeros asientos en las cenas, y las primeras sillas en las sinagogas".[3]

Y se enorgullecen de los títulos: "Y las salutaciones en las plazas, y que los hombres los llamen: Rabí, Rabí".4

Los fariseos eran arrogantes. Eran arrogantes porque estaban pagados de sí mismos. Estaban convencidos de que eran moralmente superiores que los demás, que eran más justos y rectos que el resto. Estaban convencidos de que eran más justos que los demás porque estaban tratando de justificarse sin Dios. Habían convertido el Templo en una red de computadoras. La sinagoga era un curso de programación, los rituales eran el teclado y los fariseos eran los programadores. Eran las autoridades. Estaban justificados y lo sabían.

"Hacen todas sus obras para ser vistos por los hombres".[5]

Eso enfureció a Jesús. Tanto lo enfureció que Su última prédica para los fariseos no fue sobre el amor o la compasión o la evangelización. Fue acerca de la falsa fe y los corazones vacíos. Fue un portazo en la cara del liderazgo legalista.

Seis veces los llamó hipócritas y cinco veces les dijo ciegos. Los acusó de fatalismo suicida: de escoger el infierno antes que el cielo y llevarse a todo el mundo con ellos. En vez de convertir al pueblo a Dios, hacían réplicas de sí mismos. Complicaban el evangelio con extraños mitos y supersticiones. Se enorgullecían cuando se trataba de recoger los diezmos, pero echaban una siesta cuando llegaba el momento de servir.6

Su fe era tan atractiva como comer de un cuenco lleno de costras de las lentejas de ayer o tan aromático como excavar en las tumbas del siglo pasado. Eran tan inocentes como Jack el Destripador y tan sinceros como un alcahuete.

"¡Serpientes, generación de víboras!", los acusó Jesús, viendo en sus ojos la misma negrura brillante que vio Eva en el huerto.

Lo que enfureció a Jesús durante Su última semana no fue la confusión de los apóstoles. No estaba molesto por las exigencias del pueblo. No montó en cólera con los soldados y sus látigos ni explotó con Pilato y sus preguntas. Pero lo que El no podía soportar era la fe de doble cara: la religión utilizada para ganancia y para adquirir prestigio. Esto no lo soportaba.

Treinta y seis versículos de fuego se resumieron en una pregunta: "¿Cómo escaparéis de la condenación del infierno?"[7] Buena pregunta. Buena para los fariseos y buena para usted y para mí. ¿Cómo vamos a escapar a la condenación del infierno?

Esa pregunta se contesta volviendo atrás al espacio en blanco y llenándolo. El hombre es justificado por _____.

Irónicamente, o con propiedad, fue un fariseo quien primero escribió esa línea. O, por lo menos, había sido fariseo. Se entrenó ante una terminal teológica. Era un técnico religioso en alza. Podía contestar las preguntas más quisquillosas y resolver el más minucioso acertijo. Pero la gran pregunta, la de Jesús, no pudo contestarla.

Me pregunto si estaba presente el día en que Jesús la hizo? "¿Cómo escaparéis de la condenación del infierno?" Quizás estaba. Quizás su joven rostro estaba entre la multitud. Puede ser que estuviera allí, con los rollos de pergamino bajo el brazo, la expresión malhumorada. El heredero aparente del trono legalista.

Me pregunto si estaba allí...

Si él estaba, no tenía respuesta. Ningún legalista la tiene. El hombre que pretende salvarse a sí mismo nada dice en presencia de Dios. De repente, nuestros mejores esfuerzos son lastimosamente endebles. ¿Se atrevería usted a estar de pie ante Dios para pedirle que lo salve a cuenta de sus sufrimientos, o su sacrificio o sus lágrimas o su estudio?

Yo tampoco.

Tampoco Pablo. Le tomó décadas el descubrir lo que él escribió en una sola oración:

"El hombre es justificado por fe".[8] No por buenas obras, sufrimiento o estudio. Todos esos pueden ser el resultado de la salvación, pero no son la causa de ella.

¿Cómo escapará usted de la condenación del infierno? Hay un solo camino: mediante la fe en el sacrificio de Dios. No es lo que usted haga, sino lo que El hizo.

»

A propósito, mi computadora todavía me vuelve loco. Todavía hace LO QUE YO DIGO, Oh, y no lo que quiero hacer. Aprieto el botón equivocado, y pago el precio. Por esa razón, me niego a llamarla como la llama su fabricante. No es una computadora personal. Es fría, indiferente y no podía importarle menos mi felicidad.

Una computadora personal sería diferente. De hecho no sería en absoluto una computadora, sino un amigo. Un amigo que me da lo que necesito en vez de lo que le pido. Un amigo que sabe más de mí que yo mismo. Un amigo al que no hay que apagar por la noche y conectar por las mañanas.

¿Una computadora como esa? Es pedir demasiado, ya lo sé. ¿Un Dios como ese? Es pedir demasiado todavía. Pero eso es lo que El es. ¿Por qué usted cree que es conocido como su Salvador personal?

Capítulo 15

Fe sin confusiones

"Por tanto nadie os juzgue en comida o en bebida, o en cuanto a días de fiesta, luna nueva o días de reposo".

Colosenses 2:16

*L*a hora de irse a la cama es mala para los niños. Ningún chiquillo comprende la lógica de ir a la cama mientras todavía le sobra energía en el cuerpo o le quedan horas al día.

Mis hijas no son la excepción. Hace unas pocas noches, después de muchas objeciones e incontables quejidos, las niñas al final se pusieron sus camisones, se metieron en sus camas y acostaron sus cabezas en la almohada. Me deslicé en la habitación para darles el último beso. Andrea, la de cinco años, todavía estaba despierta, no mucho, pero despierta. Después que la besé, levantó los párpados por última vez y dijo: "No puedo esperar hasta que despierte mañana".

¡Oh, que disposición a los cinco años! Esa sencilla pasión sin confusiones por vivir que no puede esperar hasta mañana. Una filosofía de la vida que dice: "Juega mucho, ríe mucho, y déjale las preocupaciones a tu padre." Un pozo sin fondo de optimismo inundado por un eterno manantial de fe. ¿Es para maravillarse que Jesús dijera que debemos tener el corazón de un niño antes de que podamos entrar en el reino de los cielos?

Me gusta la forma en que J. B. Phillips interpretó la llamada de Jesús a semejarnos a los niños: Y llamando Jesús a un niño, lo puso en medio de ellos, y dijo: 'De cierto os digo, que si no os volvéis y os hacéis como niños, no entraréis en el reino de los cielos'.[1] Phillips dice "cambiéis toda vuestra perspectiva". No es poco lo que pide. Dejar de mirar la vida como un adulto y mirarla a través de los ojos de un niño.

Advertencia esencial para nosotros los sensatos, de rostro serio y expresión adusta. Consejo necesario para nosotros, los pálidos Charles Atlas que sostenemos al mundo sobre nuestros hombros. Estupendas palabras para aquéllos de nosotros que rara vez decimos: "No puedo esperar para despertar", y con frecuencia declaramos: "No puedo esperar para irme a la cama".

Somos como niños en un sentido. Gruñimos por la cama tal como ellos... sólo que gruñimos por salir de ella en vez de por acostarnos en ella.

No es difícil comprender por qué.

¿Quién se entusiasma por subirse al mundo en que muchos despertamos? Plazos límites además de los embotellamientos del tránsito encima de jefes gruñones y calles atestadas. Mantener la cabeza en la almohada es mucho más atractivo que mantener el hombro en la noria.

Una palabra resume la frustración de la mayor parte de la gente: confusión. Nada parece sencillo. ¿Ha intentado usted comprender las opciones para una hipoteca últimamente? ¿Tratado de entender los cambios de humor de su pareja? ¿Comprar un sistema telefónico para su oficina recientemente? ¿Probado arreglar un microondas o descifrar el consejo de un terapeuta? Entonces ya sabe a qué me refiero.

Entre, religión. Nosotros los cristianos tenemos una solución para la confusión ¿no es así? "Deje la confusión de la humanidad mundana", invitamos, "y entre en el jardín sereno y seguro de la religión".

Seamos honestos. En vez de un "jardín sereno y seguro" ¿que tal si le llamamos "atracción secundaria frenética y confusa?" No debería ser así, pero cuando uno retrocede y mira la religión cómo debe parecerle a quien no es religioso, la imagen que viene a la mente es la de un parque de diversiones.

Luces fulgurantes de ceremonia y pompa. Estremecimientos de emoción de una montaña rusa. Música estridente. Gente extraña. Ropas extravagantes.

Como anuncian los pregoneros de un predicador callejero: "Entre directamente a la Iglesia de la Esperanza Celestial de los Angeles Supremos y los Corazones Felices..."

"Por aquí, señora, esa iglesia es demasiado dura con la gente como usted. Pruebe con nosotros, que enseñamos la salvación por la santificación, lo cual conduce a la purificación y la estabilidad. A menos que usted prefiera la senda de la predestinación que ofrece..."

"Su atención, por favor. Pruebe nuestro culto de Credo Calvinista premilenial, no carismático a la medida... no se arrepentirá".

¿Un jardín seguro de la serenidad? No en balde una dama me dijo una vez: "Me gustaría probar con Jesús, si pudiera pasar más allá de la religión".

Así dicen miles. Puede que ella esté hablando por usted. Quizás usted anhele despertar en la misma vida en que lo hace mi hija: alegre, apacible y segura. Usted no la ha encontrado en el mundo y al mirar por el hueco de la cerradura de la puerta de la iglesia no le parece que tampoco esté dentro.

O incluso ha hecho más que mirar por la cerradura; ha entrado y ha puesto manos a la obra. Se ha reunido, ha visitado, ha trabajado como voluntario y ha enseñado. Pero en vez de descanso ha encontrado ansiedad. Y ahora está perplejo porque Jesús dijo que usted debía sentir paz y puesto que no la siente, debe ser culpa suya. Dios no debía decir eso y no hacerlo, ¿verdad? Así que además de sentirse confundido por el mundo y la iglesia, está confundido por su propia incapacidad para discernir qué es lo que sucede.

Caracoles !Ser cristiano es duro!

No se supone que sea duro. La religión complicada no la hizo Dios. Leyendo Mateo 23 se convencerá de eso. Ahí está la embestida de Cristo contra la religión mediatizada.

Si usted ha pensado siempre que Jesús era un tímido enanito pálido, entonces lea este capítulo y vea el otro lado: un padre encolerizado que denuncia a los alcahuetes que han prostituido a sus hijos.

Seis veces los llama hipócritas. Cinco veces los llama ciegos. Siete veces se alza contra ellos censurándolos y una vez profetiza su ruina. No lo que se llamaría una presentación de relaciones públicas.

Pero en medio del río rugiente de palabras hay refugio en una isla de instrucción. En una parte entre las erupciones de fuego Jesús enfunda su pistola, se vuelve a los discípulos de ojos asombrados y describe la esencia de la fe sencilla. Cinco versículos: una lectura tan breve como práctica. Llámela la solución de Cristo al cristianismo complicado.

Pero vosotros no queráis que os llamen Rabí; porque uno es vuestro Maestro, el Cristo, y todos vosotros sois hermanos. Y no llaméis padre vuestro a nadie en la tierra; porque uno es vuestro padre, el que está en los cielos. Ni seáis llamados maestros; porque uno es vuestro Maestro, el Cristo. El que es el mayor de vosotros, sea vuestro siervo. Porque el que se enaltece será humillado, y el que se humilla será engrandecido.[2]

¿Cómo simplifica usted su fe? ¿Cómo se deshace de la confusión? ¿Cómo usted descubre un gozo que merezca la pena despertar a él? Sencillo. Deshágase del intermediario.

Descubra la verdad por usted mismo. Vosotros tenéis un solo Maestro, y todos vosotros sois hermanos.[3]

Desarrolle la confianza por usted mismo. No llaméis padre vuestro a nadie en la tierra; porque uno es vuestro padre, el que está en los cielos.[4]

Discierna Su voluntad por usted mismo. Uno es vuestro Maestro, el Cristo.[5]

Hay algunos que se colocan entre usted y Dios. Hay algunos que sugieren que el único camino para llegar a Dios es a través de ellos. Existe el gran maestro que tiene la última palabra en enseñanza de la Biblia. Existe el padre que debe bendecir sus actos. Existe el maestro espiritual que le dirá lo que Dios quiere que usted haga. El mensaje de Jesús para la religión complicada es quitar a esos intermediarios.

El no está diciendo que usted no necesite maestros, ancianos o consejeros. El dice, no obstante, que todos somos hermanos y que tenemos igual acceso al Padre. Simplifique su fe buscando a Dios por usted mismo. No son necesarias las ceremonias que confunden. No se requieren rituales misteriosos. Nada de canales elaborados para órdenes o niveles de acceso.

¿Tiene usted una Biblia? Puede estudiar. ¿Tiene un corazón? Puede orar. ¿Tiene una mente? Puede pensar.

Una de mis historias favoritas trata de un obispo que iba viajando por barco para visitar una iglesia a través del océano. Durante el viaje, la nave se detuvo en una isla por un día. Bajó a pasear por la playa y se encontró a tres pescadores que remendaban sus redes.

Sintiendo curiosidad por ese trabajo, les hizo algunas preguntas. Cuando ellos supieron que era un líder cristiano, se entusiasmaron: "¡cristianos!" dijeron, señalándose orgullosos unos a otros.

El obispo se impresionó, pero sin abandonar la cautela: ¿Conocían la oración del Señor? Nunca habían oído hablar de ella.

"Cuando oran, ¿qué dicen entonces?"

"Oramos: 'Somos tres,' Tú eres tres, ten misericordia de nosotros".

El obispo se quedó aplastado por lo primitivo de la oración. "Eso no sirve". Así que empleó el día en enseñarles la Oración del Señor. Los pescadores eran aprendices deficientes, pero dispuestos. Y antes de que el obispo zarpara al día siguiente, ya podían recitar la oración sin errores.

El obispo se sintió orgulloso.

En el viaje de regreso el buque del obispo se acercó a la isla de nuevo. Cuando apareció en el horizonte, el obispo salió a la cubierta y recordó complacido los hombres a quienes había enseñado y resolvió ir a verlos otra vez. Mientras estaba pensando apareció una luz en el horizonte cerca de la isla. Parecía acercarse. Mientras el obispo observaba maravillado comprendió que los tres pescadores caminaban hacia él sobre el agua. Pronto todos los pasajeros y la tripulación estuvieron sobre cubierta para ver el espectáculo.

Cuando estuvieron a distancia de poder oírse, los pescadores le gritaron: "Obispo, nos apresuramos a venir a usted".

"¿Qué desean?" preguntó el obispo estupefacto.

"Lo sentimos mucho. Olvidamos la hermosa oración. Decimos 'Padre Nuestro que estás en los cielos, santificado sea Tu nombre...' y se nos olvidó el resto. Por favor dígala otra vez."

El obispo contestó humilde: "Regresen a casa, amigos míos, y cuando oren, digan: 'Somos tres, Tú eres tres, ten misericordia de nosotros'".

»

Busque la fe sencilla. Déle importancia a lo principal. Concéntrese en lo crucial. Busque a Dios.

"No puedo esperar a despertar", son las palabras de un niño con fe. La razón por la que Andrea puede decirlas es porque su mundo es simple. Ella juega mucho, se ríe mucho y le deja las preocupaciones a su padre.

Hagamos lo mismo.

Capítulo 16

Vida sobreviviente

"Mas el que persevere hasta el fin, éste será salvo. Y será predicado este evangelio del reino en todo el mundo, para testimonio a todas las naciones; y entonces vendrá el fin".

Mateo 24:13-14

No todo el mundo entenderá este capítulo. No todos comprenderán el mensaje del mismo o lo relacionarán con la promesa que encierra. Usted no lo entenderá si:

Nunca ha cometido errores y es intolerante con quienes se equivocan.

Su vida es tan higiénica como un hospital nuevo y su alma puede pasar la prueba del guante blanco.

Es un ardiente zelote que piensa que Dios tiene suerte de tenerlo de Su lado.

Soñó con un hogar perfecto y lo tuvo; soñó con un trabajo perfecto y lo logró; soñó con una vida libre de problemas y la consiguió.

Su almohada nunca ha conocido las lágrimas, sus oraciones nunca han brotado de la angustia y su fe nunca ha vacilado por la duda.

Si usted no conoce el temor ni las lágrimas y no puede entender por qué otros no son iguales, este capítulo le va a sonar como un idioma extranjero.

123

¿Por qué? Porque este capítulo trata de la supervivencia. Las próximas páginas tratan de cómo enfrentar el dolor. Los siguientes párrafos no se escribieron para quienes están en la cima del mundo, sino para aquellos que se hallan atrapados bajo un mundo que se ha derrumbado. Si puede relacionarse con esta descripción, entonces vuelva a Mateo y prepárese para recibir una seguridad.

Eso puede sorprenderlo si conoce algo acerca de Mateo 24. Usted lo recuerda como la peña comunitaria de los fanáticos del final de los tiempos. El lugar donde acampan los matemáticos escatológicos y los profetas de los últimos días.

Merece esa reputación. Esta sección, conocida como el discurso del monte del Olivar, es la proclamación de Cristo del final de los tiempos. Los estudiosos han dedicado más de un libro a este solo capítulo para contestar una pregunta: ¿Qué está diciendo Jesús?

Frases ominosas pululan en el capítulo: "guerras y rumores de guerras", "la abominación desoladora" y "¡ay de las que estén en cinta y de las que críen en aquellos días!" Descripciones horripilantes del sol que se oscurece y la luna que no da su luz. Buitres que se reúnen sobre los cadáveres y rayos que relampaguean.

¿Cómo lo explicamos?

Algunos piensan que todo el capítulo es simbólico y no debe interpretarse literalmente. Otros consideran que es una combinación de comentarios igualmente aplicados a la destrucción de Jerusalén y al regreso de Cristo. Todavía otros declaran que el capítulo tiene un propósito y que es para prepararnos para el Juicio Final.

Sabemos dos cosas seguras. Primera, Jesús está preparando a sus discípulos para un futuro cataclísmico. Sus presagios de desastre se cumplieron en el año 70 cuando los romanos pusieron de rodillas a Jerusalén. Sus palabras se cumplirán otra vez cuando El venga a reclamar a los Suyos y a poner un punto después de la historia.

También sabemos, sin embargo, que los cataclismos no ocurren solamente en Jerusalén y al final de la historia. Hoy en día pueden encontrarse cuerpos hambrientos y corazones fríos con facilidad. El consejo que Jesús da para sobrevivir a los tiempos difíciles es útil para mucho más que las batallas de Roma y Armagedón. Es útil para las batallas de su mundo y el mío.

Así que, si usted está buscando mi predicción para el día en que Cristo regresará, lo siento. No va a encontrarlo aquí. El no ha decidido darnos esa fecha, así que el tiempo gastado en especulaciones es un tiempo desperdiciado.

El ha decidido, sin embargo, dar un manual de supervivencia para vidas sometidas a sitio.

"Cuando Jesús salió del templo y se iba, se acercaron sus discípulos para mostrarle los edificios del templo. Respondiendo El les dijo: ¿Veis todo esto? De cierto os digo, que no quedará aquí piedra sobre piedra, que no sea derribada."[1]

Es imposible exagerar la importancia del Templo en la mente judía. El Templo era el lugar de reunión entre Dios y el hombre. Representaba la expiación, el sacrificio y el sacerdocio. Era la estructura que representaba el corazón del pueblo.

El Templo era deslumbrador; construido de mármol blanco y recubierto de oro. En el sol brillaba tanto que deslumbraba. El área del Templo estaba rodeada por pórticos y en estos pórticos había pilares cortados de mármol sólido de una pieza. Tenían once metros y medio de alto y eran tan gruesos que tres hombres tomados de las manos a duras penas podían abarcarlos. Los arqueólogos han encontrado pilares del templo que miden de seis a doce metros de largo y pesan más de cuatrocientas toneladas.[2]

¡Qué visión tan impresionante tiene que haber sido para los seguidores campesinos de Jesús! No en balde estaban boquiabiertos. Pero más emocionante que lo que veían fue lo que oyeron decir a Jesús: "De cierto os digo, que no quedará aquí piedra sobre piedra, que no sea derribada".

Hay patetismo en la sencilla frase que comienza el capítulo: "Jesús salió del templo y se iba". Jesús ha vuelto su espalda al Templo.[3] El que ordenó la construcción del Templo se está alejando de él. El Santo ha abandonado la montaña amada.

El les dijo: "Todo se vendrá abajo".[4]

Decir que el Templo se vendría abajo era decir que la nación caería. El Templo era el pueblo. Por cerca de un milenio el Templo había sido el corazón de Israel y ahora Jesús estaba diciendo que el corazón se rompería. "He aquí vuestra casa os es dejada desierta",[5] le había dicho a los fariseos ese mismo día.

Y ciertamente se derrumbó. En el 70 A.D., Tito, el general romano, le puso sitio a la ciudad. Estando asentada en una colina, Jerusalén era difícil de tomar. Así que Tito decidió rendirla por hambre. El macabro horror del hambre es un momento negro en la historia judía. Dejemos que el historiador Josefo describa el sitio:

> Entonces el hambre creció y progresó, y devoró a la gente por casas y familias completas; las habitaciones altas estaban llenas de mujeres y niños que se morían de hambre; y los senderos de la ciudad estaban llenos de cadáveres de ancianos; los niños y los jóvenes vagaban por los mercados y plazas como sombras, hinchados de hambre y caían muertos donde quiera que su miseria los alcanzaba.... El hambre confundió todas las pasiones naturales; porque aquellos que ya iban a morir miraban a quienes los habían precedido en el descanso con ojos secos y bocas abiertas. Un profundo silencio, también, y una especie de noche mortal se había apoderado de la ciudad ... y cada uno de ellos moría con los ojos fijos en el Templo.[6]

Un holocausto: 97.000 fueron tomados cautivos y 1.100.000 fueron matados. Ese fue el desastre que Jesús previó. Fue para este desastre que El preparó a Sus discípulos. Y es este tipo de desastre el que puede golpear el mundo de usted.

Hace unos años fuimos de vacaciones toda la familia a Santa Fe, Nuevo México. Denalyn y yo decidimos ser aventureros y navegar por los rápidos del Río Grande. Conducimos hasta el punto escogido y allí nos encontramos con el guía y los otros turistas valientes.

Sus instrucciones fueron un presagio:

—Cuando caigan al agua... —comenzó.

—Y cuando se encuentren flotando en el río...

—Y cuando el bote se vuelque... —yo estaba empezando a ponerme nervioso. Le di un codazo a Denalyn y le murmuré:

—Fíjate que no dice 'si'.

Tampoco lo dijo Jesús. El no dijo: "En este mundo ustedes pueden tener problemas", o: "En este mundo algunos tienen problemas". No. El nos aseguró: "En el mundo tendréis aflicción".[7] Si usted está con vida, tendrá dolor. Si es una persona, tendrá problemas.

En Mateo 24 Jesús prepara a sus discípulos diciéndoles lo que va a suceder.

"Vendrán muchos en mi nombre diciendo: Yo soy el Cristo; y a muchos engañarán".[8]

"Y oiréis de guerras y rumores de guerras; mirad que no os turbéis, porque es necesario que todo esto acontezca; pero aún no es el fin."[9] "Y habrá pestes, y hambres, y terremotos en diferentes lugares. Y todo esto será principio de dolores."[10]

"Entonces os entregarán a tribulación, y os matarán, y seréis aborrecidos de todas las gentes por causa de mi nombre".[11]

Dista de ser alentador, ¿verdad? Se parece más a las últimas palabras de un oficial antes que sus soldados entren en combate. Se asemeja a una lección que Charles Hall le dio a su equipo de demolición.

Charles Hall se dedica a explotar bombas. Forma parte de un equipo de demolición con explosivos. Le pagan $1.500 a la semana por caminar las arenas de Kuwait después de la guerra, en busca de minas activas o granadas abandonadas.

Richard Lowther, otro experto en demolición, se ha pasado años volando unos cuantos miles de minas submarinas que quedaron después de la Primera y la Segunda Guerras Mundiales. El dice: "Cada vez que tomo el periódico y leo acerca de una nueva guerra civil pienso: 'Magnífico, tan pronto termine iré allí'".[12]

Usted y yo y estos expertos tenemos algo en común: senderos traicioneros a través de territorios explosivos. Son problemas que permanecen parcialmente escondidos en la arena. Una amenaza constante de perder la vida o un miembro.

Y lo más significativo: a nosotros, como al equipo de demolición, se nos llama a caminar a través de un campo minado que no creamos nosotros. Tal es el caso con muchas de las luchas de la vida. No las creamos nosotros, pero tenemos que vivir con ellas.

No hicimos el alcohol, pero en nuestras carreteras hay conductores borrachos. No vendemos drogas, pero en nuestras vecindades hay quienes sí lo hacen. No creamos la tensión internacional, pero tenemos que temer a los terroristas. No entrenamos a los ladrones, pero cada uno de nosotros es una víctima potencial de su codicia.

Nosotros, como los equipos de demolición, caminamos con cautela a través de un campo minado que no hemos creado.

Los discípulos estaban a punto de hacer lo mismo. El colapso del Templo no era culpa de ellos; no habían sido ellos quienes rechazaron a Cristo. No fue por causa de ellos que Jesús dijo: "He aquí vuestra casa os es dejada desierta", pero por vivir en un mundo pecador, serían las víctimas de las consecuencias del pecado.

Si uno vive en un campo de tiro, hay probabilidades de que lo alcance una bala. Si vive en un campo de batalla, es posible que una bala de cañón aterrice en su patio. Si camina por una habitación a oscuras, puede golpearse los dedos de los pies. Si camina por un campo minado, pudiera perder la vida.

Y si vive en un mundo entenebrecido por el pecado, uno puede ser su víctima.

Jesús es sincero en cuanto a la vida que nos pide que llevemos. No hay garantía de que por pertenecerle a El saldremos ilesos. No hay una promesa en las Escrituras que diga que cuando uno sigue al Rey está exento de las batallas. No, con frecuencia es todo lo contrario.

¿Cómo sobrevivimos a la batalla? ¿Cómo soportamos el ataque?

Jesús nos da tres certezas. Tres seguridades. Tres absolutos. Imagíneselo inclinándose hacia adelante y mirando a sus discípulos a los ojos. Sabiendo en qué clase de jungla están a punto de entrar, les da tres compases que, si los usan, los mantendrán en el camino correcto.

Primero, seguridad de la victoria: "Mas el que persevere hasta el fin, éste será salvo".[13]

El no dice que si uno tiene éxito será salvo. O si alcanza la cima será salvo. El dice si uno resiste. Una interpretación precisa sería: "Si se aferran ahí hasta el final... si recorren la distancia".

Los brasileños tienen un dicho muy bueno para esto. En portugués, una persona que tiene la habilidad de aferrarse y no darse por vencida tiene *garra*. ¡Qué imaginación! Tener *garra* quiere decir tener uñas que clavar en la ladera del farallón para no caerse.

Así hacen los salvados. Puede que lleguen cerca del borde, puede que incluso tropiecen y resbalen. Pero clavarán sus uñas en la roca de Dios y ahí se aferrarán.

Me han contado que durante la filmación de *Ben Hur,* Charlton Heston tuvo dificultades en aprender a conducir una cuadriga (¿quién no las tendría?). Después de practicar mucho al fin pudo controlar el vehículo, pero todavía tenía dudas. Se dice que explicaba sus preocupaciones al director Cecil B. DeMille, diciendo:

—Pienso que puedo conducir la cuadriga, pero no estoy seguro de poder ganar la carrera.

DeMille le contestó:

—Limítate a permanecer en la carrera y yo me encargaré de que la ganes.

Jesús nos da la misma seguridad. Uno se mantiene en la carrera, y El se encargará de que llegue a casa. Aquellos que tienen *garra* serán salvos.

Segundo, Jesús da la seguridad de logro y cumplimiento: "Y será predicado este Evangelio del reino en todo el mundo, para testimonio a todas las naciones".[14]

En 1066 se libró una de las más decisivas batallas de la historia del mundo. Guillermo, Duque de Normandía, se atrevió a invadir Inglaterra. Los ingleses eran formidables oponentes en cualquier parte, pero casi invencibles en su propia tierra.

Pero Guillermo tenía algo que los ingleses no tenían. El había inventado un aparato que le daba una gran ventaja a su ejército en la batalla. Tenía la ventaja del estribo.

La sabiduría convencional de la época era que un caballo era una plataforma demasiado inestable para luchar desde ella. Como resultado de eso, los soldado cabalgaban hasta el campo de batalla y entonces se desmontaban para entrar en combate. Pero los hombres del ejército normando, afirmándose seguros en sus estribos, eran capaces de cabalgar hasta los ingleses. Eran más rápidos y más fuertes.

El estribo condujo a la conquista de Inglaterra. Sin él, Guillermo nunca hubiese podido desafiar a semejante enemigo. Y este libro pudiera haber sido escrito en inglés antiguo.

Debido a que tenían forma de mantenerse de pie en el combate, ganaron la batalla. La seguridad de la victoria que nos da Jesús es atrevida. Observe a su auditorio: pescadores rudos y trabajadores cuyos ojos se desorbitan a la vista de una gran ciudad. Hubiera sido difícil encontrar a alguien que se hubiese apostado algo a que la profecía se iba a cumplir.

Pero así fue, sólo cincuenta y tres días después. Cincuenta y tres días después, había en Jerusalén judíos provenientes "de todas las naciones bajo el cielo".[15] Pedro se detuvo ante ellos y les predicó acerca de Jesús.

Los discípulos cobraron valor con la seguridad de que la tarea se completaría. Debido a que tenían un modo de erguirse en el combate, al terminar la batalla habían obtenido la victoria. Tenían una ventaja... la misma que tenemos nosotros.

Finalmente, Jesús nos da seguridad de terminación: "y entonces vendrá el fin"[16]

En 1 Tesalonicenses 4:16 encontramos un versículo intrigante: "Porque el Señor mismo con voz de mando, con voz de arcángel y con trompeta de Dios, descenderá del cielo".

¿Se ha preguntado usted alguna vez qué dirá esa voz de mando? Será la palabra inaugural del cielo. Será el primer mensaje audible que muchos hayan oído de Dios. Será la palabra que cierra una era y abre otra nueva.

Pienso que sé cuál será esa palabra de mando. Puede que me equivoque, pero pienso que la orden que pone fin a los dolores de una era y da comienzo al regocijo del cielo será de dos palabras:

"No más".

El Rey de reyes alzará su mano horadada y proclamará: "No más".

Los ángeles se pondrán de pie y el Padre dirá: "No más".

Cada persona que vive y que ha vivido se volverá hacia el cielo y escuchará a Dios anunciar: "No más".

No más soledad.

No más lágrimas.

No más muerte. No más tristeza. No más llanto. No más dolor.

Cuando Juan se sentó en la isla de Patmos rodeado por el mar y separado de sus amigos, soñó con el día en que Dios diría: "No más".

Este mismo discípulo, que había oído a Jesús hablar estas palabras de reafirmación más de medio siglo antes, ahora sabía lo que significaban. Me pregunto si él pudo oír la voz de Jesús en su recuerdo.

"Y entonces vendrá el fin".

Para quienes viven para este mundo, esa es mala noticia. Pero para quienes viven aguardando el mundo por venir, es una promesa muy alentadora.

Usted está sobre una mina de tierra, amigo mío, y es sólo cuestión de tiempo: "En este mundo tendréis aflicción". La próxima vez que se caiga al río al atravesar los rápidos de la vida, recuerde sus palabras de reafirmación:

El que persevere hasta el fin será salvo.

El Evangelio será predicado.

Entonces vendrá el fin.

Puede estar seguro.

Capítulo 17

Relatos
de castillos
de arena

"Y no entendieron hasta que vino el diluvio
y se los llevó a todos".

Mateo 24:39

*S*ol abrasador. Aire salobre. Olas rítmicas.

Hay un niñito en la playa. De rodillas, amontona y compacta la arena con su palita plástica dentro de un cubito rojo brillante. Entonces, vira el cubo en la superficie y lo levanta. Y, para deleite del pequeño arquitecto, queda hecha la torre de un castillo.

Trabajará toda la tarde. Aplanando las paredes con la palita. Compactando los muros. Los centinelas serán tapitas de botellas. Y quedará terminado un castillo de arena.

»

Gran ciudad. Calles atestadas. Tránsito atronador.

Un hombre está en su oficina. En su escritorio amontona papeles en grupos y delega tareas. Se coloca el teléfono en el hombro y escribe en el tablero con los dedos. Juega con los números y firma contratos y, para su delicia, consigue una ganancia.

Toda su vida trabajará. Formulando planes. Previendo el futuro. Los centinelas serán las rentas anuales. Los puentes serán las ganancias de capital. Se construirá un imperio.

»

Dos constructores de dos castillos. Tienen mucho en común. Dan forma a los granos hasta conseguir grandes cosas. No ven nada y hacen algo. Son diligentes y determinados. Y para ambos, vendrá la marea y vendrá el final.

Sin embargo, ahí es donde terminan las similitudes. Porque el niño ve el fin, mientras el hombre lo ignora. Observe al niño cuando se acerque el anochecer. Cada ola se mueve una pulgada más cerca de su creación. Cada cresta de ola rompe más cerca que la anterior.

Pero el niño no se asusta. No le sorprende. Todo el día las olas que golpean la orilla le han estado recordando que el final es inevitable. El sabe el secreto del oleaje. Pronto vendrá y se llevará su castillo a las profundidades.

El hombre, sin embargo, no conoce el secreto. Debería saberlo. El, como el niño, vive rodeado de recordatorios rítmicos. Los días vienen y van. Las estaciones se acercan y se alejan. Cada amanecer que se convierte en atardecer murmura el secreto: "El tiempo se llevará tu castillo".

Así que uno está preparado y otro no. Uno está en paz mientras el otro se atemoriza.

Mientras las olas se acercan, el sabio chiquillo salta sobre sus pies y empieza a aplaudir. No hay tristeza, ni temor, ni pesar. El sabía que esto sucedería. No está sorprendido. Y cuando el gran quebrantador rompe contra su castillo y su obra maestra es arrastrada al mar, él sonríe. Sonríe, recoge sus instrumentos, toma la mano de su padre, y se vuelve a casa.

El adulto, sin embargo, no es tan sabio. Cuando la ola de los años cae sobre su castillo, se aterroriza. Se afana sobre su monumento de arena tratando de protegerlo. Coloca obstáculos para preservar de las olas los muros que él ha hecho. Empapado en agua salada y temblando, le gruñe a la marea que sube.

—Este es mi castillo —dice desafiante.

El océano no necesita responder. Ambos saben a quién pertenece la arena.

Finalmente la muralla de agua se eleva por encima del hombre y su pequeño imperio. Por un instante queda bajo el muro de agua... y entonces se desploma. Sus torrecillas de triunfo se deshacen y dispersan y él se queda sobre sus rodillas... apretando puñados de arena mojada de ayer.

Si sólo él lo hubiera sabido. Si sólo hubiese escuchado. Si sólo...

Pero él, como la mayoría, jamás escucha.

Jesús describe a esta gente, los desprevenidos, diciendo que no entendieron nada de lo que sucedería. No son crueles. No son rebeldes o coléricos contra Dios.

Pero son ciegos. No ven el sol poniente. Y son sordos. No escuchan las olas golpeando.

Durante la última semana de su vida, Jesús empleó tiempo valioso en decirnos que aprendiéramos la lección de las olas y nos preparáramos para el fin.

Recuerde, la razón por la que estamos estudiando la última semana de Cristo es para ver lo que está en Su corazón. Escuchar lo que dice. Ver a quién toca. Ser testigos de lo que hace. Hemos visto su compasión por los olvidados. Hemos presenciado su indignación por lo falso. Ahora sale a la superficie otra pasión: su preocupación por nuestro apercibimiento. "Pero el día y la hora nadie sabe, ni aun los ángeles de los cielos, sino sólo mi Padre".[1]

Su mensaje es inequívoco: El regresará, pero nadie sabe cuándo. Así que... estén listos, prevenidos, apercibidos.

Ese es el mensaje de la parábola de las vírgenes.[2]

135

Ese es el mensaje de la parábola de los talentos.[3]

Ese es el mensaje de la parábola de las ovejas y los cabritos.[4] Es un mensaje que debemos tener en cuenta.

Pero es un mensaje al que con frecuencia no se le hace caso.

Me lo recordaron hace poco cuando abordé un avión. Caminé por el pasillo, encontré mi asiento y me senté al lado de un extraño espectáculo.

El hombre sentado a mi lado estaba en bata y zapatillas. Estaba vestido como para estar en la sala de su casa, no para un viaje. Su asiento era extraño también. Aunque mi asiento era de tela como normalmente se ven, el suyo era de cuero finísimo.

—Importado —me dijo, cuando se percató de que yo lo miraba—. Lo compré en Argentina y lo coloqué yo mismo.

Antes que yo pudiera hablar, me señaló unas piedras incrustadas en el brazo del asiento.

—Son rubíes que compré en Africa. Me costaron una fortuna.

Eso fue sólo el principio. Su mesa plegable era de caoba. Había un aparato de televisión portátil instalado junto a la ventanilla. Sobre nosotros colgaba un minúsculo ventilador de techo y una lámpara esférica.

Yo jamás había visto algo así.

Mi pregunta era la que podía esperarse:

—¿Por qué gasta tanto tiempo y dinero en un asiento de aerolínea?

—Yo vivo aquí —me contestó—. Mi hogar está en el avión.

—¿No sale usted nunca?

—¡Jamás! ¿Cómo podría desembarcar y dejar semejante comodidad?

Increíble. El hombre había hecho su hogar en un medio de transporte. Hizo su residencia de un viaje. ¿Difícil de creer? ¿Usted cree que estoy inventando? Bueno, quizás no he visto semejante tontería en un avión, pero sí lo he visto en la vida. Y usted también.

Usted ha visto a gente que trata este mundo como si fuera un hogar permanente. No lo es. Usted ha visto gente derrochar energía en la vida como si fuera a durar para siempre. No será así. Usted ha visto personas tan orgullosas de lo que han hecho, que esperan que nunca tendrán que irse... pero se irán.

Todos nos iremos. Estamos de tránsito. Algún día el avión se detendrá y el desembarco empezará.

Sabios quienes están listos para cuando el piloto diga que hay que salir.

Yo no sé mucho, pero sé viajar. Llevar pocas cosas. Comer poco. Dormir una siesta. Y salir cuando llegue a la ciudad.

Y yo no sé mucho acerca de castillos de arena. Pero los niños sí. Obsérvelos y aprenda. Vaya y construya, pero hágalo con un corazón de niño. Cuando el sol se ponga y la marea suba... aplauda. Salude el proceso de la vida, tome la mano de su Padre y váyase a casa.

Capítulo 18

Esté listo

"Velad, pues, porque no sabéis a qué hora ha de venir vuestro Señor".

Mateo 24:42

*H*ay un secreto en usar un chaleco.

Es un secreto que todo padre debería decir a su hijo. Es una de esas cosas de hombres que tienen que ser pasadas de generación a generación. Es comparable a enseñar a su hijo a afeitarse y usar desodorante. Es un secreto que todo el que usa chaleco debe saber. Si usted tiene un chaleco, espero que lo sepa. Si usted tiene un chaleco y no sabe el secreto, aquí está: abotone el primer botón correctamente.

Tómese su tiempo. No lo haga de prisa. Mire cuidadosamente en el espejo y case el primer botón con el ojal que le corresponde.

Si lo hace, si se abotona bien el primer botón, entonces el resto será fácil. Sin embargo, si no abotona correctamente el primer botón, de ahí en adelante todo saldrá mal. El resultado será un chaleco torcido. Si casa el segundo botón con el primer ojal o el segundo ojal con el primer botón, será un desastre.

Hay ciertas cosas en la vida que sólo pueden hacerse de una forma. Abotonar un chaleco es una de ellas.

Estar listo es otra.

De acuerdo con Jesús, estar listo para Su regreso es un principio como el de abotonar chalecos. De acuerdo con Jesús, iniciar mal ese primer movimiento hará que el resto de su vida esté torcida.

No todas las cosas son como abotonar chalecos. La iglesia a que se asista no lo es. La traducción de la Biblia que uno lee no lo es. El ministerio que escoja tampoco. Pero estar listo para el regreso de Jesús es algo que hay que hacer como abotonar un chaleco. Haga esto bien, y el resto caerá en su lugar. Equivóquese y prepárese para algunas arrugas.

¿Cómo sabemos que éste es un principio como el de abotonar chalecos? Jesús nos lo dijo. Según Mateo, Jesús nos lo dijo en el último sermón que pronunció.

Puede que le sorprenda que Jesús hiciera del apercibimiento el tema de Su último sermón. A mí me sorprendió. Yo hubiera predicado sobre el amor o la familia o la importancia de la iglesia. Jesús no. Jesús predicó sobre lo que muchos hoy consideran pasado de moda. El predicó sobre estar listo para el cielo y permanecer fuera del infierno.

Ese es Su mensaje cuando nos habla del sirviente sabio y del insensato.[1] El sabio estaba listo para el regreso de su señor, el insensato no.

Ese es Su mensaje cuando nos habla acerca de las diez vírgenes. Cinco fueron sabias y cinco insensatas.[2] Las sabias estaban listas cuando llegó el novio y las imprudentes estaban en la tienda de la esquina buscando más aceite.

Ese es el mensaje cuando habla de los tres siervos y las bolsas de oro.[3] Dos de los siervos pusieron el dinero a trabajar e hicieron más dinero para su señor. El tercero escondió el suyo en un hueco. Los primeros dos estaban listos y fueron recompensados cuando el señor regresó. El tercero no estaba preparado y fue castigado.

Esté listo. Ese es un primer paso, sin atenuantes, es como el principio de abotonar chalecos.

Ese es el tema del último sermón de Jesús: "Velad, pues, porque no sabéis a qué hora ha de venir vuestro Señor".[4] El no dijo cuándo vendría el día del Señor, pero describió cómo sería ese día. Ese es un día que nadie pasará por alto.

Cada persona que haya vivido alguna vez estará presente en esa reunión final; cada corazón que haya latido alguna vez; cada boca que haya hablado alguna vez. En ese día usted estará rodeado de un mar de gente. Rica, pobre. Famosa, desconocida. Brillante, loca. Reyes, vagabundos. Todos estarán presentes. Y todos estarán mirando en una dirección. Todos lo estarán mirando a El. Cada ser humano.

"El hijo del Hombre vendrá en su gloria".[5]

Usted no mirará a nadie más. Sin mirar a los lados para ver lo que tienen puesto los demás. Sin murmullos sobre joyas nuevas o comentarios acerca de quién está presente. En esta, la reunión más grande de la historia, usted tendrá ojos nada más que para Uno: el Hijo del Hombre. Envuelto en esplendor. Radiante. Cargado de luz y de poder magnético.

Jesús describe este día con certeza.

No deja lugar a dudas. No dice que puede o podría regresar, sino que *regresará*. A propósito, una veinteava parte de su Nuevo Testamento habla de su regreso. Hay más de trescientas referencias a su segunda venida. Veintitrés de los veintisiete libros del Nuevo Testamento hablan de eso. Y hablan de ello con confianza.

"Por tanto, también vosotros estad preparados; porque el Hijo del Hombre vendrá a la hora que no pensáis".[6]

"Este mismo Jesús, que ha sido tomado de vosotros al cielo, así vendrá como le habéis visto ir al cielo".[7]

"Y aparecerá por segunda vez, sin relación con el pecado, para salvar a los que le esperan".[8]

"El día del Señor vendrá así como ladrón en la noche".[9]

Su regreso es cierto.

Su regreso es final.

A su regreso "apartará los unos de los otros, como aparta el pastor las ovejas de los cabritos. Y pondrá las ovejas a su derecha, y los cabritos a su izquierda".[10]

La palabra *apartar* es una palabra triste. Separar a una madre de una hija, a un padre de un hijo, a un esposo de una esposa. Separar gente en la tierra es triste, pero pensar en hacer eso por la eternidad es horrible.

Especialmente cuando un grupo está destinado al cielo y el otro grupo va al infierno.

No nos gusta hablar del infierno, ¿verdad? En círculos intelectuales el tópico del infierno es considerado como primitivo y tonto. No es lógico: "Un Dios amante no mandaría a la gente al infierno". Así que lo desechamos.

Pero desecharlo es desechar una enseñanza esencial de Jesús. La doctrina del infierno no ha sido desarrollada por Pablo, Pedro o Juan. La ha enseñado el mismo Jesús.

Y desecharla es desechar mucho más. Es desechar la presencia de un Dios amante y el privilegio de una selección libre. Permítame explicarle.

Somos libres tanto para amar a Dios como para no hacerlo. El nos invita a amarlo. Nos urge para que lo amemos. Vino para que pudiéramos amarlo. Pero, al final, la decisión es suya y mía. Despojarnos de esa selección, que El nos obligara a amarlo, sería menos que amor.

Dios explica los beneficios, esboza las promesas y describe muy claramente las consecuencias. Y entonces, al final, nos deja la selección a nosotros.

El infierno no se hizo para la gente. El infierno fue "preparado para el diablo y sus ángeles".[11]

Que una persona vaya al infierno, entonces, está contra lo destinado por Dios. "Porque no nos ha puesto Dios para ira, sino para alcanzar salvación por medio de nuestro Señor Jesucristo".[12]

El infierno lo escoge el hombre, no Dios.

Observe, entonces, esta explicación del infierno: El infierno es el lugar escogido por la persona que se ama a sí misma más que a Dios, que ama más al pecado que a su Salvador, que ama este mundo más que el mundo de Dios. El

Juicio es ese momento en que Dios mira al rebelde y le dice: "Tu selección se cumplirá".

Rechazar el resultado dualista de la Historia y decir que no hay infierno, deja agujeros abiertos en cualquier estandarte de un Dios justo. Decir que no hay infierno es decir que Dios aprueba al corazón rebelde e impenitente. Decir que no hay infierno es presentar a Dios ciego al hambre y la maldad del mundo. Decir que no hay infierno es decir que a Dios no le importa que la gente sea golpeada y masacrada, que no le importa que las mujeres sean violadas o las familias destrozadas. Decir que no hay infierno es decir que Dios no tiene justicia, ni sentido del bien y del mal, y, finalmente, es decir que Dios no tiene amor. Porque el amor verdadero odia la maldad.

El infierno es la máxima expresión de un Creador justo.

Las parábolas del siervo fiel y prudente, de las vírgenes sabias y las fatuas, y de los siervos buenos fieles y el malo y negligente, todo señala a una misma conclusión: "Está establecido para los hombres que mueran una sola vez y después de esto el juicio".[13] *La eternidad debe tenerse en cuenta muy seriamente. Se aproxima un juicio.*

Nuestra tarea en la tierra es singular: escoger nuestro hogar eterno. Uno puede permitirse muchas malas selecciones en la vida. Puede equivocarse al escoger la carrera, y sobrevivir; al escoger la ciudad, y sobrevivir; una mala casa, y sobrevivir. Incluso la pareja inconveniente, y sobrevivir. Pero hay una selección que es preciso hacer correctamente, y esa es nuestro destino eterno.

Es interesante que el primero y el último sermón de Jesús hayan tenido el mismo mensaje. En su primera prédica, el Sermón del Monte, Jesús nos llama a escoger entre la roca y la arena,[14] la puerta ancha y la estrecha, el camino espacioso y el angosto, las multitudes que van hacia el primero y los pocos que van hacia el segundo, la certidumbre del infierno y el gozo del cielo.[15]

En su último sermón, El nos llama a hacer lo mismo. Nos exhorta a estar apercibidos, listos.

Durante una de sus expediciones al Antártico, Sir Ernesto Shackleton dejó algunos de sus hombres en la isla Elefante con la intención de regresar por ellos y llevarlos de regreso a Inglaterra. Pero sufrió demoras. Para cuando pudo regresar por ellos, el mar se había congelado y no tenía acceso a la isla. Tres veces trató de alcanzarlos, pero el hielo se lo impidió. Finalmente, en el cuarto intento, pudo atravesarlo y encontrar un estrecho canal.

Para su sorpresa, encontró que los hombres de la tripulación estaban esperándolo, los suministros empacados y listos para subir a bordo. Pronto estaban en camino de regreso a Inglaterra. El les preguntó cómo supieron cuándo estar listos y esperarlo. Le contestaron que no sabían cuándo él iba a regresar, pero estaban seguros de que lo haría. Así que cada mañana, el líder enrollaba su saco de dormir, empacaba sus pertenencias y le indicaba a la tripulación que hiciera lo mismo, diciendo: "Prepárense, muchachos, que el jefe puede venir hoy".[16]

El líder del equipo les hizo un favor al mantenerlos preparados.

Jesús nos ha hecho un gran servicio al urgirnos a hacer lo mismo: Estén listos. Es un principio como el de abotonar chalecos. Abróchese bien el primer botón hoy. Porque usted no querrá estar trasteando botones en presencia de Dios.

Capítulo 19

La gente de las rosas

"De cierto os digo que en cuanto lo hicisteis a uno de estos mis hermanos más pequeños, a mí lo hicisteis".

Mateo 25:40

John Blanchard se levantó del banco, se alisó su uniforme del ejército y escrutó la multitud que se abría paso a través de la Estación Central. Buscaba a la joven cuyo corazón conocía, pero cuyo rostro no había visto nunca, la joven de la rosa.

Su interés en ella había comenzado trece meses antes en una biblioteca de la Florida. Al sacar un libro del estante se quedó intrigado, no por las palabras del libro, sino por la notas al margen hechas a lápiz. La suave escritura mostraba un alma reflexiva y una mente perspicaz. En la portada del libro descubrió el nombre de la anterior dueña: la señorita Hollis Maynell.

Con tiempo y esfuerzo localizó su dirección; vivía en la ciudad de Nueva York. Le escribió una carta presentándose e invitándola a corresponder. El día siguiente él fue enviado a servir al otro lado del océano durante la Segunda Guerra Mundial. Durante los siguientes trece meses los dos llegaron a conocerse a través del correo. Cada carta era una semilla que caía en un corazón fértil. Empezaba a florecer un romance.

Blanchard solicitó una foto, pero ella se negó: pensaba que si él estaba verdaderamente interesado, no le importaría la apariencia.

Cuando llegó al fin el día en que él regresó de Europa, arreglaron su primer encuentro: a las 7:00 p.m. en la Gran Estación Central en Nueva York. Ella escribió: "Me reconocerás por la rosa roja que llevaré en la solapa".

Así que a las siete estaba en la estación buscando a la chica cuyo corazón amaba, pero cuyo rostro desconocía.

Dejemos que el señor Blanchard cuente lo que sucedió:

Una joven mujer se acercaba a mí, de figura alta y delgada. Sus rubios cabellos caían en rizos detrás de sus delicadas orejitas; sus ojos eran azules como flores. Sus labios y barbilla tenían una firmeza suave, y enfundada en su traje verde pálido era como la encarnación la primavera. Me dirigí a ella, olvidando por completo el detalle de que no llevaba puesta una rosa. Al moverme, una sonrisita provocativa curvó sus labios. "¿Vas a chocar conmigo, marinero?", murmuró.

Casi sin poder controlarme me acerqué otro paso a ella, y entonces vi a Hollis Maynell.

Estaba de pie casi directamente detrás de la chica. Una mujer bien pasada de los cuarenta años, de pelo canoso recogido bajo un sombrero muy usado. Era más que rolliza, con los pies de gruesos tobillos metidos en zapatos de tacón bajo. La chica del traje verde se alejaba con rapidez. Me sentí dividido en dos, arrastrado por el deseo de seguirla y retenido por el profundo anhelo por aquella mujer cuyo espíritu había acompañado fielmente y sostenido el mío. Y ahí estaba ella. Su rostro pálido y regordete era dulce y sensible, sus cálidos ojos grises brillaban con bondad.

No vacilé. Apreté entre mis dedos el ejemplar manoseado del librito forrado de piel azul que me serviría para identificarme ante ella. Esto no sería amor, pero sería algo precioso, algo quizás mejor que el amor: una amistad por la que me había sentido y siempre me sentiría muy agradecido.

Cuadré los hombros y saludé y extendí el libro a la mujer, aunque mientras hablaba me sentía ahogado por la amargura de mi desilusión: "Yo soy el teniente John Blanchard, y usted debe ser la señorita Maynell. Me alegro mucho de que haya podido venir a conocerme. ¿Puedo llevarla a cenar?"

El rostro de la mujer se iluminó con una amplia sonrisa: "No sé de qué se trata, hijo", contestó, "pero la joven que acaba de pasar vestida con el traje verde, me pidió que usara esta rosa en mi abrigo. Y me dijo que si usted me invitaba a cenar, yo debía decirle que ella lo está esperando en el restaurante que está al otro lado de la calle. ¡Dijo que era algo así como una prueba!"[1]

No es difícil comprender y admirar la sabiduría de la señorita Maynell. La verdadera naturaleza de un corazón se percibe en su respuesta a lo falto de atractivo. "Dime a quién amas y te diré quién eres", escribió Houssaye.

No obstante, Hollis Maynell no es ni de lejos la primera persona que calibra el corazón de alguien por su cuidado de lo indeseable.

En su último sermón registrado por Mateo, Jesús hace exactamente eso. No lo hace con una parábola, sino con una descripción. No cuenta una historia, sino describe una escena; la última escena, el juicio final. En su última prédica, El enseña de palabra lo que ha puesto por obra: "el amor por lo insignificante".

Vemos en el último capítulo la trascendencia del Juicio Final. Vemos su certeza: no hay dudas del regreso de Jesús. Vemos su totalidad: todo el mundo estará allí. Y vemos su irrevocabilidad: porque en ese día Jesús separará las ovejas de las cabras, lo bueno de lo malo.

¿Sobre qué bases hará Su selección? La respuesta puede sorprenderle. "Porque tuve hambre, y me disteis de comer; tuve sed y me disteis de beber; fui forastero y me recogisteis, estuve desnudo y me cubristeis; enfermo, y me visitasteis; en la cárcel y vinisteis a mí".[2]

¿Cuál es el distintivo del salvo? ¿Su nivel académico? ¿Su disposición a viajar a tierras extranjeras? ¿Su habilidad para reunir una gran audiencia y predicar? ¿Sus hábiles plumas y volúmenes llenos de esperanza? ¿Sus grandes milagros? No.

El distintivo del salvo es su amor por lo insignificante.

Los colocados a la derecha de Dios serán quienes dieron comida al hambriento, bebida al sediento, calor al solitario, vestido al desnudo, consuelo al enfermo y amistad al prisionero.

El distintivo del salvo es su amor por lo insignificante.

¿Han observado cuán simples son las obras? Jesús no dice: "Estuve enfermo y me sanasteis... Estuve preso y me liberasteis... Estuve solo y me construisteis una casa". No dice: "Estuve sediento y me disteis consejo espiritual".

Sin fanfarria. Sin alboroto. Sin exhibición ante la prensa. Sólo gente buena haciendo cosas buenas.

Porque cuando hacemos cosas buenas a otros, le hacemos cosas buenas a Dios.

Cuando Francisco de Asís le volvió la espalda a la riqueza para buscar a Dios en la simplicidad, se despojó de sus galas y salió de la ciudad. Pronto encontró a un leproso a un lado del camino. Primero le pasó de largo, pero después se detuvo, retrocedió y le dio un abrazo al enfermo. Francisco entonces siguió su camino. A los pocos pasos se volvió para mirar otra vez al leproso, pero no había nadie.

Por el resto de su vida él creyó que el leproso había sido Jesucristo. Puede que haya estado en lo cierto.

Jesús vive en los olvidados. Ha ido a residir entre los ignorados. Ha hecho su casa en medio de los enfermos. Si queremos ver a Dios, debemos ir entre los quebrantados y golpeados y allí lo veremos.

"Es galardonador de los que le buscan",[3] es la promesa.

"En cuanto lo hicisteis a uno de estos mis hermanos más pequeños, a mí lo hicisteis",[4] es el plan.

Quizás usted haya leído acerca del tipo en Filadelfia que fue al mercado callejero de artículos de uso y encontró un cuadro que le gustó. Costaba sólo dos dólares, esta litografía de una iglesia rural. Estaba arañado y descolorido, pero al hombre le gustó el marco y lo compró.

Cuando llegó a su casa lo abrió y del mismo cayó una hoja de papel doblada. Era la Declaración de Independencia. Lo que todo el mundo creía que era una pintura de dos dólares en un mercado popular, en realidad contenía una de las cien copias originales de la Declaración de Independencia impresas el 4 de Julio de 1776.[5]

Se descubren sorpresas valiosas en fuentes insospechadas. Esto es cierto en los mercados callejeros y en la vida real. Invierta en la gente que el mundo ha desechado —los vagabundos, los enfermos de SIDA, los huérfanos, los divorciados— y puede encontrar la fuente de su independencia.

El mensaje de Jesús es conmovedor: "La forma en que ustedes los tratan, es el modo en que me tratan a mí".

De todas las enseñanzas que Cristo impartió durante la última semana de su vida, ésta es para mí la más profunda. Desearía que El no hubiese dicho lo que dijo. Me gustaría que hubiera dicho que el distintivo del salvo son los libros que ha escrito, porque yo he escrito unos cuantos. Me encantaría que hubiese dicho que el distintivo del salvo es el número de sermones que ha predicado, porque yo he predicado cientos.

Sería muy bueno que hubiera dicho que el distintivo del salvo son los auditorios que haya sido capaz de reunir, porque yo le he predicado a miles.

Pero no fue eso lo que dijo. Sus palabras me recuerdan que quien ve a Cristo es el que ve al sufriente. Para ver a Cristo, vaya a las casas de recuperación de convalecientes, siéntese junto a la anciana y ayúdela a dirigir su cuchara hasta su boca. Para ver a Jesús, vaya al hospital de la comunidad y pídale a la enfermera que le lleve a ver a alguien que no haya recibido visitas. Para ver a Jesús, deje su oficina y camine por el pasillo hasta donde está el hombre que se lamenta de su divorcio y echa de menos a sus hijos. Para ver a Jesús, vaya hacia el centro de la ciudad y déle un sandwich —no un sermón, sino un sandwich— a la señora desamparada que vive bajo un puente.

Para ver a Jesús... vea al falto de atractivo y olvidado. La misma clase de prueba que Hollis Maynell usó con John Blanchard. Los rechazados del mundo usan las rosas. A veces nosotros, como John Blanchard, tenemos que ajustar nuestras expectativas. Con frecuencia tenemos que reexaminar nuestros motivos.

Si él hubiera vuelto la espalda a lo falto de atractivo, hubiese perdido al amor de su vida.

Si nosotros volvemos la espalda, perderemos mucho más.

Capítulo 20

*Servido
por el mejor*

*"Su señor ... se ceñirá , y hará que se sienten a la mesa, y
vendrá a servirles".*

Lucas 12:37

Supongamos que sucede algo verdaderamente loco.
Supongamos que usted fue invitado a cenar con el presidente.

Ahí está usted, amontonando platos en la cocina del
restaurante donde trabaja en el turno de la noche, cuando
llega un mensajero por la puerta trasera:

—El dueño no vendrá hasta mañana —le dice usted.

—No estoy buscando al dueño; lo estoy buscando a
usted.

—¿Qué?

—Vengo de la Casa Blanca —dice él, lo cual explica el
traje oscuro y el maletín.

—¿Habla usted en serio? —usted lo mira dos veces y una
vez más detrás de él mientras abre su maletín.

—Vine a entregar esta carta.

Una parte de usted se pregunta qué habrá hecho mal.
Otra parte se pregunta si esto no es una broma de su primo
Alfredo para cobrarse lo del rábano picante en su auto. Y todo
usted piensa que este hombre lo ha confundido con otro tipo.

151

Pero se seca las manos en su delantal y toma la carta. Es una carta personal. Hay un emblema en el sobre y su nombre está escrito a mano, no a máquina.

El papel es de una clase gruesa muy cara, lo cual echa por tierra la teoría del primo Alfredo: él es demasiado tacaño para comprar esto. No puede ser una factura porque los cobradores no son tan ceremoniosos. Abre la carta y, bien, cómo-está-usted, es una carta del presidente de los Estados Unidos de América.

Usted mira al tipo que la trajo y está sonriendo como si esta fuera la parte de su trabajo que más le gusta.

Mira a su alrededor en la cocina para ver si hay alguien a quien enseñársela, pero está solo. Piensa correr hasta el restaurante y enseñársela a Alma la camarera, pero no puede porque está demasiado curioso como para esperar. Así que la lee.

Es una invitación... una invitación a cenar. Una cena de estado. Una cena ofrecida en su honor. Una cena dedicada a usted.

Su ex esposa le preparó una fiesta de sorpresa durante su primer año de matrimonio, pero fuera de eso usted no puede recordar que alguien haya hecho una cena en su honor. Ni los chicos. Ni los vecinos. Ni su jefe... ni siquiera puede recordar que usted mismo haya ofrecido una cena en su honor.

Y ahora el comandante en jefe quiere hacerlo.

—¿Cuál es el truco? —pregunta usted.

—No hay truco, sólo una invitación para que venga a la Casa Blanca. ¿Puedo darle su respuesta al Presidente?

—¿Qué?

—¿Puedo transmitirle al Presidente su respuesta? ¿Puede venir a cenar?

—Bueno, por su-su-supuesto. Me encantará.

Así que usted va. En la noche de la cita, usted se pone su mejor atuendo y va hasta la Avenida Pensilvania. En la puerta lo esperan más trajes oscuros que lo escoltan para que entre. Dentro se hace cargo un camarero. Se escucha el eco de sus pasos mientras sigue al guía en traje de etiqueta por el alto corredor con los retratos de todos los presidentes a ambos lados.

Al final del corredor está el salón de banquetes. En el centro del salón hay una larga mesa y en el centro de la mesa hay un plato y junto al plato hay un nombre: el de usted.

El ayudante se le acerca para sentarlo y cuando usted lo hace él se va y usted hace lo que ha estado deseando hacer desde que puso un pie en la residencia. Mira a su alrededor y dice: "¡Cáspita!"

Usted nunca ha visto una mesa tan larga. Jamás ha visto un cristal tan fino. Nunca vio una vajilla tan cara. Jamás vio una mesa puesta con tantos tenedores o un candelabro con tantas luces.

"¡Cáspita!"

Debajo de sus pies hay una alfombra oriental. Probablemente vino de China. Sobre su cabeza hay una araña con un billón de piezas de cristal. *Apuesto a que es alemana.* La mesa y las sillas están hechas de madera de teca pulida. *Sin duda de la India.*

Justo en frente hay una chimenea encendida con una repisa blanca. Sobre la repisa hay un cuadro... un cuadro de ¡oh! ¡de usted! Ahí está usted allá arriba: los mismos ojos, la misma sonrisa tonta, la misma nariz que usted hubiera deseado fuera la mitad de tamaño... ¡Es usted!

"¡Cáspita!"

—Lo tengo ahí para poder recordarte.

La voz que suena a sus espaldas lo sobresalta. No tiene que volverse a mirar para saber quién es... no hay otra voz como la suya. Usted espera a que esté justo a su lado para mirar hacia arriba. Usted sabe que él está ahí porque le pone la mano en el hombro.

Usted se vuelve y ahí está, el Presidente. Un poco menos alto de lo que pensaba, pero tan autoritario. La mandíbula cuadrada. Los ojos profundos. Los pómulos altos. El traje gris. La corbata roja. El delantal.

¿El qué?

¡El presidente usando un delantal! Un delantal común de cocina como el que usted usa cuando trabaja.

Y si eso no fuera suficiente, detrás de él hay un carrito de comida. El toma el plato del pan de usted y le entrega un panecillo.

—Me alegro mucho de que pudieras venir y ser mi invitado.

Usted sabe que tendría que decir algo, pero lo que iba a decir se le ha olvidado entre el último "Cáspita" que dijo y el primer *¿Qué está pasado aquí?* que pensó.

Usted pensó que era insólito recibir la invitación. Creyó que era impresionante ver la Casa Blanca. Su mandíbula chocó contra el piso cuando vio su cuadro en la pared. Pero todo eso ha sido nada comparado con esto.

¿El comandante en jefe como camarero? ¿El Presidente sirviéndole comida a usted? ¿El primer ejecutivo trayéndole vino y pan a su mesa? Todos aquellos cumplidos minuciosamente preparados y aquellos panegíricos cuidadosamente ensayados quedan olvidados y usted suelta lo que realmente está pensando:

—¡Un momento! Esto no está bien. Se supone que usted no haga esto; soy yo. No se supone que usted me sirva. Yo soy el lavaplatos. Yo trabajo en la comida. Usted es el tipo importante. Déme el delantal y déjeme ponerle la comida en la mesa... señor.

Pero él no lo permite.

—Siéntate —insiste—. Hoy yo te rindo honores.

≫

Ya yo le advertí que ésta era una historia loca. Esta clase de cosas no sucede... ¿o sí?

Sucede para quienes lo ven. Para quienes están conscientes de ello, eso sucede todas las semanas. En los salones de banquete alrededor del mundo el comandante rinde honores a los soldados rasos. Ellos son... gente común, acabadas de salir de las cocinas y el transporte público de la vida. Todos sentados a la mesa del Jefe.

Los huéspedes premiados. La gente muy importante. Recibidos y servidos por quien está a cargo de la historia.

—Este es mi cuerpo —dice mientras parte el pan.

Y usted creyó que era un ritual. Imaginó que no era más que una práctica religiosa. Pensó que se hacía para recordar algo que se había hecho entonces. Creyó que era la recreación de una cena que El había tenido con ellos.

Es mucho más.

Es una cena que El tiene con usted.

Cuando yo era un niño formaba parte de un cuerpo de iglesia que llevaba la comunión a los recluidos y hospitalizados. Visitábamos a quienes no podían acudir a la iglesia pero sí deseaban orar y compartir la comunión.

Debo haber tenido diez u once años cuando fui a una sala de hospital que albergaba a un anciano caballero que estaba muy débil. Estaba dormido, así que tratamos de despertarlo. No pudimos. Lo sacudimos, le hablamos, le dimos golpecitos en el hombro, pero no pudimos sacarlo de su sopor.

No queríamos irnos sin haber cumplido con nuestro deber, pero no sabíamos qué hacer.

Uno de los niños que iba conmigo dijo que aunque estaba dormido, tenía la boca abierta. "¿Por qué no?", dijimos. Así que oramos sobre la galletita y le metimos un pedacito sobre la lengua. Después oramos sobre el jugo de uvas y le echamos un poco en la boca.

No se despertó.

Tampoco muchos lo hacen hoy en día. Para algunos, la comunión es una hora aburrida en la cual se comen galletitas y se bebe jugo y el alma no se entera. No fue creada para eso.

Se creó para que fuera una invitación de "no lo puedo creer, pellízcame que estoy soñando" para sentarnos a la mesa de Dios y ser servidos por el mismo Rey.

Cuando uno lee el relato de Mateo sobre la Ultima Cena, aflora una asombrosa verdad: Jesús está detrás de todo eso. Fue Jesús quien escogió el lugar, señaló la hora y dispuso la comida. "Mi tiempo está cerca; en tu casa celebraré la Pascua con mis discípulos".[1] Y en la Cena, Jesús no es el huésped, sino el anfitrión: "Y [Jesús] dio a sus discípulos". El sujeto de los verbos es el mensaje del relato: "Tomó Jesús... lo bendijo... lo partió... les dio"

Y, en la Cena, Jesús no es el servido, sino el servidor. Es Jesús quien, durante la Cena, se puso una toalla de sirviente y lavó los pies de sus discípulos.[2]

Jesús es el más activo alrededor de la mesa. Jesús no está descrito como uno que se reclina y recibe, sino como uno que está de pie y da.

Todavía lo hace. La Cena del Señor es un regalo para usted. La Cena del Señor es un sacramento,[3] no un sacrificio.[4]

A menudo pensamos que la Cena es una representación, un momento en que estamos en la escena y Dios es el auditorio. Una ceremonia en la cual hacemos el trabajo mientras El observa. No fue esa la intención original. Si así hubiera sido, Jesús hubiese ocupado Su lugar en la mesa y se hubiera relajado.[5]

No es eso lo que El hizo. En vez de ello, desempeñó su papel como Rabí, guiando a sus discípulos a través de la Pascua. Desempeñó su papel como siervo, lavándoles los pies. Y desempeñó su papel como Salvador, otorgándoles el perdón de los pecados.

Era El quien estaba al mando. El quien estaba en el centro del escenario. Era El quien estaba detrás de todo y en el momento preciso.

Y todavía lo está.

Es a la mesa del Señor que usted se sienta. Es de la mesa del Señor que usted come. Tal como Jesús rogó por sus discípulos, Jesús le pide a Dios por nosotros.[6] Cuando a usted se le invita a la mesa, puede ser que un emisario entregue la carta, pero es Jesús quien la escribe.

Es una invitación santa. Un sacramento sagrado que le invita a usted a dejar las tareas cotidianas y entrar en su esplendor.

El lo espera a usted a la mesa.

Y cuando se parte el pan, es Cristo quien lo parte. Cuando se vierte el vino, es Cristo quien lo vierte. Y cuando se alivian sus cargas, es porque el Rey con el delantal se ha acercado.

Piense en eso la próxima vez que vaya a la mesa.

Una última reflexión.

Lo que sucede en la tierra no es más que un ensayo de lo que sucederá en el cielo.[7] Así que la próxima vez que el mensajero lo llame a la mesa, deje todo lo que esté haciendo y vaya. Sea bendecido y alimentado y, lo más importante, asegúrese de que esté todavía comiendo de su mesa cuando El nos llame al hogar celestial.

(Y usted creyó que era una historia inventada por mí.)

Capítulo 21

El lo escogió a usted

"Sentaos aquí, entre tanto que voy allí y oro.... Mi alma está muy triste, hasta la muerte".

Mateo 26:36,38

"Mas no ruego solamente por éstos, sino también por los que han de creer en mí por la palabra de ellos".

Juan 17:20

Noche del jueves. Medianoche.

Esta semana ha estado llena de conclusiones. La visita final al Templo. El postrer sermón. La Ultima Cena. Y ahora, la más emocionante hora de la semana, la última oración.

El huerto está en sombras; los olivos nudosos y enmarañados se retuercen metro y medio o dos metros hacia el cielo; sus raíces se extienden desde los troncos y se clavan profundamente en el suelo rocoso.

La luna primaveral viste de plata el huerto. Las constelaciones brillan contra el terciopelo negro del cielo nocturno. Una escuadra de nubes flota. La brisa refresca. Los insectos cantan. Las hojas se mueven.

Ahí está Jesús, en el huerto. En el suelo el joven, con la túnica empapada en sudor. Arrodillado. Implorando. Tiene el cabello pegado a la frente sudorosa. Sufre horriblemente.

Se escucha un sonido entre los árboles. Ronquidos. Jesús mira a través del huerto a los amigos más queridos que tiene... están dormidos. Duermen recostados contra los amplios troncos. Su angustia no los conmueve. Su congoja no los inquieta. Están cansados.

Se levanta y camina a través de los umbrosos árboles y se agacha ante ellos. "Por favor", les pide. "Por favor, velen conmigo".

El Señor del universo no quiere estar solo.

Sin embargo, El puede entender su cansancio. El les ha dado en las últimas pocas horas más de lo que pueden abarcar. Nunca antes los apóstoles habían visto a Jesús hablar tanto. Jamás habló con semejante urgencia. Sus palabras eran fervorosas, apasionadas.

»

Noche del jueves... unas horas antes.
Es casi medianoche cuando abandonan el aposento alto y bajan a través de las calles de la ciudad. Pasan el estanque Inferior y salen por la puerta de la Fuente y salen de Jerusalén. Las calzadas están bordeadas con los fuegos y las tiendas de los peregrinos de la Pascua. La mayoría duerme, por lo pesado de la comida. Aquellos que todavía están despiertos no prestan atención al grupito de hombres que caminan por la calzada.

Atraviesan el valle y ascienden el sendero que los llevará a Getsemaní. El camino es empinado, así que se detienen a descansar. En algún lugar dentro de la ciudad, el duodécimo apóstol baja de prisa por una calle. Sus pies han sido lavados por el hombre que va a traicionar. Su corazón ha sido reclamado por el maligno, a quién él ha escuchado. Corre a ver a Caifás.

El encuentro final de la batalla ha comenzado.

Cuando Jesús mira a la ciudad de Jerusalén, ve lo que los discípulos no pueden ver. Es aquí, en las afueras de Jerusalén, que terminará la batalla. Ve la puesta en escena de Satanás. El ve las prisas de los demonios. Ve al Maligno preparándose para el enfrentamiento final. El enemigo está al acecho de la hora como un espectro. Satanás, la hueste del odio, se ha apoderado del corazón de Judas y ha murmurado en el oído de Caifás. Satanás, el señor de la muerte, ha abierto las cavernas y se ha preparado para recibir a la fuente de la luz.

El infierno se ha soltado.

La historia lo registra como una batalla de los judíos contra Jesús. No fue así. Fue una batalla de Dios contra Satanás.

Y Jesús lo sabía. Sabía que antes de que terminara la guerra El sería tomado prisionero. Sabía que antes de la victoria habría una derrota. Sabía que antes del trono vendría la copa. Sabía que antes de la luz del domingo vendrían las tinieblas del viernes.

Y tiene miedo.

Se vuelve y comienza el último ascenso al huerto. Cuando llega a la entrada se detiene y vuelve los ojos hacia su círculo de amigos. Será la última vez que los vea antes que ellos lo abandonen. El sabe lo que ellos harán cuando lleguen los soldados. Sabe que sólo faltan minutos para su traición.

Pero no los acusa, ni los amonesta. En vez de eso, ora. Sus últimos momentos con sus discípulos son de oración. Y las palabras que pronuncia son tan eternas como las estrellas que las escuchan.

Imagínese, por un momento, que está en esa situación. Su última hora con un hijo que pronto será enviado a ultramar. Sus últimos momentos con su esposa agonizante. Una última visita con sus padres. ¿Qué diría? ¿Qué haría? ¿Qué palabras escogería?

Vale la pena observar que Jesús escogió orar. Escogió orar por nosotros. "Mas no ruego solamente por éstos, sino

161

también por los que han de creer en mí por la palabra de ellos; para que todos sean uno ... que también ellos sean uno en nosotros; para que el mundo crea que tú me enviaste.[1]

Es preciso que observe que en esta última oración Jesús oró por usted. Es necesario que subraye con rojo y acentúe en amarillo Su amor: "Oro también por los que han de creer en mí por la palabra de ellos". Ese es usted. Cuando Jesús entró en el huerto, usted estaba en sus oraciones. Cuando Jesús miró al cielo, usted estaba en su visión. Cuando Jesús soñó en el día en que nosotros estaríamos con El, lo vió a usted allí.

Su última oración fue por usted. Su último dolor fue por usted. Su última pasión fue usted.

Entonces se da vuelta, se interna en el huerto e invita a Pedro, Jacobo y Juan a que vengan. Les dice que su alma está "muy triste, hasta la muerte"; y comienza a orar.

Jamás se ha sentido tan solo. Lo que hay que hacer, únicamente El puede hacerlo. No puede hacerlo un ángel. Ningún ángel tiene el poder de forzar las puertas del infierno. Ningún hombre puede hacerlo. Ningún hombre tiene la pureza para destruir la demanda del pecado. Ninguna fuerza en la tierra puede enfrentarse a la fuerza del diablo y vencer... excepto Dios.

"El espíritu a la verdad está dispuesto, pero la carne es débil", confiesa Jesús.

Su humanidad ruega que se le libre de lo que su divinidad puede ver. Jesús, el carpintero, implora. Jesús, el hombre, escudriña la oscuridad y ruega: "¿No habrá otra forma?"

¿Sabía El la respuesta antes de preguntar? ¿Su corazón humano esperaba que su Padre celestial hubiese encontrado algún otro modo? No lo sabemos. Pero sí sabemos que pidió ser eximido. Sabemos que rogó por otra salida. Sabemos que hubo un momento durante el cual si hubiera podido, habría vuelto la espalda a todo aquello y se hubiera ido.

Pero no podía.

No podía porque El lo veía a usted. En medio de un mundo que no es justo. Lo vio a usted arrojado a un río de la vida que no había pedido... traicionado por aquellos a quienes amaba. Lo vio con un cuerpo que se enferma y un corazón que se debilita.

Lo vio a usted en su propio huerto de árboles torcidos y amigos que duermen. Lo vio mirar en el abismo de sus propios fracasos y a la boca de su tumba.

Lo vio a usted en el huerto de Getsemaní... y no quería que estuviera solo.

El quería que usted supiera que El también estaba allí. El sabe lo que significa que conspiren contra uno. Lo que es estar confundido. El sabe cómo uno se siente al estar desgarrado entre dos deseos. Sabe lo que es oler la fetidez de Satanás. Y quizás, por sobre todo, El sabe lo que es rogarle a Dios que cambie de idea, y escuchar a Dios decir dulcemente, pero con firmeza: "No".

Porque eso es lo que Dios le dice a Jesús. Y Jesús acepta la respuesta. En algún momento durante esa hora de la noche un ángel de misericordia viene a confortar el cuerpo agotado del hombre en el huerto. Cuando se incorpora, la angustia se va de sus ojos. El puño no se crispa más. Su corazón ya no lucha.

La batalla está ganada. Puede que usted piense que se ganó en el Gólgota. No fue así. Puede que también haya pensando que el símbolo de la victoria es la tumba vacía. No es así. La batalla final se ganó en Getsemaní. Y el símbolo de la conquista es Jesús en paz entre los olivos.

Porque fue en el huerto cuando El tomó su decisión. El prefirió ir al infierno por usted que ir al cielo sin usted.

Capítulo 22

Cuando el mundo se vuelve contra uno

"Desde ahora veréis al Hijo del Hombre sentado a la diestra del poder de Dios, y viniendo en las nubes del cielo".
Mateo 26:64

"*L*evantaos, vamos; ved, se acerca el que me entrega".[1] Las palabras fueron dedicadas a Judas. Pero bien pudieron haber sido dichas aludiendo a cualquiera. Pudieron referirse a Juan, a Pedro, a Jacobo. Pudieron haberse referido a Tomás, a Andrés, a Natanael. También a los soldados romanos, a los líderes judíos. Pudo decirlas por Pilato, Herodes o Caifás. Pudo haberlas dedicado a cada una de las personas que lo alabaron el domingo anterior pero lo abandonaron esta noche.

Todo el mundo se volvió contra Jesús esta noche. Todos.

Judas lo hizo. ¿Cuál fue tu motivo, Judas? ¿Por qué lo hiciste? ¿Tratabas de hacerle poner las cartas boca arriba? ¿Codiciabas el dinero? ¿Buscabas llamar la atención? ¿Y por qué, querido Judas, tenía que ser con un beso? Pudiste haberlo señalado. Pudiste haberlo llamado solamente. Pero pusiste tus labios sobre su mejilla y lo besaste. La víbora mata con su boca.

El pueblo lo hizo. La turba se volvió contra Jesús. Nos preguntamos quiénes estaban en el gentío. ¿Quiénes eran los mirones? Mateo se limita a decir que eran del pueblo. Gente común como usted y yo con cuentas que pagar y niños que criar y empleos que desempeñar. Individualmente jamás se hubiesen vuelto contra Jesús, pero colectivamente deseaban matarlo. Ni siquiera la curación instantánea de una oreja amputada los persuadió de sus intenciones. Sufrían de la ceguera de las turbas. Mutuamente se bloqueaban la visión de Jesús.

Lo hicieron sus discípulos: "Entonces todos los discípulos, dejándole, huyeron".[2] Mateo debe haber escrito esas palabras muy despacio. El estaba en ese grupo. Todos sus discípulos estaban. Jesús les dijo que ellos huirían. Ellos juraron que no lo harían. Pero lo hicieron. Cuando llegó el momento de escoger entre su pellejo y su amigo, salieron corriendo. Oh, se quedaron un poco. Incluso Pedro desenvainó su espada e hirió al siervo del sumo sacerdote cortándole la oreja derecha. Pero su valentía fue tan fugaz como sus pies. Cuando vieron que Jesús caía, se escaparon.

Los líderes religiosos lo hicieron. Eso no fue una sorpresa. Desanimante, sí. Eran los líderes espirituales de la nación. Hombres a quienes se había confiado la dispensación de la bondad. Modelos para los niños. Los pastores y maestros de la Biblia de la comunidad. "Los principales sacerdotes y los ancianos y todo el concilio, buscaban falso testimonio contra Jesús, para entregarle a la muerte".[3] Pinte ese pasaje con el negro de la injusticia. Pinte ese arresto con el verde de los celos. Pinte esa escena con el rojo de la sangre inocente.

Y pinte a Pedro en un rincón. Porque ahí es donde está. No tiene adonde ir. Cogido en su propio error. Pedro hizo exactamente lo que dijo que no haría. Lo prometió fervientemente sólo unas pocas horas antes: "Aunque todos se escandalicen de ti, yo nunca me escandalizaré". Pedro debe haber tenido hambre, porque se comió sus palabras.

Todo el mundo se volvió contra Jesús.

Aunque fue Judas quien dio el beso, la traición la cometieron todos. Todo el mundo dio un paso, pero nadie tomo una posición. Cuando Jesús salió del huerto iba solo. El mundo se había vuelto contra El. Había sido traicionado.

Traición. La palabra está lejos de *Esponsales*, tanto en el diccionario como en la vida real. Es un arma que se encuentra solamente en las manos de aquel a quien amamos. Nuestro enemigo no tiene esa arma, porque sólo un amigo puede traicionar. La traición es un motín. Es una violación de una confianza, un crimen cometido por uno allegado a la víctima.

Ojalá hubiera sido un extraño. Ojalá hubiese sido un ataque al azar. Ojalá fuera víctima de las circunstancias. Pero no es así. Usted ha sido la víctima de un amigo.

Le dan un beso que araña. Le hacen una promesa con los dedos cruzados. Usted mira a sus amigos y éstos no le devuelven la mirada. Usted se vuelve al sistema judicial para pedir justicia... y éste lo considera el chivo expiatorio.

Usted es traicionado. Mordido por el beso de una víbora.

Es más que el rechazo: el rechazo abre una herida, la traición le echa sal.

Es más que la soledad: la soledad lo deja a usted en el frío, la traición cierra la puerta.

Es más que la burla: la burla clava el puñal, la traición lo revuelve.

Es más que un insulto: el insulto ataca el amor propio, la traición nos rompe el corazón.

Cuando busco sinónimos de traición, sigo viendo víctimas. Esa carta sin firma en el correo de ayer: "Mi esposo acaba de decirme que tuvo un romance hace dos años" escribe ella. "Me siento muy sola". La llamada telefónica de la anciana cuyo hijo drogadicto le ha robado su dinero. Mi amigo de los estados centrales que se mudó con su familia para trabajar en el empleo que nunca se materializó. La divorciada cuyo ex esposo trae a su nueva novia a la casa de ella cuando viene a buscar a los niños para pasar el fin de semana. La niñita de siete años infestada con el virus HIV: "Estoy furiosa con mi madre", dice.

Traición... cuando nuestro mundo se vuelve contra nosotros.

Traición... donde hay oportunidad para amar, hay oportunidad para herir.

Cuando llega la traición, ¿qué hace usted? ¿Escapa? ¿Se indigna? ¿Se venga? Tiene que tratar con ella de alguna forma. Vea cómo actúa Jesús.

Empiece por observar cómo trató a Judas: "Y Jesús le dijo: Amigo, ¿a qué vienes?"[4]

De todos los apelativos entre los cuales yo hubiese podido escoger para calificar a Judas, nunca hubiera escogido "amigo". Lo que Judas le hizo a Jesús fue groseramente injusto. No hay rastro de evidencia de que Jesús hubiese tratado mal a Judas nunca. No hay trazas de que Judas haya sido nunca discriminado o abandonado. Cuando, durante la Ultima Cena, Jesús le dijo a los discípulos que quien lo entregaría se sentaba con El a la mesa, ellos no se volvieron unos a otros para murmurar: "Es Judas. Jesús nos dijo que él lo haría".

No lo murmuraron porque Jesús jamás lo dijo. El lo había sabido. Sabía lo que Judas haría, pero trató al traidor como si fuera fiel.

Es todavía más injusto cuando uno observa que la traición fue idea de Judas. Los líderes religiosos no lo buscaron a él, fue Judas quien los buscó a ellos: "¿Qué me queréis dar, y yo os lo entregaré?"[5]

La traición hubiese sido más aceptable si Judas hubiera recibido la proposición de los líderes, pero no la recibió. Fue él quien se la propuso a ellos.

Y el método de Judas... de nuevo, ¿por qué tuvo que ser un beso?[6] ¿Y por qué tuvo que llamarlo "Maestro"?[7] Ese es un tratamiento de respeto. La incongruencia de sus palabras, obras y actos... yo no hubiese llamado a Judas "amigo".

Pero eso es exactamente lo que lo llamó Jesús. ¿Por qué? Jesús podía ver algo que nosotros no podemos. Permítanme explicarlo.

Hubo una vez una persona en nuestro mundo que nos trajo a Denalyn y a mí una enorme cantidad de ansiedad. Nos reclamaba en medio de la noche. Era exigente y desconsiderada. Nos gritaba en público. Cuando clamaba por algo, lo quería inmediatamente y lo reclamaba de nosotros exclusivamente.

Pero nunca le pedimos que nos dejara tranquilos. Jamás le dijimos que fuera a molestar a otro. Nunca intentamos tomar revancha.

Después de todo, ella no tenía más que unos pocos meses.

Nos era fácil perdonar la conducta de nuestra nena, porque comprendíamos que ella no sabía hacer nada mejor.

Ahora bien, hay un mundo de diferencia entre un bebé inocente y el deliberado Judas. Pero todavía hay un punto en mi historia y es éste: La forma de enfrentar la conducta de una persona es comprender la causa de ella. Una manera de tratar con las peculiaridades de una persona es tratar de comprender por qué son peculiares.

Jesús sabía que Judas había sido seducido por un enemigo poderoso. El estaba apercibido de las artimañas de los susurros de Satanás (El mismo los había acabado de oír). El sabía cuán difícil era para Judas hacer lo correcto.

No justificaba lo que Judas hizo. No minimizaba la acción. Ni liberaba a Judas de su decisión. Pero sí miraba a los ojos a este traidor y trataba de comprender.

Mientras usted odie a su enemigo, se mantiene cerrada una reja y dentro permanece un prisionero. Pero cuando usted trata de comprender y liberar a su enemigo de su odio, entonces queda libre el prisionero y ese prisionero es usted.

Quizás a usted no le guste esa idea. A lo mejor la idea del perdón es poco realista. Quien sabe si la idea de tratar de entender a los Judas de este mundo es sencillamente demasiado bondadosa.

Mi respuesta a usted entonces es una pregunta. ¿Qué sugiere usted? ¿El abrigar la indignación resolverá el problema? ¿El cobrar esa cuenta le quitará el dolor? ¿Hace algún bien el odio? Le reitero que no estoy minimizando el sufrimiento de usted ni justificando los actos de su enemigo. Pero sí estoy diciendo que la justicia no reinará en estos tiempos. Y el pedir que su enemigo reciba su merecido, en el proceso, será sumamente doloroso para usted.

¿Me permite recordarle, dulce pero firmemente, algo que usted puede que sepa pero no recuerde? La vida no es justa.

Eso no es pesimismo, es un hecho. No es una queja, es que las cosas son así. A mí no me gusta. Tampoco a usted. Desearíamos que la vida fuera justa. Desde que el chico de la esquina tuvo una bicicleta y nosotros no, hemos venido diciendo lo mismo: "Eso no es justo".

Pero hay un momento en que hace falta que alguien nos diga: "¿Quién les dijo a ustedes que la vida sería justa?"

Dios no lo dijo. El no dijo: "*Si* vosotros os halláis en diversas pruebas". Lo que El dijo fue: "*Cuando* os halléis en diversas pruebas".[8] Las pruebas son parte del lote. Las traiciones son parte de nuestras pruebas. No se sorprenda cuando sobrevengan traiciones. No busque justicia aquí... en vez de eso, búsquela donde la buscó Jesús.

Jesús miró hacia el futuro. Lea sus palabras: "Veréis al Hijo del Hombre sentado a la diestra del poder de Dios", mientras estaba pasando por un verdadero infierno, Jesús mantuvo sus ojos en el cielo. Mientras estaba rodeado de enemigos, El mantuvo su mente en su Padre. Cuando quedó abandonado en la tierra, mantuvo su corazón en su hogar. Veréis al Hijo del Hombre sentado a la diestra del poder de Dios y viniendo en las nubes del cielo".[9]

Hace algún tiempo tomé una lección de esquiar en nieve. Mi instructor dijo que yo tenía potencial pero perspectivas pobres. Dijo que yo miraba demasiado a mis esquíes. Le contesté que tenía que hacerlo porque ellos seguían yendo para donde yo no quería ir. El me preguntó:

—¿Y el mirarlos ha hecho que mejoren?

—Pienso que no —confesé—. Todavía me caigo mucho.

El hizo un gesto hacia las espléndidas montañas que se elevaban en el horizonte:

—Pruebe mirando hacia allá cuando esté esquiando. Mantenga sus ojos en las montañas y mantendrá el equilibrio.

Tenía razón. Dio resultado.

El mejor modo de mantener su equilibrio es mantener la vista en otro horizonte. Eso fue lo que hizo Jesús.

"Mi reino no es de este mundo", respondió Jesús a Pilato, "mi reino no es de aquí".[10]

Cuando nosotros vivíamos en Río de Janeiro, Brasil, yo supe lo que era anhelar la patria. Amábamos el Brasil. La gente era maravillosa y la cultura acogedora... pero no era nuestra patria.

Mi oficina estaba en el centro de Río, a unas pocas calles de la Embajada Americana. En ocasiones yo llevaba mi almuerzo a la Embajada y allí me lo comía. Era como ir a casa por unos minutos. Atravesaba la gran puerta y saludaba a los guardias en inglés. Entraba en el vestíbulo y tomaba un periódico norteamericano. Miraba la página de deportes para ver las noticias de béisbol y fútbol. Me reía con los muñequitos. Incluso leía los anuncios clasificados. Me sentía bien al pensar en mi patria.

Me paseaba por uno de los grandes corredores y veía los retratos de Lincoln, Jefferson y Washington. A veces un empleado tenía tiempo de conversar y me enredaba en asuntos de Estados Unidos.

La Embajada era un pedacito de la patria en un país extranjero. La vida en una tierra distante es más fácil cuando uno puede hacer una visita ocasional a la patria.

Jesús le dio un largo vistazo a la patria. Lo suficientemente largo como para contarles a sus amigos: "¿Acaso piensas que no puedo ahora orar a mi Padre, y que él no me daría más de doce legiones de ángeles?" Y el verlos allá arriba le dio fuerzas a El aquí abajo.

A propósito, sus amigos son los amigos de usted. La fidelidad del Padre hacia Jesús es la fidelidad del Padre hacia usted. Cuando se sienta traicionado recuerde eso. Cuando vea las antorchas y sienta el beso del traidor, recuerde sus palabras: "No te desampararé, ni te dejaré".[11]

Cuando toda la tierra se vuelva contra usted, todo el cielo se vuelve hacia usted. Para mantener su equilibrio en un mundo torcido, mire a las montañas. Piense en la patria.

Capítulo 23

Su
elección

"¿Qué, pues, haré de Jesús, llamado el Cristo?"
Mateo 27:22

*E*l juicio más famoso de la historia está a punto de comenzar.

El juez es un patricio bajito con ojos de halcón y ropas costosas. Tiene bien peinado el cabello y el rostro afeitado. Está aprensivo, nervioso, de que lo puedan empujar a una decisión que sea incapaz de evadir. Dos soldados lo preceden bajando por la escalera de piedra de la fortaleza dentro del amplio patio. Los rayos del sol de la mañana se extienden a través del suelo de piedra.

Cuando entra, los soldados sirios vestidos con togas cortas saltan sobre sus pies y mantienen erectas sus lanzas mientras miran al frente. El suelo que pisan es un amplio mosaico de roca color castaño. En el suelo están grabados los juegos que los soldados juegan mientras esperan la sentencia del prisionero.

Pero en presencia del Procurador, no juegan.

Le colocan una silla regia en un descanso cinco peldaños por encima del suelo. El magistrado asciende y se sienta. El acusado es introducido en el salón y traído ante él. Lo sigue un grupo de líderes religiosos vestidos de túnicas, que se dirigen a un lado del salón y allí se quedan.

Pilato mira a la figura solitaria.

—No tiene apariencia de Cristo —murmura.

Pies hinchados y llenos de barro. Manos tostadas. Nudillos protuberantes.

Parece más un obrero que un maestro, y menos aun un sedicioso Tiene un ojo negro y cerrado de la hinchazón. El otro mira al suelo. El labio inferior partido con una postilla. El cabello pegado a la frente por la sangre. Los brazos y muslos chorreados de rojo.

—¿Le quitamos el vestido? —pregunta un soldado.

—No, no es necesario.

Son obvios los resultados de la golpeadura.

El procurador no hubiera solicitado ver a este prisionero. La experiencia le ha enseñado a mantenerse alejado de las trifulcas judías; especialmente de las religiosas. Pero tiene que admitir que se ha sentido curioso de por qué este Jesús ha agitado tanto al pueblo.

—¿Le llaman un agitador de la chusma? —pregunta Pilato en voz alta, mirando a los guardias que están a su lado, dándoles permiso para reírse por lo bajo y romper el silencio. Y lo hacen. El se revuelve en el asiento sin respaldo y se recuesta contra la pared. Si no hubiese sido por la naturaleza de los cargos, Pilato hubiera despedido al hombre y al asunto. Pero las acusaciones incluyen palabras como *revuelta* e *impuestos* y *César.* Así que se ve forzado a seguir adelante.

—¿Eres tú el rey de los judíos?

Por primera vez Jesús alza los ojos. No levanta la cabeza, pero alza los ojos. Escruta al procurador desde bajo sus cejas. El tono de su voz sorprende a Pilato.

—Tú lo dices.

Antes que Pilato pueda responder, el grupo de líderes judíos se burla del acusado desde el lado de la sala.

—Mirad, no tiene respeto.

—¡El agita al pueblo!

174

—"¡Se proclama a sí mismo rey!"

Pilato no los escucha. *"Tú lo dices."* Sin defensa. Sin explicación. Sin pánico. El galileo mira al suelo otra vez.

Algo acerca de este rabí campesino atrae a Pilato. Es diferente de los pedigüeños que se amontonan afuera. No es como los líderes de barbas hasta el pecho que tan pronto alardean de un Dios soberano como al siguiente minuto ruegan por impuestos más bajos. Sus ojos no son como los feroces zelotes que son un gran dolor de cabeza para la Pax Romana que él trata de mantener. Es diferente, este Mesías de tierra adentro. Mientras lo observa, los relatos vienen a la mente de Pilato.

"Ahora recuerdo", dice para sus adentros, se levanta y baja por los escalones dirigiéndose a un balcón. Se detiene cerca de la balaustrada y se apoya en ella. Las palomas se agitan y se escucha el ruido de sus alas cuando bajan volando hasta la calle de abajo.

Pilatos reflecciona en los informes. Una extraña historia acerca del hombre de Betania. "Muerto por, ¿cuánto fue? Tres... no, cuatro días. Este es el palurdo que ellos dicen lo llamó de la tumba. Y aquella reunión en Betsaida. Llegaban a varios miles... alguien en la organización de Herodes habló de ellos. Querían proclamarlo rey. Oh, sí, él alimentó a la multitud".

Pilato se vuelve y mira a los niños que juegan abajo en la calle. Algunos conversan con un guardia. "Buscando una limosna, sin duda". Los chicos no tienen buen aspecto: son frágiles y flacos, con el cabello como cuerdas. "Probablemente tienen piojos". Una parte de Pilato se preocupa porque el guardia está hablando con ellos y la otra parte se preocupa porque el guardia no los ayuda. Todo Pilato se preocupa de que niños como ellos tengan que enfermar desde un principio. Pero se enferman. Tanto en Roma como en Jerusalén.

Mira otra vez al hombre encorvado que aguarda de pie en su salón. "Nos vendría bien un rey", suspira. "Un rey que le diera sentido a toda esta confusión".

Hubo un tiempo en que Pilato pensó que él podría. Vino a Jerusalén convencido de que lo que era bueno al norte del Mediterráneo, lo era al este del mismo. Pero eso había sido hacía mucho tiempo. Aquél era otro Pilato. Era cuando lo negro era negro y lo blanco era blanco. Eso fue cuando su salud era mejor y sus sueños eran vírgenes. Eso fue antes de la política. Dar un poquito por aquí para coger un poquito allá. Aplacar. Transarse. Elevar los impuestos. Bajar las normas. Las cosas eran diferentes ahora.

Roma y los sueños nobles parecían muy lejos ahora. Quizás es por eso que lo intriga el rabí. Algo en El le recuerda por qué vino él... lo que él era antes. "Ellos también han azotado mi espalda, amigo mío. También me han azotado la espalda".

Pilato mira a los líderes judíos apiñados en el rincón opuesto al tribunal. Su insistencia lo enfurece. Los latigazos no son suficientes. La burla no basta. "Celosos", desearía decirles en sus caras, pero no lo hace. "Buitres celosos, todo el grupo obstinado. Matando a sus propios profetas".

Pilato quiere dejar ir a Jesús. "Dame una sola razón", piensa, casi en voz alta. "Y te dejaré libre".

Sus pensamiento son interrumpidos por un golpecito en el hombro. Un mensajero se inclina y susurra. Extraño. La esposa de Pilato le ha enviado un mensaje de que no se mezcle en el caso. Se trata de un sueño que ella ha tenido.

Pilato se dirige de regreso a su silla, se sienta y mira a Jesús. —¿Incluso los dioses están de tu parte? —declara sin explicaciones.

El se ha sentado en su silla antes. Es una silla curul: azul cobalto con gruesas patas torneadas. La silla tradicional de las decisiones. Al sentarse en ella Pilato transforma cualquier habitación o calle en una sala de juicios. Es desde ella que él emite sus decisiones.

¿Cuántas veces se ha sentado aquí? ¿Cuántas historias ha escuchado? ¿Cuántos ojos desorbitados lo han mirado pidiendo misericordia, rogando la absolución?

"El no está airado conmigo. No tiene miedo... es como si comprendiera".

»

Pilato tiene razón. Jesús no está asustado. No está airado. No está al borde del pánico. Porque no está sorprendido. Jesús conoce Su hora y la hora ha llegado.

Pilato tiene razón en su curiosidad. Si Jesús es un líder, ¿dónde están sus seguidores? Si es el Mesías, ¿qué pretende? Si es un maestro, ¿por qué están tan furiosos los líderes religiosos con El?

Pilatos también tiene razón en su pregunta: "¿Qué, pues, haré de Jesús, llamado el Cristo?"[1]

Quizás usted, como Pilato, siente curiosidad por este llamado Jesús. Usted, como Pilato, está perplejo por sus atribuciones y conmovido por sus sufrimientos. Usted ha escuchado las historias: Dios ha descendido de las estrellas, se ha vestido de carne, ha fijado una estaca de verdad en el globo. Usted, como Pilato, ha escuchado a otros hablar; ahora preferiría que hablase El.

¿Qué hace uno con un hombre que declara ser Dios, y sin embargo odia la religión? ¿Qué hace uno con un hombre que se llama a sí mismo el Salvador y, no obstante, condena los sistemas? ¿Qué hace uno con un hombre que conoce el lugar y la hora de su muerte y a pesar de eso va derecho allí?

La pregunta de Pilato es la de usted: "¿Qué haré con este hombre, Jesús?"

Uno puede rechazarlo. Esa es una opción. Puede, como han hecho muchos, decidir que la idea de Dios convertido en carpintero es demasiado extravagante... y alejarse.

O puede aceptarlo. Uno puede viajar con El. Puede acudir a escuchar su voz entre los cientos de otras voces y seguirlo.

Pilato puede haberlo oído. El escuchó muchas voces ese día; él puede haber escuchado a Cristo. Si Pilato hubiera decidido responder a este magullado Mesías, su historia hubiera sido diferente.

Escuche sus preguntas:

—¿Eres tú el rey de los judíos?

Si hubiésemos estado allí aquel día habríamos sabido qué tono de voz usó Pilato. ¿Burla? (¿Tú... el rey?) ¿Curiosidad? (¿Quién eres tú?) ¿Sinceridad? (¿Eres tú realmente quien dices ser?)

Nos preguntamos qué lo motivó. Igual le sucedió a Jesús.

—¿Dices tú esto por ti mismo, o te lo han dicho otros de mí?[1] Jesús desea saber por qué Pilato lo quiere saber. ¿Qué hubiera sucedido si Pilato hubiese respondido simplemente: "Pregunto por mí mismo. Yo quiero saber. Realmente quiero saber. ¿Eres tú el rey que reclamas ser?"

Si él hubiera preguntado, Jesús se lo habría dicho. Si él hubiera preguntado, Jesús lo habría liberado. Pero Pilato no quiso saber. Se limitó a dar media vuelta y responder:

—¿Soy yo acaso judío?

Pilato no le preguntó, así que Jesús no se lo dijo.

Pilato vacila. Es una marioneta escuchando dos voces. Se vuelve hacia una, entonces se detiene, y se vuelve hacia la otra. Cuatro veces ha tratado de liberar a Jesús, y cuatro veces se ha dispuesto a lo contrario. Trata de entregarle al pueblo a Barrabás; pero ellos quieren a Jesús. Manda a Jesús al poste de los azotes; ellos quieren que lo envíe al Gólgota. Declara que él no encuentra culpa alguna en este hombre; ellos lo acusan de violar la ley. Pilato, temeroso de quien pueda ser Jesús, trata una vez más de liberarlo; los judíos lo acusan de traicionar al César.

Tantas voces. La voz de la transacción. La voz de la conveniencia. La voz de la política. La voz de la conciencia.

Y la suave y firme voz de Cristo: "Ninguna autoridad tendrías sobre mí, si no te fuese dada de arriba".[2]

La voz de Jesús es clara. Extraordinaria. El no ruega ni trata de engatusarlo. Se limita a exponer el caso.

Pilato pensó que él podía evitar tomar una decisión. Se lavó las manos. Se subió a la cerca y allí se sentó.

Pero al no escoger, escogió.

En vez de pedir la gracia de Dios, pidió una palangana. En vez de invitar a Jesús a quedarse, lo envió lejos de él. En vez de escuchar la voz de Cristo, escuchó la voz del pueblo.

La leyenda dice que la esposa de Pilato se convirtió. Y dice la leyenda que el hogar eterno de Pilato es un lago en la montaña donde diariamente sale a la superficie, todavía remojando sus manos en el agua para buscar el perdón. Tratando de eternamente de lavar su culpa... no por el mal que hizo, sino por la benevolencia que no tuvo.

Capítulo 24

El mayor
milagro

"Y los que pasaban le injuriaban, meneando la cabeza, y diciendo: Tú que derribas el templo, y en tres días lo reedificas, sálvate a ti mismo; si eres Hijo de Dios, desciende de la cruz".

Mateo 27:39-40

*E*s curioso que los impuestos y la Pascua de Resurrección a menudo caen en la misma semana. Así fue este año. Comencé esta semana con dos tareas importantes: preparar un sermón de Domingo de Resurrección y pagar mis impuestos.

Con perdón del Servicio de Rentas Internas, una parece muy celestial y la otra muy terrenal. En un momento estoy en el Calvario y al siguiente en el talonario de cheques. Una hora es reverente; la siguiente, rutinaria. Una me recuerda cómo Dios pagó por todo, y la siguiente me recuerda cuánto tengo que pagar yo. (Sin embargo, tanto el sermón como la preparación de los impuestos me dejan agradecido: el primero a mi Señor, la otra a mis tres pequeñas deducciones de impuestos [la esposa y las hijas].)

Ya habían transcurrido dos días de la semana cuando me di cuenta: ¡Qué escenario tan apropiado para estudiar el sacrificio de Dios! Pues si la cruz no tiene sentido en una semana común, llena de tareas comunes, ¿cuándo lo tiene?

Esa es la hermosura de la cruz. Tuvo lugar en una semana normal, implicando a gente de carne y hueso, y a un Jesús de carne y hueso.

De todas las semanas en que Jesús podía desplegar sus poderes, su última semana sería la indicada. Unos pocos miles de panes o unas pocas docenas de sanidades harían maravillas por su reputación. Más aún, unos pocos fariseos dejados mudos simplificarían mucho la vida.

No te limites a sanear el Templo, Jesús, tómalo y trasládalo a Jericó. Cuando los líderes religiosos murmuren, haz que lluevan ranas. Y cuando estés describiendo los últimos tiempos, abre el cielo y muéstrale a todo el mundo lo que quieres decir.

Esta es la semana para tirar la casa por la ventana. Esta es la hora para lo increíble. Tú puedes callarlos a todos, Jesús.

Pero no lo hace. Ni en Jerusalén. Ni en el aposento alto. Ni en la cruz.

La semana, en muchos aspectos, se salió de lo corriente. Sí, es festiva, pero sus celebraciones son por la Pascua, no por Jesús. Las multitudes son enormes, pero no por el Mesías.

Los dos milagros que Jesús llevó a cabo no tenían el objetivo de atraer una multitud. La higuera seca sentó un precedente, pero volvió pocas cabezas. La oreja sanada en el huerto hizo un favor, pero no le ganó amigos.

Jesús no estaba desplegando su poder.

Fue una semana ordinaria.

Una semana ordinaria llena de niños vestidos por mamás impacientes y papás apresurados para irse al trabajo. Una semana de lavar platos y barrer pisos.

La naturaleza no dio ninguna pista de que la semana fuera diferente que cualquiera otra de las miles transcurridas antes o después. El sol siguió su ruta habitual. Las nubes se deslizaron por el cielo judío. La hierba era verde y las espadañas danzaban al viento.

La Naturaleza gemiría antes del domingo. Las piedras se desprenderían antes del domingo. El cielo se cubriría con un manto negro antes del domingo. Pero nadie lo hubiese sospechado el lunes, martes, miércoles o jueves. La semana no reveló su secreto.

El pueblo tampoco dio pistas. Para muchos fue una semana de anticipación: se acercaba un fin de semana de celebraciones. Se compraría comida. Se limpiarían las casas. Sus rostros no predecían nada extraordinario... porque no sospechaban nada.

Cualquiera hubiera pensado que los discípulos habrían sospechado algo, pero no fue así. Acorrálelos y sondee sus conocimientos. No saben nada. Lo único que saben de seguro es que Sus ojos parecen más enfocados; El parece determinado... para algo de lo que no están seguros.

Dígales que antes del amanecer del viernes ellos abandonarán su única esperanza, y no se lo creerán. Dígales que en la noche del jueves se agazapan la traición y la apostasía, y se burlarán.

"Nosotros no", alardearán.

Para ellos esta semana es como cualquier otra. Los discípulos no tienen pista alguna.

Y lo más importante, Jesús no deja pista alguna. Su agua no se convierte en vino. Su asno no habla. Los muertos permanecen en la tumba y quienes estaban ciegos el lunes, siguen ciegos el viernes.

Uno creería que los cielos se abrirían. Uno pensaría que estarían sonando las trompetas. Uno pensaría que los ángeles estarían convocando a todo el mundo a Jerusalén para presenciar el suceso. Uno pensaría que el mismo Dios descendería para bendecir a su Hijo.

Pero no lo hace. El deja el momento extraordinario envuelto en lo ordinario. Una semana previsible. Una semana de tareas, comidas, y bebés que lloran.

Una semana que pudiera ser muy parecida a la de usted. Es dudoso que algo espectacular haya sucedido en su semana. Sin grandes novedades, sin noticias horribles. Sin terremotos.

Sin golpes de suerte. Tan solo una típica semana de tareas y niños y quioscos de venta.

Lo fue para Jerusalén. Al borde de la hora más espectacular de la Historia, fue una de las semanas más corrientes. Dios está en su ciudad y la mayoría de ellos se lo pierde.

Jesús pudo haber usado lo espectacular para atraer su atención. ¿Por qué no lo hizo? ¿Por qué no los dejó pasmados con un salto mortal o dos vueltas de carnero en el aire al lanzarse del Templo? Cuando ellos exigieron: "¡Crucifícale!" ¿por qué El no les hizo crecer las narices? ¿Por qué la parte milagrosa de Cristo está en reposo esta semana? ¿Por qué no hace algo espectacular?

No hubo un escudo angelical que protegiera su espalda del látigo. Ningún yelmo santo escudó su frente de la corona de espinas. Dios se introdujo hasta el cuello en el lodazal humano, se zambulló en la caverna más oscura de la muerte, y emergió... vivo.

Incluso cuando salió, no hizo alarde. Se limitó a salir. María pensó que El era el jardinero. Tomás tuvo que poner sus manos en las Suyas horadadas como prueba. Jesús todavía comió, incluso habló, aun partió el pan con los discípulos que se dirigían a Emaús.

¿Se da cuenta?

Dios nos llama en un mundo real. No se comunica haciendo trucos. No se comunica amontonando estrellas en el cielo o reencarnando abuelos sacados de la tumba. El no le hablará a usted mediante voces en un campo de maíz o un hombrecillo gordo en una tierra llamada Oz. Hay tanto poder en el Jesús de plástico que tiene en el tablero de su auto como en el dado plástico que cuelga de su espejo retrovisor.

Ninguna diferencia hay entre quien nace en Acuario o Capricornio o si nació el día en que Kennedy fue asesinado. Dios no es un embaucador. No es un genio mágico. No es un mago ni un talismán de buena suerte o el hombre de allá arriba. En vez de eso, es el creador del universo que está aquí en lo más espeso del mundo diario, que nos habla a todos más a través de bebés que lloran y estómagos vacíos de lo que hablará nunca a través del horóscopo, los mapas del zodíaco o las Madonas llorosas.

Si usted tiene una visión sobrenatural o escucha alguna voz extraña en la noche, no se deje llevar. Pudiera ser Dios o tal vez una mala digestión, y usted no querrá tomar lo uno por lo otro.

Tampoco querrá perderse lo imposible por mirar a lo increíble. Dios habla en nuestro mundo. Sólo tenemos que aprender a escucharlo.

Preste oído a su voz en medio de lo ordinario.

¿Necesita estar seguro de su cuidado por nosotros? Permita que el diario amanecer proclame su fidelidad.

¿Quisiera ver un ejemplo de su poder? Emplee una tarde en leer cómo funciona nuestro cuerpo.

¿Se preocupa de si Su Palabra es confiable? Haga una lista de las profecías cumplidas en la Biblia y las promesas para su vida.

En la última semana, aquellos que demandaban milagros no vieron ninguno y se perdieron el mayor de todos. Se perdieron el momento en el cual una tumba para los muertos se convirtió en el trono de un rey.

No caiga en ese error.

Todavía pienso que es irónico que el Servicio de Rentas Internas y la tumba vacía lleguen en la misma semana. Quizás sea conveniente. ¿No dicen por aquí que las únicas cosas ciertas en la vida son la muerte y los impuestos? Conociendo a Dios, El puede hablar a través de algo tan común como lo segundo, a fin de darle una respuesta para lo primero.

Capítulo 25

Una oración de descubrimiento

"Dios mío, Dios mío, ¿por qué me has desamparado?"
Mateo 27:46

—¿*D*ios?

—*Sí.*

—Puede que me esté metiendo en lo que no me importa al mencionar esto, pero tengo que decirte algo que tengo en mente.

—*Adelante.*

—No me gusta ese versículo: "Dios mío, Dios mío, ¿por qué me has desamparado?" No suena a Ti; no suena como algo que tú pudieras decir.

»Por lo regular me encanta cuando Tú hablas. Escucho tus palabras. Me imagino el poder de tu voz, El trueno de tus órdenes, el dinamismo en tus dictámenes.

»Eso es lo que me gusta escuchar.

»¿Recuerdas la canción de la creación que Tú cantaste en la eternidad insonora? Ese sí eras Tú. ¡Ese fue un acto de Dios!

»Y cuando Tú le ordenaste a las olas que salpicaran y ellas rugieron, cuando Tú declaraste que las estrellas se desplegaran y ellas se desplegaron, cuando Tú proclamaste que la vida viviera y todo comenzó? ¿O cuando soplaste aliento de vida en la nariz de barro de Adán? Ese eras Tú en tu mejor forma. Esa es la forma en que me gusta oírte. Esa es la voz que me gusta oír.

»Por eso no me gusta ese versículo. ¿Eres Tú realmente el que habla? ¿Son esas tus palabras? ¿Es esa en realidad tu voz? La voz que envolvió en llamas una zarza, abrió el mar y mandó fuego del cielo?

»Pero esta vez tu voz es diferente.

»Observa la oración. Hay un "Por qué" al principio y unos signos de interrogación. Tú no haces preguntas.

»¿Qué sucedió con el signo de admiración? Ese es tu marca de fábrica. Ese es tu rúbrica. El signo tan alto y fuerte como las palabras que encierra.

»Es así en tu orden a Lázaro: "¡Ven fuera!"[1]

»Así es cuando exorcisas demonios: "¡Id!"[2]

»Está enhiesto tan valientemente como Tú mientras caminas sobre las aguas y les dices a tus seguidores: "¡Tened ánimo!"[3]

»Tus palabras merecen un signo de admiración. Son la percusión de címbalos que marca el final, el cañonazo de la victoria, el trueno de los carros conquistadores.

»Tu verbo forma cañones y enciende discípulos. ¡Habla, Dios! Tú eres el signo de admiración de la vida misma...

»Entonces, ¿por qué el signo de interrogación en tus palabras? Frágil. Inclinado y doblado. Encorvado como si estuviera cansado. Ojalá lo hubieses enderezado. Estirado. Hacerlo estar en pie.

»Y, puesto que estoy diciéndote todo esto... tampoco me gusta la palabra *desamparado*. La fuente de la vida... ¿desamparada? El dador del amor... ¿solo? El padre de todo... ¿aislado?

»¡Vamos! Seguramente no quieres decir eso. ¿Puede sentirse abandonada la Deidad?

»¿No podríamos cambiar la oración un poquito? No mucho. Sólo el verbo.

—*¿Qué sugerirías?*

—¿Qué te parece *pruebas?* "Dios mío, Dios mío, ¿por qué me pruebas?" ¿No está mejor? Ahora podemos aplaudir. Ahora podemos levantar pendones dedicados a ti. Ahora podemos explicarlo a nuestros hijos. Ahora tiene sentido. ¿Ves? eso te hace un héroe. La historia está llena de héroes.

»Y quién es un héroe sino el que sobrevive a una prueba.

»O, si no te parece bien, tengo otra. ¿Por qué no *afligir?* "Dios mío, Dios mío, por qué me afligiste?" Sí, eso es. Ahora Tú eres un mártir, resistiendo por la verdad. Un patriota, herido por el mal. Un noble soldado que llevó la espada hasta el final; ensangrentado y magullado, pero victorioso.

»*Afligido* es mucho mejor que *desamparado*. Tú eres un mártir, junto con Patrick Henry y Abraham Lincoln.

»Tú eres Dios! Tú no podrías ser desamparado. Tú no podrías quedarte solo. Tú no podrías sufrir la deserción en tu momento más doloroso.

»Desamparo. Ese es el castigo para un criminal. Desamparo. Ese es el sufrimiento soportado por el más malvado. Eso es para los viles... no para ti. No Tú, el Rey de reyes. No Tú, el Principio y el Fin. No Tú, el que no ha nacido. Después de todo, ¿no te llamó Juan el Bautista: el Cordero de Dios?

»¡Qué clase de nombre! Eso es lo que Tú eres. El Inmaculado, el Intachable Cordero de Dios. Puedo oír a Juan decir las palabras. Puedo verlo levantar sus ojos. Puedo verlo sonreír y señalarte y proclamar en voz lo bastante alta para que todo el Jordán lo oyera: "He aquí el Cordero de Dios". Y antes que termine de hablar, todos los ojos volverse a ti. Joven, tostado, robusto. Anchos hombros y brazos fuertes.

»"He aquí el Cordero de Dios".

—*¿Te gusta ese versículo?*

—Seguro que sí, Dios. Es uno de mis favoritos. Eres Tú.

—*¿Y qué te parece la segunda parte?*

—¿Qué?

—*La segunda parte del versículo.*

—Hummmm, déjame ver si lo recuerdo... "He aquí el Cordero de Dios, que quita el pecado del mundo".[4] ¿Es así, Dios?

—*Eso es. Piensa acerca de lo que el Cordero de Dios vino a hacer.*

—"Que ha venido a quitar los pecados del mundo". Espera un minuto. "Quitar los pecados..." Nunca había pensado en esas palabras.

»Las había leído, pero nunca había pensado en ellas. Pensé que Tú simplemente, no sé, enviarías el pecado lejos. Lo desterrarías. Pensé que Tú sencillamente te pararías frente a las montañas de nuestros pecados y les dirías que se fueran. Tal como les dijiste a los demonios. Tal como les dijiste a los hipócritas en el Templo.

Pensé que tú le ordenarías al mal que se fuera. Nunca observé que Tú lo quitaste. No se me ocurrió que Tú lo tocaras en realidad... o peor todavía: que él te tocara a ti.

»Ese debe haber sido un momento horrible. Sé lo que es ser tocado por el pecado. Sé lo que es oler el hedor de esa cosa. ¿Recuerdas como yo era? Antes de conocerte, yo me revolcaba en ese cieno. Yo no lo toqué simplemente, yo lo amaba. Lo tragué. Bailé con él. Yo estaba en medio de él.

»¿Pero para qué te digo esto? Tú te acuerdas. Tú fuiste el que me vio. Tú fuiste el que me encontró. Yo estaba solo. Tenía miedo. ¿Recuerdas? "¿Por qué? ¿Por qué yo? Por qué todo este sufrimiento me ha venido?"

»Sé que no era una gran pregunta. Sé que no era la pregunta correcta. Pero era todo lo que yo sabía preguntar. Ves, Dios, me sentía confundido. Muy desolado. El pecado te hará eso. El pecado te deja arruinado, huérfano, a la deriva. El pecado te deja desamp...

»Ay, ay...

»Oh, Dios mío. ¿Qué ha sucedido? ¿Quieres decir que el pecado te hizo a ti lo mismo que a mí?

»Oh, lo siento mucho. Lo siento mucho. No sabía. No había entendido. Tú estabas realmente solo, ¿verdad?

»Tu pregunta era real, ¿no fue así, Jesús? Realmente tenías miedo. De verdad te sentías solo. Como yo lo estaba. Sólo que yo lo merecía. Tú no.

»Perdóname. Hablé sin pensar.

Capítulo 26

La tumba escondida

"Y lo puso en su sepulcro nuevo, que había labrado en la peña; y después de hacer rodar una gran piedra a la entrada del sepulcro, se fue".

Mateo 27:60

*E*l camino al Calvario era ruidoso, traicionero y peligroso. Y yo no estaba siquiera cargando una cruz.

Cuando yo había pensado en los pasos de Cristo en su caminar hacia el Gólgota, meditaba en las horas finales de Cristo e imaginaba la confusión final. Estaba equivocado.

El recorrer la Vía Dolorosa no es un paseo casual sobre los pasos del Salvador. En lugar de eso, es un abrirse paso a contracorriente forcejeando con un río de compradores, soldados, buhoneros y niños.

—Vigilen sus carteras —nos dijo Joe.

"Ya lo estoy haciendo", pensé.

Joe Shulam es un judío mesiánico, criado en Jerusalén, y tenido en gran estima tanto por los judíos como por los gentiles. Sus estudios rabínicos lo califican como erudito. Su entrenamiento arqueológico le concede un lugar aparte como investigador. Pero es su doble pasión por el Mesías y la casa perdida de Israel la que lo hace tan precioso para tantos. No nos acompañaba un guía, sino un zelote.

Y cuando un zelote le aconseja a uno que cuide la cartera, uno la cuida.

Cada pocos pasos un buhonero se interponía en mi paso y sacudía aretes o bufandas ante mis ojos. ¡Cómo podía meditar en este mercado?

Porque eso es la Vía Dolorosa. Un tramo de calzada tan estrecho que apiña los cuerpos uno contra otro. Cuando sus lados no forman un cañón de altas paredes de ladrillo, están bordeados por tiendas centenarias que venden cuanto hay, desde juguetes hasta vestidos, pasando por turbantes y discos compactos. Un tramo del camino es un mercado de carniceros. La fetidez me revolvió el estómago y las entrañas de cordero me hicieron volver los ojos. Jadeando para alcanzar a Joe, le pregunté:

—¿Esta calle era un mercado de carne en tiempos de Cristo?

—Sí lo era —contestó—. Para llegar a la cruz El tuvo que atravesar un matadero.

Transcurrieron unos minutos antes que asimilara plenamente el significado de esas palabras.

—No se separe —nos gritó por encima del gentío—. La iglesia está a la vuelta de la esquina.

"Será mejor en la iglesia", me dije.

Equivocado otra vez.

La Iglesia del Santo Sepulcro es 1.700 años de religión enrollados alrededor de una roca. En el 326 A.D. la emperatriz Elena, la madre de Constantino el Grande, vino a Jerusalén en busca de la colina sobre la cual Cristo había sido crucificado. Macario, Obispo de Jerusalén, la llevó a un rugoso montículo fuera de la pared noroeste de la ciudad. Un maciso dentado de granito de veinte pies de alto, sobre el cual se asentaba un templo romano de Júpiter. Rodeando la colina había un cementerio hecho de otras paredes de roca, salpicado de tumbas selladas con piedras.

Elena demolió el templo pagano y construyó una capilla en su lugar. Cada visitante desde entonces ha tenido la misma idea.

El resultado es una colina de sacrificio cubierta por completo de adornos. Después de penetrar por la alta entrada a la catedral y subir una docena de peldaños de piedra, me paré en el frente de la cima de la roca. Un cono de cristal cubre la punta, y la punta es todo lo que está a la vista. Debajo de un altar hay un agujero chapado en oro en el cual se supone se encajó la cruz. Tres iconos crucificados con rostros alargados cuelgan en cruces detrás del altar.

Linternas de oro. Estatuas de madonas. Velas y luces apagadas. No supe qué pensar. Me sentí a la vez conmovido por el lugar donde estaba parado y trastornado por lo que estaba viendo.

Me di vuelta, descendí los escalones y caminé hacia la tumba.

El lugar que la tradición señala como tumba de Cristo está bajo el mismo techo que el Gólgota tradicional. Para verlo no hace falta salir; en lugar de eso, uno tiene que usar su imaginación.

Dos mil años y un millón de turistas atrás, esto era un cementerio. Hoy en día es una catedral. Los altos domos están cubiertos de pinturas ornamentales. Me detuve y traté de imaginármelo en su estado original. No pude.

Un elevado sendero de piedras conducía al portal y un sacerdote de barba, capa y sombrero negros montaba guardia allí. Su trabajo era mantener limpio el lugar santo. Más de cincuenta personas esperaban de pie en fila para entrar, pero él no los dejaba. Yo no entendía el propósito de la demora, pero entendí la duración de la misma.

—Veinte minutos. Veinte minutos.

Masculló el público. Yo murmuré. Me acerqué todo lo que pude a la puerta. El suelo estaba incrustado con todavía más cuadrados de mármol y colgaban linternas del techo.

Yo empezaba a registrar la suma total del paseo. La calzada santa llena de buhoneros. La cruz escondida bajo un altar. La entrada a la tumba prohibida por un sacerdote.

Estaba murmurando algo acerca de que el Templo necesitaba otro saneamiento cuando escuché que alguien llamaba:

—No hay problema, venga por aquí —el que hablaba era Joe Shulam. Lo que él nos mostró a continuación no lo olvidaré jamás.

Nos condujo detrás de la elaborada cúpula, a través de una entrada, y nos guió adentro de una habitación corriente. Estaba oscura y olía a humedad. Estaba descuidada y polvorienta. Obviamente no era un lugar para turistas.

Mientras nuestros ojos se acostumbraban, él comenzó a hablar.

—Se han encontrado aproximadamente seis de éstos, pero rara vez se visitan —detrás de él había una abertura. Era una tumba tallada en una roca. De unos cuatro pies de alto a lo más. Aproximadamente del mismo ancho.

Mientras hablaba sonreía:

—¿No sería irónico que fuera éste el lugar? Está sucio. Desatendido. Olvidado. El otro de allá es elaborado y adornado. Este es simple e ignorado. ¿No sería irónico si éste hubiera sido el lugar donde enterraron a nuestro Señor?

Me acerqué a la abertura y me incliné como el apóstol Juan lo hizo para mirar dentro de la tumba. Y, al igual que Juan, me sorprendí de lo que vi. No el gran salón que yo había imaginado en mis lecturas, sino una pequeña habitación escasamente iluminada.

—Entre —me animó Joe. No me lo tuvo que repetir.

Tres pasos a través del piso de roca y ya estaba del otro lado. El bajo techo me forzó a agacharme e inclinarme contra una pared fría y áspera. Mis ojos tuvieron que acostumbrarse otra vez. Cuando pude ver, me senté en el silencio; el primer momento de silencio ese día. Vino entonces a mi mente dónde estaba: en una tumba. Una tumba que pudo haber albergado el cuerpo de Cristo. Una tumba que pudo haber encerrado el cuerpo de Dios. Una tumba que pudo haber presenciado el momento más grande de la historia.

—Aquí podían enterrarse cinco personas —Joe había entrado y estaba a mi lado. Dos de los que viajaban conmigo entraron con él—. Dos o tres se tenderían aquí en el piso. Y otros dos los deslizarían en los agujeros que están aquí arriba.

—Dios se puso en un lugar como este —dijo bajito alguien.

El lo hizo. Dios se puso en un cuartito oscuro, estrecho y claustrofóbico, y permitió que lo cerraran y sellaran. La Luz del Mundo fue envuelta en una tela y sellada en la oscuridad tan negra como el carbón. La Esperanza de la humanidad fue encerrada en una tumba.

No nos atrevíamos a hablar. No podíamos.

Quedaron olvidados los altares ornamentados. El sacerdote que protegía el sepulcro estaba a un mundo de distancia. Ya no importaba lo que el hombre había hecho para adornar lo que Dios había venido a hacer.

Todo lo que yo podía ver en aquel momento, y quizás más que en cualquier momento, era cuán lejos El había llegado. Más que el Dios de la zarza ardiendo. Más allá que el infante envuelto en un pesebre. Pasado el adolescente Salvador en Nazaret. Incluso sobrepasando al Rey de reyes clavado en una cruz sobre una colina estaba esto: Dios en un sepulcro.

Nada es más negro que una tumba, tan muerto como una fosa, tan permanente como una cripta.

Pero El entró en la cripta.

La próxima vez que usted se encuentre enterrado en un mundo tenebroso de miedo, recuerde eso. La próxima vez que el dolor lo golpee en un mundo de horror, recuerde la tumba. La próxima vez que una piedra le selle la salida hacia la paz, piense en el sepulcro vacío y mohoso en la afueras de Jerusalén.

No es fácil de encontrar. Para verlo puede ser que usted tenga que pasar por encima de la gente que quiere llamar su atención. Puede ser que tenga que escurrirse más allá de los altares dorados y las estatuas adornadas. Para verlo, puede que tenga incluso que pasar por al lado de la cámara que guarda el sacerdote y deslizarse en una antesala y buscarlo por sí mismo. A veces el lugar más difícil para encontrar la tumba es una catedral.

Pero ahí está.

Y cuando usted la vea, inclínese, entre silencioso y mire de cerca. Porque allí, en la pared, puede ser que vea las marcas quemadas de una explosión divina.

Capítulo 27

Pienso que siempre recordaré esa caminata

"Como el Hijo de Hombre no vino para ser servido, sino para servir, y para dar su vida en rescate por muchos".

Mateo 20:28

"¿*Q*ué, pues, haré de Jesús?", Pilato lo preguntó primero, pero desde entonces todos nos lo hemos preguntado.

Esa es una buena pregunta. Una pregunta necesaria. ¿Qué hace uno con un hombre así? El se llamaba a sí mismo Dios, pero usaba las ropas de un hombre. Se llamaba a sí mismo el Mesías, pero nunca comandó un ejército. Se le consideraba un rey, pero su única corona fue de espinas. El pueblo lo reverenciaba como regio, pero su único manto estaba cosido con burla.

No en balde Pilato estaba desconcertado. ¿Cómo se explica semejante hombre?

Una forma es hacer un viaje. Su recorrido. Su último trayecto. Y eso es lo que hemos hecho. Hemos seguido sus pasos y nos hemos parado en su sombra. De Jericó a Jerusalén. Desde el Templo hasta el huerto. Desde el huerto hasta el juicio. Desde el palacio de Pilato hasta la cruz del Gólgota. Lo hemos observado caminar: indignado en el templo, agotado en Getsemaní, adolorido por la Vía Dolorosa. Y poderoso fuera del sepulcro vacío.

Es de esperar que, cuando uno ha sido testigo de su trayecto, ha reflexionado acerca de sí mismo, porque cada uno de nosotros tiene su propia marcha hacia Jerusalén. Nuestro propio sendero a través de la religión vacía. Nuestro propio viaje hacia abajo por el estrecho sendero del rechazo. Y cada uno de nosotros, como Pilato, debe dictar un veredicto acerca de Jesús.

Pilato escuchó la voz del pueblo y dejó que Jesús hiciera solo Su recorrido.

¿Lo haremos nosotros?

¿Puedo terminar con las historias de tres recorridos, de tres viajes? Las historias de tres esclavos... y los senderos que cada uno tomó hacia la liberación.

Mary Barbour nos contará acerca de la esclavitud. De primera mano. Ella recuerda al Ama y al Amo. Puede describir la plantación, el barracón de palos y fango de los esclavos, con los camastros. Las largas noches. Los días calurosos. Los duros látigos. El aislamiento. Mary Barbour pudiera decirnos mucho acerca de ella, porque fue esclava.

Pero prefirió contarnos su liberación. Y eso es lo que hizo.

En 1935 tocó a su puerta un empleado del Proyecto Federal de los Escritores. Este era un esfuerzo respaldado por el gobierno para registrar los recuerdos de los ex esclavos. Entrevistaron a más de dos mil. Estas fueron las últimas voces que hablaron de los 246 años de esclavitud en Estados Unidos, y lo hicieron con elocuencia.

Ellos nos cuentan cómo no se les permitía leer, escribir, comprar ni vender. No podían ir a la iglesia a menos que los invitaran. Los azotes eran comunes. El trabajo rudo era parte de la vida.

Y cuando llegó la libertad, no estaban listos. Recorrían los caminos buscando trabajo. Eran víctimas de oportunistas. Muchos terminaron de vuelta en la misma plantación.

Pero de todos los recuerdos, el más vívido y el que más a menudo cuentan, es el momento de la liberación. La noche en que llegaron los yanquis. El día en que el Amo les dijo que podían irse. La mañana en que fueron a la "casona" y la encontraron vacía.

Y de todos los recuerdos de liberación, ninguno tan específico como el de Mary Barbour. Ella tenía diez años la noche en que su padre la despertó y la condujo al carretón que los llevaría a la libertad.

Antes que usted lea sus palabras, imagínesela sentada en el portal en Raleigh. Estamos en 1935 y ella tiene más de ochenta años. Se mece mientras piensa. Su diminuto cuerpo desaparece en el gran sillón. Sus frágiles dedos tiemblan cuando se frota la nariz. Sus ojos viejos pero ansiosos se pierden en el espacio, como si estuviera mirando a un país perdido en el horizonte. Usted se recuesta en el poste y escucha su historia:

Una de las primeras cosas que recuerdo fue a mi Papi que me despertó en medio de la noche, me vestía en la oscuridad, y no cesaba de decirme que me mantuviera callada. Uno de los gemelos lloró algo, pero Papi le puso la mano sobre la boca para que se callara.

Después que estuvimos vestidos, él salió y miró en todas direcciones por un momento, entonces volvió y nos llevó. Nos deslizamos fuera de la casa y a lo largo del sendero del bosque, Papi con un gemelo cargado y lleván-dome a mí de la mano, y Mami llevando a los otros dos.

Pienso que siempre recordaré esa caminata. Con los ar-bustos golpeándome las piernas, el viento silbando en los árboles, y los búhos y chotacabras chillándose unos a otros desde los grandes árboles. Yo estaba medio dor-mida y tiesa de miedo, pero en poco tiempo pasamos el bosquecillo de moras y allí estaban las mulas y el carretón. Había una colcha en el fondo del carretón, y sobre ella nos acostaron a los niños. Y Papi y Mami se subieron en las tablas del frente y salieron conduciendo el carretón por el camino.

Yo tenía sueño, pero también tenía miedo, así que mientras corríamos, me puse a escuchar a Papi y a Mami que hablaban. Papi le estaba contando a Mami que los yanquis habían llegado a su plantación, y quemado los maizales, los ahumaderos y destruido todo. El contó bajito que ellos habían cogido al Amo Jordan y lo habían llevado por la noche a Norfolk, y que él había robado las mulas y el carretón y había escapado.[1]

Destellos de redención. Remembranzas de la liberación. Seis décadas después el viento todavía suspira en los árboles y los chotacabras y búhos todavía se chillan unos a otros en los recuerdos de Mary Barbour.

El recorrido hacia la libertad jamás se olvida. El sendero seguido desde la esclavitud hasta la libertad está vivo siempre. Es más que un camino, es una liberación. Los grilletes se abren y, quizás por primera vez, amanece la libertad. "Pienso que siempre recordaré esa caminata".

¿Recuerda usted la suya? ¿Dónde estaba usted la noche en que las puertas se abrieron? ¿Recuerda el toque del Padre? ¿Quién anduvo con usted el día en que fue puesto en libertad? ¿Puede todavía ver la escena? ¿Puede sentir el camino bajo sus pies?

Espero que sí. Espero que en su alma esté para siempre impreso el momento en que el Padre lo sacudió en la noche y lo condujo por el sendero. Es un recuerdo como no hay otro. Porque cuando El lo liberta, usted es verdaderamente libre.

Los ex esclavos describen bien el momento de su redención.

¿Puedo contarle el mío?

Una clase bíblica en un pueblecito del oeste de Texas. No sé qué fue más notable: que un maestro estuviera tratando de enseñar el libro de Romanos a un grupo de chiquillos de diez años, o que yo recordara lo que él dijo.

La clase era de tamaño mediano, más o menos una docena en una iglesita. Mi pupitre tenía grabados encima de la tabla y chicles debajo. Había otros veinte en la habitación, aunque sólo estaban ocupados otros cuatro o cinco.

Todos nos sentábamos en la parte de atrás, demasiado pedantes para parecer interesados. Pantalones vaqueros almidonados. Zapatos altos de tenis. Era verano y el sol poniente bañaba de oro la ventana.

El maestro era un hombre sincero. Todavía puedo ver su pelado militar, la barriga sobresaliendo del saco que él ni siquiera trataba de abotonar. Su corbata que se detiene a medio camino debajo del pecho. Tiene un lunar negro en la frente, la voz suave y la sonrisa bondadosa. Aunque está irremediablemente desconectado de los chicos de 1965, él no lo sabe.

Tiene sus notas amontonadas sobre un estrado bajo una gruesa Biblia negra. Tiene vuelta la espalda a nosotros y su chaqueta sube y baja mientras él escribe en la pizarra. Habla con legítimo apasionamiento. No es un hombre aparatoso, pero esta tarde es ferviente.

Sólo Dios sabe por qué lo escuché aquella tarde. El texto era Romanos capítulo seis. La pizarra estaba atiborrada de palabras largas y diagramas. En algún punto del proceso de describir cómo Jesús fue a la tumba y salió de ella, sucedió. La joya de la gracia se elevó y se volteó de forma que yo pude verla desde otro ángulo... y me quitó el aliento.

No vi un código moral. No vi una iglesia. No vi diez mandamientos ni demonios infernales. Vi lo que aquella otra niña de diez años —Mary Barbour— vio. Vi a mi Padre entrar en mi noche oscura, despertarme de mi somnolencia, y guiarme dulcemente —no, llevarme en brazos— hacia la libertad.

"Pienso que siempre recordaré esa caminata".

Nada dije a mi maestro. Nada dije a mis amigos. No estoy seguro de habérselo dicho siquiera a Dios. No sabía qué decir. No sabía qué hacer. Pero por todo lo que yo no sabía, había algo de lo cual estaba absolutamente seguro: yo quería estar con El.

Le dije a mi padre que yo estaba listo para entregarle mi vida a Dios. El pensó que yo era demasiado joven para tomar una decisión. Me preguntó qué yo sabía. Le dije que Jesús estaba en el cielo y que yo quería estar con El. Y para mi papá, eso bastaba.

Hasta este día me pregunto si mi amor ha sido tan puro como fue en aquella primera hora. Anhelo la certeza de mi fe esplendorosa. Si me hubiesen dicho que Jesús estaba en el infierno, yo hubiera estado de acuerdo en ir allí. La confesión pública y el bautismo sucedieron tan naturalmente como para Mary Barbour fue subir al carretón.

Ve usted, cuando su Padre viene a liberarlo a uno de las ataduras, no se hacen preguntas, sino se obedecen órdenes. Uno toma Su mano y camina por el sendero. Se dejan atrás las ataduras y jamás se olvida.

Mary Barbour no olvidó, ni yo, ni Tigyne.

Tigyne pertenecía a la tribu Wallamo en el interior de Etiopía. En los días anteriores a la Segunda Guerra Mundial, los misioneros llevaron el mensaje de Cristo a su tribu adoradora de Satanás. Uno de los primeros convertidos fue Tigyne. El misionero que lo conoció... y lo liberó fue Raymond Davis.

Tigyne era un esclavo. Su decisión de seguir a Jesús disgustó a su amo, quien se negó a permitirle asistir a los estudios bíblicos ni a los servicios de adoración. Con frecuencia golpeaba y humillaba a Tigyne por su fe. Pero ese era un precio que este joven cristiano estaba dispuesto a pagar.

Había otro precio, sin embargo, que él no podía permitirse. El no podía comprar su libertad. Por sólo doce dólares su amo lo hubiese liberado, pero para este esclavo que jamás había tenido un salario, era igual que un millón.

Cuando los misioneros supieron que su libertad podía comprarse, lo conversaron, hicieron una colecta y compraron su libertad.

Tigyne ahora era libre —tanto espiritual como físicamente—. Nunca pudo manifestarle su gratitud a los hombres que lo habían redimido.

Apenas llegado el día de su libertad, los misioneros fueron expulsados de Etiopía. Pasaron veinticuatro años antes que Raymond Davis regresara a Wallamo. Durante ese cuarto de siglo Tigyne permaneció como un testimonio vívido del poder de la libertad. El ansiaba ver a Davis otra vez.

Cuando supo que su amigo regresaba, fue muchos días consecutivos hasta la misión para esperarlo. Los días del calendario o el tiempo en el reloj no tenían significado para Tigyne, así que fue diariamente a buscar a Davis.

Al fin llegó Davis, en un auto conducido por un hermano misionero.

Cuando Tigyne vio que el vehículo doblaba la esquina, corrió a la ventanilla y tomó la mano de Davis y comenzó a besársela una y otra vez. El conductor aminoró la marcha del auto para que Tigyne pudiera correr a su lado. Mientras corría, les gritaba a sus amigos —¡Mirad! ¡mirad! ¡Uno de los que me redimió ha regresado!

Finalmente se detuvo el auto. Davis salió de él y Tigyne cayó a sus pies abrazándole las piernas a su amigo y besándole los polvorientos zapatos. Davis se inclinó para incorporarlo y se fundieron en un abrazo mientras lloraban.[2]

»

Tres ex esclavos. Uno liberado del hombre, otro liberado del pecado y otro liberado de ambos. Tres recorridos. Un destino: la libertad.

Es un trayecto que jamás olvidarán.

"Pienso que siempre recordaré esa caminata". Ruego que usted tampoco. **Ruego que usted** jamás olvide su recorri-

do o el de Él: la jornada final de Jesús desde Jericó hasta Jerusalén. Porque fue este viaje el que nos prometió la libertad.

Su último recorrido a través del Templo de Jerusalén. Porque fue entonces que Él rechazó la religión vacía.

Su último trayecto hacia el monte de los Olivos. Porque fue entonces que Él prometió regresar y llevarnos al hogar.

Y su última caminata desde el palacio de Pilato hasta la cruz del Gólgota. Descalzo, los pies sangrantes forcejeando hacia arriba por un estrecho camino de piedras. Pero tan vívida como el dolor del madero contra su espalda lacerada es su visión de usted y Él que caminan juntos.

Él podía ver la hora en que Él vendría a su vida, a su oscura cabaña para despertarlo y guiarlo hacia la libertad.

Pero la peregrinación no ha terminado. El viaje no está completo. Hay otro trayecto que debe recorrerse.

Él prometió: "Yo regresaré". Y para probarlo, rasgó en dos el velo del Templo y abrió de par en par las puertas de la muerte. Él volverá.

Él, como el misionero, volverá por sus seguidores. Y nosotros, como Tigyne, no podremos contener nuestra alegría.

"¡El que nos redimió ha regresado!" gritaremos.

Y la peregrinación habrá terminado y tomaremos asiento en su banquete... para siempre.

Nos veremos junto a la mesa.

Guía de estudio

Caso de estudio

Capítulo 1

Demasiado poco, demasiado tarde, demasiado bueno para ser verdad

1. *Había un cierto honor en ser escogido ... algo especial por ser destacado aunque fuera para cavar huecos. Pero al mismo tiempo que era un honor ser escogido, había una cierta vergüenza en ser descartado. Otra vez.*

A. Describa una ocasión en que usted fue especialmente escogido para un evento. ¿Cómo se sintió? ¿Qué recuerda mejor de todo eso? ¿Alguna vez fue pasado por alto en algo que usted deseaba realmente? Si es así, cómo se sintió entonces?

B. Lea Mateo 20:1-16. Métase en el relato. ¿Cómo se sentiría si hubiese sido uno de los trabajadores contratados al principio del día? ¿Si lo contrataron a la hora undécima? ¿Qué está tratando de probar Jesús en lo que dice el señor de la viña en los versículos del 13 al 15? ¿Cómo demuestra el versículo 16 las buenas nuevas del Evangelio?

2. *Si le repiten suficientes veces que sólo las frutas podridas se quedan en la cesta, uno empezará a creérselo. Empieza a creerse que es "demasiado poco y demasiado tarde".*

A. ¿Se ha sentido alguna vez como "fruta podrida" o que usted es "demasiado poco y demasiado tarde"? ¿Qué lo hizo sentirse así? ¿Qué piensa que diría Max de lo que usted dice?

B. Lea Juan 1:43-51. ¿En qué sentido pensaba alguna gente que Jesús era "fruta podrida" (ver versículo 46)? ¿Cómo reaccionó Jesús a semejante afirmación?

C. Lea 1 Corintios 1:26-29. ¿Qué clase de gente constituía la iglesia en Corinto? ¿Qué puede sugerir esto acerca de la forma en que Dios evalúa a la gente? De acuerdo con el versículo 29, ¿Por qué Dios decidió hacer esto?

3. *Dios tiene una peculiar pasión por los olvidados. ¿No se ha percatado de ello?*

A. ¿Se ha dado cuenta de la especial predilección de Dios por los olvidados? Si es así, describa lo que ha observado.

B. Lea Santiago 1:27 y 2:5. ¿Cómo demuestra Dios su especial pasión por los olvidados en estos dos versículos? ¿Cuál debe ser nuestra respuesta a estas personas? ¿Por qué?

C. Lea Mateo 11:19. ¿Con qué clase de gente era sabido que Jesús se asociaba? ¿Cómo respondía El a las acusaciones de sus opositores? ¿Qué les dice eso acerca de la particular predilección de Dios por los olvidados?

4. *¿Por qué lo escogió El a usted? ¿Por qué me escogió a mí? Sinceramente. ¿Por qué? ¿Qué tenemos nosotros que El necesite?*

A. Lea Romanos 9:10-16. Según Pablo, ¿sobre qué base escogió Dios a Isaac? ¿Qué tenía Isaac que Dios necesitara?

B. Lea Deuteronomio 7:78. ¿Qué razones da Dios en este pasaje para su amor por Israel? ¿Por qué lo escogió? ¿En qué sentido la selección que hizo Dios de Israel es exactamente igual a su selección de nosotros?

5. *"¿Verdad que da gusto ser escogido, muchacho?" Seguro que sí, Ben. Por supuesto.*

A. Si usted ha aceptado a Jesús como su Salvador, ¿ha meditado bien en lo que significa ser escogido? ¿Cómo lo hace sentirse?

B. Lea Efesios 1:11-12 y Pedro 2:9. ¿Qué dicen estos pasajes acerca de haber sido escogidos nosotros por Dios? ¿Qué diferencia hay en ser escogidos? ¿Cómo se supone que la selección de que nos hizo objeto Dios cambie nuestro modo de vivir? ¿Eso cambia su forma de vida? ¿Por qué o por qué no?

Capítulo 2

De Jericó
a Jerusalén

1. *Es mejor marchar a la batalla con la Palabra de Dios en el corazón que con armas poderosas en las manos.*

A. Lea Mateo 20:17-19. ¿En qué sentido este pasaje dice que Jesús iba a entrar en combate? ¿En qué sentido estaba la Palabra de Dios en su corazón? ¿Cómo usted puede seguir su ejemplo?

B. Lea 1 Samuel 17:45-47. ¿Como entró en combate David contra Goliat con la Palabra de Dios en su corazón? ¿Cómo describe David el encuentro en el versículo 45? ¿Cómo ganamos nosotros cualquiera de nuestras batallas, según el versículo 47? ¿Cómo nuestras acciones diarias prueban que nosotros creemos o no este versículo? ¿Qué demuestran sus acciones diarias?

2. *Uno puede aprender mucho de una persona por la forma en que muere.*

A. ¿Por qué la forma en que alguien muere nos dice mucho de él? ¿Conoce usted a alguien cuya muerte le haya dicho mucho acerca de él? Lea Lucas 9:51. ¿Cómo este versículo y la muerte de Jesús nos dicen mucho acerca de El?

B. Lea Juan 15:13. ¿Qué nos dice este versículo acerca del amor de Jesús por usted? ¿Cómo lo hace sentir esto?

3. *Olvídese de cualquier sugerencia de que Jesús cayó en una trampa. Borre cualquier teoría de que Jesús calculó mal. Descarte cualquier especulación de que la cruz fue un último recurso para salvar una misión fracasada. Porque si estas palabras nos dicen algo, nos revelan que Jesús murió... a propósito. Sin sorpresas. Sin vacilaciones. Sin titubeos.*

A. Lea Lucas 18:31-34. ¿Qué les dijo Jesús a sus discípulos acerca de lo que sucedería? Según el versículo 31, ¿por qué tenían que suceder estas cosas?

B. Lea Hechos 2:22-23 y 4:27-28. ¿Qué nos dicen estos versículos acerca de la muerte de Jesús? Aunque los discípulos no comprendieron a Jesús en Lucas 18:31-34, ¿la entendieron ellos en estos pasajes? Si es así, ¿qué diferencia significó en sus vidas esta comprensión? ¿Qué diferencia significa para usted esta comprensión?

C. Lea Juan 10:14-18. ¿Quiénes son las ovejas de Jesús en este pasaje? ¿Qué dice Jesús que El hará por ellas? ¿Qué nos enseña el versículo 18 acerca de la crucifixión? ¿Cómo confirma este pasaje lo que Max escribió en la cita anterior?

Capítulo 3

El general sacrificado

---

1. Muy pocos asumirían la responsabilidad por las equivocaciones de otros. Y todavía menos aceptarían la culpa por errores no cometidos todavía. Eisenhower lo hizo. Y por ello se convirtió en héroe. Jesús lo hizo. Como resultado, es nuestro Salvador.

A. Piense en algunos líderes que usted ha admirado. ¿Asumieron ellos la responsabilidad por los errores de otros? Si es así, nombre algunos ejemplos. ¿Por qué nos cuesta trabajo asumir la responsabilidad por los errores de otros? ¿En qué se parece la acción del general Eisenhower a la de Jesús? ¿En qué es diferente?

B. Lea Mateo 20:25-28. Según Jesús, ¿Cómo llegamos a ser grandes? ¿Cómo llegamos a ser los primeros? ¿Cómo dio Jesús el ejemplo en esto? ¿Cómo debemos seguir su ejemplo? Dé varios ejemplos prácticos de cómo usted puede seguir su ejemplo esta semana.

C. Lea Romanos 5:6-8. ¿Por quién murió Cristo? ¿En qué sentido la muerte de Jesús demuestra su incomprensible amor por nosotros? ¿Cómo representa este pasaje el epítome del principio de Max en este capítulo?

2. *El Calvario es un híbrido de la condición elevada de Dios y su profunda devoción. El trueno que retumba cuando la soberanía de Dios choca con su amor. El matrimonio de la realeza y la compasión del Cielo. El mismo instrumento de la cruz es simbólico: el madero vertical de la santidad interceptado por la barra horizontal del amor.*

A. ¿En qué es más fácil pensar, en la santidad de Dios o en su amor? Explique su respuesta. ¿Cómo la cruz simboliza la intersección de estas dos características?

B. Lea Romanos 3:25-26 y 11:22. ¿Cómo estos pasajes confirman la cita anterior de Max? ¿Cómo satisface la cruz tanto la justicia de Dios como su amor?

3. *Jesús no escribió una nota; El pagó el precio. No se limitó a aceptar la culpa, El tomó el pecado. Se convirtió en el rescate. Es el General que murió en el lugar del soldado raso, el Rey que sufre por el campesino, el Señor que se sacrifica por los siervos.*

A. ¿En qué sentido Jesús se convirtió en el rescate por nosotros? ¿En qué fue su muerte muy diferente de la de cualquier otro que pudiera morir por un amigo?

B. Lea 2 Corintios 5:21. ¿Cómo este versículo viene bien con la idea que Max se hizo de ello en la cita anterior? De acuerdo con este versículo, ¿por qué Jesús se convirtió en pecado por nosotros?

C. Lea Gálatas 3:13-14. ¿Cómo nos redimió Cristo de la maldición de la ley? Según el versículo 14, ¿por qué lo hizo? ¿Cómo explica este versículo que nosotros sacamos provecho de su obra en la cruz? ¿Ha sacado usted provecho de ella? Explique su respuesta.

Capítulo 4

Deplorable religión

---

1. *Estamos equivocados cuando pensamos que Dios está demasiado ocupado para la gente sin importancia o es demasiado formal para algo fuera de protocolo. Cuando los más cercanos a Cristo le niegan a la gente el acceso a El, todo se convierte en religión vacía, hueca. Religión deplorable.*

A. ¿Ha visto alguna vez en práctica la religión deplorable? Si es así, ¿a qué se parecía? ¿Cómo afectaba a la gente? ¿Qué impresión dejó en usted? ¿Qué hizo usted en eso, si lo hizo?

B. Lea Mateo 20:29-34. ¿Por qué cree que la multitud reprendió a los ciegos? ¿Qué hubiera sentido si usted hubiese sido uno de los dos ciegos? La respuesta a la pregunta de Jesús parece demasiado obvia; ¿por qué cree que Jesús la hizo? ¿Qué hicieron los ciegos después que fueron sanados? ¿Por qué cree que lo hicieron?

C. Lea Ezequiel 34:1-10. En este pasaje, Ezequiel usa el término *pastores* al referirse a los líderes del pueblo de Dios. ¿Qué anda mal con los pastores en este pasaje? ¿Ayudan al pueblo a llegar a Dios o se lo impiden? ¿Cuál es la actitud de

Dios hacia esos pastores? ¿Es una reacción suave, o enérgica? ¿Cómo fortalece o contradice este pasaje la cita anterior de Max?

2. *Algo les dijo a aquellos dos mendigos que Dios está más preocupado por el corazón bueno y justo que por las ropas o el procedimiento correcto. De alguna forma supieron que su carencia de método quedaba compensada por su motivo, así que gritaron todo lo más que pudieron. Y fueron escuchados.*

A. ¿Cómo a veces estamos más preocupados por la ropas y procedimientos correctos que por el corazón recto? ¿Por qué es tan fácil caer en esta trampa? ¿Cómo puede usted evitar caer en ella?

B. Lea 2 Crónica 30:18-20. En este pasaje, ¿cuál era el problema que enfrentaba el pueblo? ¿Cuál era la solución al problema? ¿Cómo respondió Dios al pueblo en este caso? ¿Por qué?

C. Lea Isaías 29:13. En este pasaje ¿cuál es la queja del Señor? ¿Cómo usted puede decir cuándo el corazón de alguien está lejos de Dios? ¿Cómo este pasaje confirma lo que Max habló en la cita?

D. Lea el Salmo 51:16-17. ¿Por qué este pasaje es una reafirmación de la cita anterior de Max? ¿Cuáles son los "sacrificios" que Dios desea de nosotros? ¿En qué sentido es esto más duro que los sacrificios literales? ¿Cómo usted cumple con este deseo de Dios?

3. *Irónico. De toda la gente que estaba en el camino aquel día, ellos resultaron los únicos con la visión más clara —incluso antes que pudieran ver.*

A. ¿De qué clase de visión habla Max en la cita anterior? ¿Cómo es su visión?

B. Compare a Mateo 16:1-3 con Lucas 8:10. ¿Cómo estos pasajes demuestran que es posible tener una buena visión física pero ser espiritualmente ciego? ¿Cómo mejora usted su visión espiritual?

C. Lea 1 Corintios 1:28-29. ¿Cómo ayuda este pasaje a explicar la cita de Max? ¿Qué tiene de especial el versículo 29? ¿Por qué el versículo 29 ayuda a explicar la ceguera espiritual?

Capítulo 5

No es todo hacer algo, quédate quieto

1. *El día de reposo es aquel en que los hijos de Dios en tierra extranjera aprietan la mano de su Padre y dicen: "No sé dónde estoy ni cómo regresar a casa, pero Tú lo sabes y eso basta".*

A. ¿Qué quiere decir Max cuando habla de que estamos en una tierra extranjera? ¿En qué sentido el día de reposo es un tiempo para orientarnos? ¿En qué tenemos que concentrarnos durante el día de reposo?

B. Lea Exodo 20:8-11. ¿Qué significa *guardar* el día de reposo como día "santo"? Según el versículo 11, ¿quién lo *hizo* santo? ¿Qué razones se dan para no hacer ningún trabajo en ese día? ¿Tiene usted como práctica el abstenerse de trabajar un día de cada siete? ¿Por qué o por qué no?

C. Lea el Salmo 122:1. ¿Por qué el salmista "se alegra" en este versículo? ¿Cómo se relaciona este versículo con la cita anterior de Max? ¿Es la experiencia del salmista como la de usted? ¿Por qué o por qué no?

2. *Si Jesús encontró tiempo en medio de una agenda tan apretada para detener el apuro y sentarse en silencio, ¿no cree que pudiéramos hacer nosotros lo mismo?*

A. ¿Por qué piensa usted que Jesús se tomó tiempo "en medio de una agenda tan apretada para detener el apuro y sentarse en silencio"? Si El necesitaba hacerlo, ¿por qué nosotros pensamos con frecuencia que no nos hace falta? ¿Qué sucede cuando dejamos de hacerlo? ¿Qué le sucede a usted?

B. Lea Lucas 4:16. Según este versículo, ¿cuál era la costumbre de Jesús en el día de reposo? ¿Es esto significativo para nosotros? Si es así, ¿por qué?

3. *Afloje el paso. Si Dios lo ha ordenado, es porque usted lo necesita. Si Jesús dio el ejemplo, es porque hace falta. Dios todavía suministra el maná. Confíe en El. Tómese un día para decirle no al trabajo y sí a la alabanza.*

A. ¿Le cuesta trabajo aflojar el paso? Explique su respuesta. ¿Qué quiere decir Max cuando escribe que "Dios todavía suministra el maná. Confíe en El"? ¿Sería posible que no nos tomáramos un día libre para decirle no al trabajo y sí a la alabanza porque no confiamos en Dios para el maná? Si es así, ¿cómo podemos cambiar nuestros hábitos?

B. Lea el Salmo 92:1-8. Observe el título de este salmo. ¿Para qué día se escribió? ¿Por qué es esto importante? ¿En qué está centrado este salmo? ¿Por qué ese enfoque conforma la respuesta del salmista? ¿Cuál es su respuesta a ese enfoque?

C. Lea Lucas 10:38-42. Según el versículo 42, ¿cuál es la única cosa necesaria? ¿Por qué Jesús la llamó la mejor? Observe que ésta debe ser escogida; ¿qué está escogiendo usted? ¿En qué sentido esta cosa "no puede ser quitada" de aquellos que la escogen?

4. *Mantenga una clara perspectiva de la cruz en su horizonte y podrá volver a casa. Ese es el propósito de su día de descanso: descansar el cuerpo, pero mucho más importante: restaurar su perspectiva. Un día en el cual orientarse para encontrar el camino a casa.*

A. Nombre muchos caminos en los cuales usted pueda mantener una clara perspectiva de la cruz en su horizonte.

B. Lea Hebreos 12:2-3. ¿En qué tenemos que fijar nuestros ojos? De acuerdo con el versículo tres, ¿qué se logra con esto? A la inversa, si fallamos en fijar nuestros ojos así, ¿qué dos cosas sucederán? Si nos hemos cansado o descorazonado, ¿pudiera esto ser la razón?

C. Lea el Salmo 62:1-2,5-8. ¿Dónde dice David que él halla descanso? ¿Por qué lo considera tan único? En el versículo 5, ¿a quién exhorta David? ¿Por qué esto es importante? ¿Por qué él repite esas líneas? ¿A quiénes exhorta en el versículo 8? ¿A qué los exhorta? ¿Qué razones les da él para hacer eso?

D. Evalúe su propia experiencia del día de reposo. ¿Está usted tomándose un día de cada siete para descansar y concentrarse en Dios? Si no, ¿por qué no? Si es así, ¿cómo se compara su experiencia con la del autor del Salmo 92? ¿Hay algo que usted quisiera modificar en su práctica del día de reposo? Si es así, ¿de qué se trata?

Capítulo 6

Amor arriesgado

---

1. *El perfume valía el equivalente a un año de salario. Quizás fuera la única cosa de valor que ella tenía. No era un acto lógico, pero ¿desde cuándo el amor se ha guiado por la lógica?*

A. Describa su primera reacción a la acción de esta mujer. ¿Pensó que era tonta? ¿Extravagante? ¿Profunda? ¿Conmovedora? ¿Es el amor ilógico? ¿O lo que Max quiere decir es que el amor no se *rige* por la lógica?

B. Lea Juan 12:1-8. ¿Con cuál personaje de este episodio puede usted relacionarse más fácilmente? ¿Por qué? ¿En qué sentido María se arriesgó haciendo lo que hizo? Trate de enumerar alguna forma similar en que podamos correr semejantes riesgos hoy en día.

C. Lea Mateo 26:6-13. ¿En qué sentido fue hermoso el acto de la mujer? ¿Por qué fue simbólico de lo que iba a suceder? ¿Por qué supone usted que Jesús dijo lo que dijo en el versículo 13?

2. *Hay un tiempo para el amor arriesgado. Hay un tiempo para los gestos derrochadores. Hay un tiempo para derramar nuestros afectos sobre alguien a quien uno ama. Y cuando llega el tiempo... aprovéchelo, no lo deje pasar.*

A. ¿Cuál es el tiempo apropiado para el amor arriesgado? Descríbalo. ¿Cuándo ha demostrado usted el amor arriesgado? ¿Con qué resultados? ¿Lo haría otra vez? ¿Por qué?

B. Lea Proverbios 3:27-28. ¿Qué dicen estos versículos acerca de aprovechar la oportunidad para expresar el amor arriesgado? Si usted puede mejorar en este sentido, ¿cómo puede hacerlo?

C. Lea Filipenses 2:25-30. ¿Cuál es el amor arriesgado descrito en este pasaje? ¿Cuál fue el riesgo corrido? ¿Cuál fue el resultado? En su opinión, ¿mereció la pena? ¿Por qué?

3. *El precio del sentido práctico es a veces más alto que el del derroche. Pero las recompensas del amor arriesgado siempre son mayores que su costo.*

A. ¿De qué manera el sentido práctico cuesta más que el derroche? ¿Está de acuerdo en que "las recompensas del amor arriesgado siempre son mayores que su costo"? ¿Por qué o por qué no?

B. Lea Lucas 6:32-35. Enumere los diferentes ejemplos de amor arriesgado que Jesús nombra en este pasaje. ¿En qué es cada uno de ellos arriesgado? ¿Por qué nos alienta a arriesgarnos? ¿Qué clase de recompensa se nos promete si corremos esos riesgos?

4. *Haga el esfuerzo. Invierta el tiempo. Escriba la carta. Excúsese. Haga el viaje. Compre el regalo. Hágalo. La oportunidad aprovechada produce regocijo. El descuido trae remordimiento.*

A. ¿Qué oportunidades existen para usted ahora mismo de demostrar el amor arriesgado? Enumérelos. ¿Qué le está impidiendo correr el riesgo? ¿Qué piensa de la afirmación de Max de que "la oportunidad aprovechada produce regocijo. El descuido trae remordimiento"?

B. Lea Santiago 4:17. ¿Qué tiene que ver este versículo con el amor arriesgado? ¿Cómo responde usted a él?

Capítulo 7

El tipo del asno

---

1. *A veces quiero guardar mis animales para mí. Algunas veces, cuando Dios quiere algo, me comporto como si no supiera que El lo necesita.*

A. ¿Puede identificarse con lo que dice Max en la cita anterior? Si es así, ¿en qué forma? Describa un momento en que usted sintió como dice Max.

B. Lea Mateo 21:1-7. De acuerdo con el versículo 3, ¿cuán rápidamente respondería el dueño a la solicitud de Jesús? ¿Por qué usted cree que él respondería así? ¿Es esta la forma normal en que usted respondería? ¿Por qué o por qué no?

C. Compare Mateo 21:3 con el Salmo 50:9-12 y Hechos 17:24-25. Según estos versículos, ¿qué necesita Dios de nosotros? ¿Qué tenemos nosotros de lo cual El no puede prescindir? ¿En qué sentido, pues, necesitaba Jesús el asno? ¿En qué sentido necesita Dios algo de nosotros? ¿Por qué esto hace que sea un privilegio que El nos pida algo que tenemos?

2. *Todos nosotros tenemos un asno. Usted y yo, cada cual tiene algo en su vida, lo cual, si se le devuelve a Dios, pudiera, como el asno, hacer adelantar en el camino a Jesús y su historia.*

A. Haga un inventario de sus asnos. ¿Qué tiene usted que "pudiera hacer adelantar en el camino a Jesús y su historia"? ¿Qué talentos tiene usted? ¿Qué recursos? ¿Qué habilidades? ¿Qué dones?

B. Lea Romanos 12:6-8. Observe el espíritu del pasaje. Cualesquiera dones que tengamos, Pablo nos pide que los usemos. ¿Reconoce usted alguno de sus dones entre los enumerados aquí? ¿Sabe cuáles son sus dones? ¿Está usándolos?

C. Lea Mateo 25:14-30. ¿Con cuál de los tres siervos se identifica usted? ¿Por qué? ¿Cómo hacen sentirse a su amo los dos primeros siervos? ¿Cómo hace sentirse a su amo el último de los siervos? ¿Cuál es la lección que Jesús trata de enseñarnos en este relato?

3. *Pudiera ser que Dios quisiera montar en tu asno y entrar por las puertas de otra ciudad, otra nación, otro corazón. ¿Se lo permites? ¿Se lo entregas? ¿O vacilas?*

A. ¿Por qué a veces vacilamos cuando creemos que Dios desea usar algo que tenemos? ¿Cuál de tus asnos piensas que Dios pueda querer montar? Describe tus ideas al respecto.

B. Lea 2 Corintios 9:7. Cómo se relaciona este versículo con el entregar nuestro asno? ¿Qué quiere decir "como propuso en su corazón"? ¿Qué tiene de malo el dar con renuencia o bajo compulsión? ¿Qué hace que Dios se deleite con el dador alegre?

4. *Dios usa semillitas para recoger grandes cosechas. El viaja a lomo de asno —no en corcel ni en carroza—, simples asnos.*

A. ¿Por qué piensa usted que Dios escoge usar las cosas pequeñas para que le den gloria? ¿Por qué no cosas grandes? ¿Alguna vez ha vacilado en darle algo pequeño porque no parece importante o suficientemente bueno?

B. Lea Jeremías 9:23-24. ¿Por qué no deben alardear los sabios de su sabiduría, los forzudos de su fuerza o los ricos de sus riquezas? ¿Cómo se relaciona este pasaje con la cita anterior de Max?

C. Lea Jueces 7:1-8. ¿Por qué piensa usted que Dios redujo el número de las tropas de Gedeón de 32.000 a 10.000 y después a 300? ¿Qué le dice la insistencia de Dios en usar cosas pequeñas?

Capítulo 8

Los mercachifles y los hipócritas

1. *¿Quiere indignar a Dios? Interpóngase en el camino de los que quieren llegar a El. ¿Quiere sentir Su ira? Explote a la gente en el nombre de Dios. Los mercachifles religiosos atizan el fuego de la ira divina.*

A. Trate de pensar en unos bien conocidos ejemplos cuando los mercachifles religiosos explotaron al pueblo en el nombre de Dios. ¿Qué hicieron? ¿Qué sucedió con ellos? ¿Qué sucedió con el pueblo? Describa por qué usted puede haber visto "el fuego de la ira divina" en estos casos.

B. Lea Mateo 21:12-17. ¿Qué indignó a Jesús en este incidente? ¿Qué nos dice esto acerca de Jesús? ¿Tiene esto alguna implicación para usted? Si es así, ¿cuál es?

C. Lea Titus 1:10-11. ¿Cómo caracteriza a quienes "enseñan por ganancia deshonesta lo que no conviene"? ¿Qué hace esta gente? ¿Cómo responderemos nosotros?

2. *Escuche atentamente al evangelista de la televisión. Analice las palabras del predicador del radio. Observe el énfasis del mensaje. ¿Dónde está el peso? ¿Su salvación o su donación? Escuche lo que se dice. ¿Se necesitaba el dinero siempre ayer? ¿Le prometen la sanidad si usted da y el infierno si no lo hace? Si es así, no le haga caso.*

A. ¿Cuán cuidadosamente analiza usted los mensajes religiosos que recibe, tanto impresos como por la televisión, la radio o en persona? ¿Cómo puede mejorar al analizar estos mensajes? Una vez que reconoce un mensaje perjudicial, ¿qué hace normalmente?

B. Lea 1 Timoteo 6:3-11. En el versículo 5, ¿cómo caracteriza Pablo a quienes piensan que la devoción es un medio de ganancia financiera. ¿Cuál dice él que es realmente una gran ganancia (v. 6)? ¿Cuál es el problema de querer enriquecerse (v. 9)? ¿Qué sucede a muchos que codician el dinero (v.10)? ¿Cómo debemos responder a tales prácticas (v. 11)?

C. Lea Romanos 16:17-18. ¿Cuál es la exhortación de Pablo en el versículo 17? ¿Se percata usted de su apremio? ¿Cuán vigilante está usted con respecto a esto?

3. *Hay mercaderes en la casa de Dios. No se deje engañar por su apariencia. No se deje deslumbrar por sus palabras. Tenga cuidado. Recuerde por qué Jesús saneó el Templo. Los que están más cerca de él, pueden ser los que más lejos de él se encuentren.*

A. ¿Por qué piensa usted que tan a menudo es cierto que "quienes están más cerca [del Templo] pueden ser los que más lejos de él se encuentren"? ¿Cuándo esto es un problema personal para usted?

B. Lea 1 Tesalonicenses 5:21. ¿Qué se nos ordena hacer ahí? ¿Cómo puede usted hacerlo?

C. Lea Hechos 20:28-35. ¿A qué apremia Pablo a los efesios en el versículo 28? ¿Por qué nos hace esta advertencia (v. 29)? ¿Cuál es la mejor protección para el pueblo de Dios en este caso (v. 32)? ¿Qué evidencia brinda Pablo de su sinceridad (vs. 33-34)? ¿Por qué las palabras de Jesús en el versículo 35 son una excelente guía para medir las enseñanza de alguien?

Capítulo 9

Valor para volver a soñar

---

1. *Dios siempre se regocija cuando nos atrevemos a soñar. De hecho nos parecemos a Dios cuando soñamos. El Señor exulta con las novedades. Se deleita en sobrepasar lo viejo. El escribió un libro sobre hacer posible lo imposible.*

A. ¿Cuán práctico es usted cuando sueña? Si le es difícil soñar, ¿por qué cree que sea así? Cuando sueña, ¿sobre qué sueña?

B. Lea Isaías 43:18-19. ¿Qué idea tiene usted de este pasaje acerca de la delicia de Dios en las cosas nuevas? ¿Por qué piensa que El tiene que darnos un recordatorio como éste?

C. Lea 2 Corintios 5:17. ¿Por qué es crucial recordar que los cristianos son *nuevas* criaturas? ¿En qué consiste la diferencia?

2. *Dios no puede soportar la fe tibia. Se encoleriza con una religión que hace alardes pero pasa por alto el servicio... y esa es precisamente la religión que El estaba enfrentando durante su última semana.*

A. Lea Mateo 21:18-22. ¿En qué se parecían los líderes religiosos de Israel a la higuera de los versículos 18-19?

¿Hubo alguna vez un momento en que usted pudo haber sido descrito así? ¿Qué clase de higuera es usted ahora?

B. Lea Lucas 18:9-14. ¿Quién, en la historia que relató Jesús, tenía una fe tibia? ¿Cuál era vigorosa? ¿Qué dijo Jesús acerca de cada uno de estos hombres? ¿Con cuál de los dos hombres se identificaría usted?

C. Lea Apocalipsis 3:15-16. ¿Cuál es la reacción de Jesús a una iglesia tibia? ¿Por qué cree usted que El sea tan gráfico en este pasaje? ¿Qué síntomas acompañan a alguien que es tibio en su fe?

3. *La fe no está en la religión, la fe está en Dios. Una fe resistente y atrevida que cree que Dios hará lo que es justo, en cada ocasión. Y ese Dios hará lo que sea necesario —cualquier cosa que sea— para traer a Sus hijos a casa.*

A. ¿Cuál es la diferencia entre fe en la fe y fe en Dios?

B. Lea Génesis 18:23-25. Observe la pregunta de Abraham en el versículo 25. ¿Qué respuesta está esperando El? ¿Espera usted la misma respuesta? Basado en esta pregunta, ¿cómo espera usted que Dios actúe en su vida?

C. Lea Job 19:25-27. Incluso cuando Job tenía el alma llena de congoja, ¿cuál es su esperanza cierta? ¿En quién está centrada su esperanza? ¿Cómo transforma su aspecto esa esperanza?

D. Lea 2 Timoteo 4:7-8. Describa la gran esperanza de Pablo cuando se acerca al final de su vida. ¿En quién está centrada su esperanza? ¿Esperaba él ser llevado a su hogar celestial? ¿Es esta la esperanza suya también?

4. *Dios quiere que usted vuele. Quiere que vuele libre de las culpas de ayer. Quiere que vuele libre de los temores de hoy. Quiere que vuele libre de la tumba de mañana.*

A. ¿Alguno de los temores enumerados en la cita anterior de Max lo mantiene a usted atado? Si es así, ¿cuál? ¿Qué necesitaría usted para volar libre de ellos?

B. Lea Hebreos 2:14-15. Según este versículo, ¿por qué tomó Jesús forma humana? ¿Qué clase de libertad ganó El para nosotros (v. 15)?

C. Lea Mateo 11:28. ¿Adónde nos dice este versículo que volemos? ¿Cómo puede usted hacer esto, en la práctica? ¿Lo está haciendo ahora? ¿Por qué o por qué no?

Capítulo 10

De callos y compasión

1. *Ningún precio es demasiado alto para que un padre lo pague por liberar a su hijo. Ningún gasto de energía es demasiado grande. Ningún esfuerzo es demasiado exigente. Un padre llegará a cualquier extremo para encontrar a su retoño. Así hará Dios.*

A. Si tiene usted hijos, ¿qué precio estaría dispuesto a pagar por redimirlos? ¿Qué esfuerzo realizaría? ¿A qué extremos llegaría?

B. Lea Mateo 18:12-14. ¿Qué clase de esfuerzo describe Jesús en esta historia? ¿Cómo relaciona El Su historia con lo que Dios hace en realidad (v. 14)?

C. Lea 1 Juan 3:16. ¿Cómo define Juan el amor en este versículo? ¿Cómo encaja con la cita anterior de Max?

2. *Dios está en el meollo de las cosas de su mundo. El no reside en una galaxia distante. No se ha apartado de la historia. No ha decidido recluirse en un trono en un castillo incandescente. El se ha acercado.*

A. Describa el concepto actual que tiene usted de Dios. ¿Ha sido ese concepto siempre el mismo? Si ha cambiado, describa cómo ha cambiado. ¿Hubo un tiempo en que usted creía que Dios estaba muy lejos? Si es así, ¿cómo llegó a cambiar su comprensión?

B. Lea Salmo 139:1-2. Según este pasaje, ¿cuán cerca está Dios de usted ahora? ¿Cómo se siente por eso?

C. Lea Hebreos 10:19-23. ¿Cómo llegamos a tener confianza al acercarnos a Dios (v. 19)? ¿De qué forma podemos acercarnos a Dios a través de Jesús (v. 22)? ¿Por qué podemos "mantener firme, sin fluctuar, la profesión de nuestra esperanza" (v. 23)?

3. *Dios es paciente con nuestros errores. Se ha resignado a nuestros tropiezos. No le molestan nuestras preguntas. No se aleja cuando forcejeamos. Pero cuando repetidamente rechazamos Su mensaje, cuando somos insensibles a Sus ruegos, cuando El cambia la Historia misma para llamar nuestra atención y todavía seguimos sin atender, El cumple nuestra petición.*

A. ¿Cómo rechazamos repetidamente el mensaje de Dios? ¿En qué sentido somos insensibles a sus ruegos? ¿Qué quiere decir Max con que Dios cumple nuestra petición?

B. Lea el Salmo 103:8-14. ¿Qué dice este pasaje acerca de la forma en que Dios responde a nuestros errores? ¿Cómo ayuda el versículo 14 a explicar el versículo 10? Ahora lea el Salmo 130:3-4. Si Dios mantuviera un registro de sus pecados, ¿habría podido usted mantenerse en pie? Según este pasaje, ¿por qué debemos temer a Dios?

C. Lea Mateo 21:33-46. ¿Describiría usted al terrateniente en esta parábola como un hombre paciente? ¿Por qué o por qué no? ¿Cuál es el mensaje importante que Jesús trata de que comprendamos por medio de esta historia? ¿Por qué piensa usted que los principales sacerdotes y fariseos comprendieron que Jesús estaba diciendo esta historia por ellos (v. 45)?

4. *Dios viene a tu casa, sube los peldaños y toca a la puerta. Pero eres tú quien tiene que dejarlo entrar.*

A. ¿Por qué piensa usted que Dios no derriba la puerta?

B. Lea Ezequiel 33:11. ¿Cuál es el deseo de Dios para el impío según lo expresa este versículo? ¿Quién tiene que volverse de sus caminos impíos? ¿Cuál es el resultado de volverse? ¿Qué sucede cuando no se vuelven?

C. Lea Santiago 4:8. ¿Cuál dice Santiago que es nuestra parte en el proceso que describe? ¿Cuál es la parte de Dios? ¿Cuál es el resultado?

Capítulo 11

Está usted invitado

1. *Dios es un Dios que invita. Dios es un Dios que llama. Dios es un Dios que abre la puerta y convida con la mano a los peregrinos a que se sienten a una mesa que está servida. Sin embargo, su invitación no es sólo para una comida, es de por vida.*

A. Lea Mateo 22:1-14. Cuente las veces que se utilizan palabras como *convidar* y *llamar*. ¿Qué nos dice esto acerca del objetivo de la parábola? ¿Quién está invitando? ¿A quién representa?

B. Lea Deuteronomio 30:15-16, 19-20. ¿Entre qué opciones Dios dio a escoger a los israelitas? ¿Cuáles eran las consecuencias para cada una? ¿Cuál era la selección que El deseaba claramente que ellos escogieran?

2. *Debe de entristecerse mucho el Padre cuando le damos respuestas vagas a su invitación específica de venir a El.*

A. ¿Cómo creen ustedes que se siente el Padre cuando le damos respuestas vagas a su invitación? ¿Cómo se sentiría usted con semejante respuesta? ¿Cómo reaccionaría a una respuesta así?

B. Lea Lucas 14:16-24. ¿Cuáles fueron las excusas por no asistir al banquete dadas en este relato? ¿Le suena familiar alguna de ellas en su propia vida o relaciones? ¿Qué excusas damos para no aceptar las invitaciones de Dios? ¿Cómo reaccionó el amo en este relato con quienes rechazaron su invitación? ¿Qué trataba Jesús de demostrar?

3. *Conocer a Dios es recibir su invitación. No sólo oírla, no limitarse a estudiarla, no únicamente reconocerla, sino recibirla. Es posible aprender mucho acerca de la invitación de Dios y jamás responder a ella personalmente.*

A. ¿En qué sentido el recibir la invitación de Dios nos permite conocerlo? ¿Qué impide que la gente responda a la invitación de Dios?

B. Lea Timoteo 3:7. ¿Cómo se relaciona este versículo con la cita anterior? Dé varios ejemplos de la situación descrita por Pablo.

C. Lea Mateo 7:24-27 y Santiago 1:22-25. ¿Cuál es el mensaje principal de ambos pasajes? ¿Por qué es tan fácil caer en la trampa que describen estos pasajes? ¿Ha caído alguna vez en una trampa así? Si es así, ¿cómo logró salir?

4. *Podemos escoger dónde vamos a pasar la eternidad. La gran decisión, Dios nos la deja a nosotros. La decisión crítica es nuestra. ¿Qué está haciendo usted con la invitación de Dios?*

A. Conteste la pregunta de Max: ¿Qué está haciendo usted con la invitación de Dios?

B. Lea Isaías 55:1-3, 6-7. ¿ Cuál es la invitación de Dios en este pasaje? ¿Quién está invitado? ¿Cuál es la oferta? ¿Cuáles son los beneficios? ¿Ha respondido a esta invitación?

C. Lea Romanos 10:9-13. ¿Cuál es la invitación en este pasaje? ¿Cómo acepta uno esta invitación? ¿Cuáles son los beneficios de aceptarla? ¿Quién puede aceptarla? ¿Ha aceptado usted esta invitación?

Capítulo 12

Manipulación de boca a boca

1. *Ellos no habían aprendido la primera lección del liderazgo: "Un hombre que desea dirigir la orquesta debe volver la espalda a la multitud".*

A. ¿Qué significa para usted la máxima citada más arriba? ¿Tiene sentido? ¿Por qué o por qué no?

B. Lea Mateo 21:23-27. ¿Cómo ilustra la verdad del versículo 26 la máxima citada antes?

C. Lea Juan 12:42-43. ¿Cuál fue el problema principal de los líderes descritos en este pasaje? ¿Le prestaron atención ellos al consejo de la máxima anterior? ¿Cuál fue el resultado de su acción?

D. Lea 1 Corintios 11:1. Mientras Pablo escribe estas palabras, ¿dónde está fijada su atención? ¿Está vuelto de espaldas al auditorio o a la orquesta? Cuando usted asume un liderazgo —ya sea en su hogar, en su empleo o en otro medio—, ¿tiene en mente este versículo? ¿Cómo puede influir en la forma en que usted dirija?

2. *Dios ha dejado bien claro que la adulación nunca debe ser un instrumento del siervo sincero. La adulación no es más que deshonestidad de lujo. No la utilizaba Jesús, ni deben usarla sus seguidores.*

A. ¿Cuál es el problema básico de la adulación? ¿Cómo se siente usted cuando la gente la usa para tratar de sacarle algo que desean?

B. Lea Mateo 22:15-22. ¿Por qué este versículo es un ejemplo de adulación pura y simple? ¿Cómo respondió Jesús a ella? ¿Por qué utilizó el término *hipócritas* para describir a estas personas?

C. Lea el Salmo 12:3 y Proverbios 28:23. En estos pasajes, ¿cuál es la opinión del Señor acerca de la adulación? ¿Por qué Dios piensa que es mejor reprender que adular?

3. *En la iglesia hay quienes encuentran un pequeño territorio y se obsesionan con él. En la familia de Dios hay quienes encuentran una controversia y presentan su argumento en ella. Cada iglesia tiene por lo menos un alma testaruda que ha dominado un pequeño detalle del mensaje y ha hecho una misión de éste.*

A. ¿Alguna vez se ha tropezado con una situación como la descrita por Max? Si es así, explique la situación. ¿Qué sucedió?

B. Lea Romanos 14:19-22. ¿Por qué es malo reanudar una disputa por un asunto baladí (v. 22)? ¿Qué tenemos que hacer con nuestros pequeños territorios (v. 22)? ¿Cuál tiene que ser nuestra visión general en semejantes asuntos (v. 19)?

C. Lea 1 Corintios 1:10-17. ¿Cómo cayeron los corintios en la trampa descrita por Max más arriba? ¿Qué sucede cuando permitimos que pequeñas disensiones dividan el cuerpo de Cristo (v. 17)? ¿Cómo sucede esto?

4. *Suelta un poco de tu territorio. Explora algún otro arrecife nuevo. Descubre nuevas regiones. Se gana mucho cerrando la boca y abriendo los ojos.*

A. ¿Le es muy difícil soltar su territorio por un rato? Si es así, ¿por qué? ¿Cómo cree que pueda hacerlo más fácil?

B. Lea Proverbios 10:19 y Santiago 1:19. ¿Cuál es el consejo parecido que dan Salomón y Santiago? ¿Qué puede hacer para seguir dicho consejo?

C. Lea Romanos 14:1. ¿Qué se nos dice que debemos hacer con aquellos que nos parecen más débiles en la fe? ¿Qué no debemos hacer? Pablo da por sentado en este versículo que habrá asuntos discutibles, ¿lo admitimos? ¿Cuáles son los asuntos que más a menudo caen en esta categoría?

Capítulo 13

Lo que el hombre no se atrevió a soñar

1. *Dios hizo lo que no nos hubiésemos atrevido a soñar. El hizo lo que no podíamos imaginar. Se convirtió en hombre para que pudiésemos confiar en El. Se convirtió en sacrificio para que pudiésemos conocerlo. Y derrotó a la muerte para que pudiéramos seguirlo.*

A. ¿Cuándo fue la última vez que Dios hizo algo en su vida que lo sorprendió por completo? Describa el incidente.

B. Lea Mateo 22:41-46. En la pregunta de Jesús, ¿qué tomó por sorpresa a los fariseos? ¿Por qué era tan difícil de contestar la pregunta? ¿Por qué piensa que nadie se atrevió a hacerle más preguntas después de este incidente?

C. Lea 1 Corintios 2:9. ¿Cual es el mensaje de este versículo? ¿A quién se le dan estas sorpresas divinas? ¿Se merece usted alguna de estas sorpresas?

2. *Solamente un Dios podía crear un plan tan descabellado. Unicamente un Creador que va más allá de cualquier barrera lógica pudo brindar semejante ofrenda de amor.*

A. ¿Por qué Max califica el plan de Dios como descabellado? ¿Está de acuerdo con él? ¿Por qué o por qué no?

B. Lea 1 Corintios 1:18-25. ¿Por qué Pablo llama "locura" a la predicación del Evangelio? ¿Cuál es la cuestión principal de este pasaje (v. 25)? ¿Por qué el plan de Dios le parece locura a la sabiduría humana?

3. *Lo que el hombre no puede hacer, Dios lo hace.*

A. Describa algunos incidentes en su vida en los cuales lo que era imposible para usted, Dios lo hizo.

B. Lea Job 42:2, Jeremías 32:17, Mateo 19:26, y Lucas 1:37. ¿Cuál es el mensaje que se repite en los cuatro versículos? ¿Qué confianza nos da esto?

4. *Cuando se trate de eternidad, perdón, propósito y verdad, vaya al pesebre. Arrodíllese con los pastores. Adore al Dios que se atrevió a hacer lo que el hombre no se atrevió a soñar.*

A. ¿Por qué el pesebre es un símbolo de eternidad, perdón, propósito y verdad? ¿Por qué debemos arrodillarnos con los pastores?

B. Lea Romanos 8:3. Según este versículo, ¿qué hizo Dios que de otra forma era imposible? ¿Qué logró? ¿Cómo lo hizo?

C. Lea Efesios 3:20-21. De acuerdo con este versículo, ¿qué es capaz de hacer Dios? ¿Cómo es capaz de lograrlo? ¿Dónde está obrando este poder? ¿Cuál es el resultado de estos logros? ¿Cuánto tiempo dura este resultado? ¿Por qué este pasaje fortalece nuestra confianza en Dios?

Capítulo 14

El cursor
¿o
la cruz?

1. *Religión computarizada. Sin arrodillarse. Sin llorar. Sin gratitud. Sin sentimiento. Es formidable... a menos que usted se equivoque.*

A. ¿Ha incursionado alguna vez en la religión computarizada? Si es así, ¿qué sentimiento le deja? ¿Qué logró esa religión? ¿Cómo y por qué la abandonó usted?

B. Lea Mateo 23:1-36. Identifique cada uno de los errores "computarizados" que Jesús enfrentó. ¿Alguna vez le trajo problemas alguno de ellos? ¿Cuáles? ¿Cómo escapó de su dominio?

2. *Cómo llenaría usted este espacio en blanco? El hombre es justificado ante Dios por*_____.

A. Llene el espacio con lo que considere apropiado.

B. Lea Efesios 2:8-9. ¿Con qué se compara la fe en este versículo? ¿Cuál es el problema con las obras? ¿Por qué es tan terrible el gloriarse?

C. Lea Gálatas 2:15-16. ¿Cuál es el elemento clave en justificar al hombre con su Dios? ¿Cuántos se justificarán observando la ley? ¿Con qué cuenta usted para justificarse ante Dios?

3. *Treinta y seis versículos de fuego se resumieron en una pregunta: ¿Cómo escaparéis de la condenación del infierno? Buena pregunta. Buena para los fariseos y buena para usted y para mí.*

A. ¿Cómo va a escapar usted del juicio de Dios?

B. Lea Romanos 2:5. ¿Qué caracteriza a quienes están "atesorando [para sí mismos] ira para el día de la ira del justo juicio de Dios"? ¿Cuándo será revelado el justo juicio de Dios? ¿Cuán cierto es esto?

C. Lea Hebreos 2:2-3; 12:25. ¿Cuál es la cuestión en ambos pasajes? ¿Cuál es la respuesta esperada?

4. *¿Por qué ... cree usted que es conocido como su Salvador personal?*

A. ¿Es Jesús su Salvador personal? ¿Cómo lo sabe?

B. Lea Juan 1:12. ¿Cómo dice Juan que Jesús se convierte en nuestro Salvador personal?

C. Lea 1 Juan 4:14-15. ¿Qué debemos hacer para estar seguros de que Dios vive en nosotros?

Capítulo 15

Fe sin confusiones

1. *¡Oh, qué disposición a los cinco años! Es sencilla pasión sin confusiones por vivir que no puede esperar hasta mañana. Una filosofía de la vida que dice: "Juega con ganas, ríe con ganas y déjale las preocupaciones a tu padre".*

A. Mire jugar a los niños durante media hora. ¿Qué observa? ¿Qué elementos en su juego usted desearía poder recapturar para usted? ¿Qué se lo impide?

B. Lea Mateo 18:3-4. ¿En qué forma insistió Jesús en que tenemos que volvernos como niños? ¿Cuál es la consecuencia si no lo hacemos?

C. Lea 2 Corintios 11:3. ¿Cuál era la preocupación de Pablo en este versículo? ¿Por qué debe ser esto de capital importancia para nosotros?

2. *La religión complicada no la hizo Dios. Al leer Mateo 23 se convencerá de ello. Ahí está la embestida de Cristo contra la religión mediatizada.*

A. ¿Qué quiere decir Max con la "religión mediatizada"? ¿Por qué Cristo tomó medidas enérgicas contra ella?

B. Lea Mateo 23:37-38. ¿Cuál había sido el deseo de Jesús para Jerusalén? ¿Cómo había respondido su pueblo? ¿Cuál fue la consecuencia final?

3. *¿Cómo simplifica usted su fe? ¿Cómo se deshace de la confusión? ¿Cómo usted descubre un gozo que merezca la pena despertar a él? Sencillo. Deshágase del intermediario.*

A. ¿Qué quiere decir Max al hablar del intermediario? ¿Quiénes son los intermediarios en nuestra cultura?

B. Lea Juan 10:10. Según este versículo, ¿por qué vino Jesús a la tierra? ¿Suena complicado todo esto? ¿Por qué o por qué no? ¿Está usted experimentando lo que Jesús describe en este versículo? ¿Por qué o por qué no?

C. Lea 1 Timoteo 2:5. ¿Quien es el único mediador entre Dios y los hombres? ¿Cómo se aprecia la diferencia en la vida diaria?

4. *Busque la fe sencilla. Déle importancia a lo principal. Concéntrese en lo crucial. Busque a Dios.*

A. ¿Por qué piensa usted que con frecuencia perdemos de vista la sabiduría que encierra la cita anterior de Max? ¿Por qué permitimos que la vida y nuestra fe se compliquen tanto? ¿Cómo puede desembarazarse de complicaciones innecesarias?

B. Lea el Salmo 42:1-2. ¿Es este pasaje una descripción de la fe sencilla o sin confusiones? ¿Le resulta atractivo? ¿Por qué o por qué no? ¿Conoce usted a alguien cuya fe sea como la de este pasaje? ¿Qué hacen para alimentar semejante fe?

C. Lea Filipenses 3:7-9. ¿Cuál fue la pasión dominante de la vida de Pablo, según este pasaje? ¿Cómo se vigorizó esta pasión? Esta pasión, ¿era sencilla o compleja? ¿Cómo puede comparar esta pasión con la suya propia?

Capítulo 16

Vida sobreviviente

1. *Jesús es sincero en cuanto a la vida que nos pide que llevemos. No hay garantía de que por pertenecerle a El saldremos ilesos. No hay una promesa en las Escrituras que diga que cuando uno sigue al Rey está exento de batallas. No, con frecuencia es todo lo contrario.*

A. Según su experiencia, ¿le parece verdad la cita anterior? Explique su respuesta.

B. Lea Mateo 24:1-14. En la lista de las pruebas que vendrán, ¿por qué se destaca el versículo 6? ¿En qué se basa esta exhortación? ¿Por qué está vigente sin que importe cuál pueda ser nuestra situación?

C. Lea Juan 15:18-19 y 16:33. ¿Cuál es la promesa de Jesús en estos dos pasajes? ¿Cómo reaccionaremos a nuestro destino (16:33)? ¿Cómo podemos hacerlo (16:33)?

D. Lea 2 Timoteo 3:12. ¿Qué le espera a Pablo en este versículo? ¿A quién le vendrá? ¿Cómo se enfrenta usted con esta promesa?

2. *Los salvados puede que lleguen cerca del borde, puede que incluso tropiecen y resbalen. Pero clavarán sus uñas en la Roca de Dios y ahí se aferrarán.*

A. ¿Ha estado alguna vez cerca del borde? ¿Qué sucedió? ¿Cómo consiguió que lo sacaran otra vez hasta la seguridad espiritual?

B. Lea a Mateo 24:13. ¿Considera este versículo una promesa o una amenaza? ¿Cuál cree que haya sido la intención al escribirse?

C. Lea Colosenses 1:22-23. ¿De qué forma este versículo es simplemente una ampliación de Mateo 24:13?

3. *Los discípulos cobraron valor con la seguridad de que la tarea se completaría. Debido a que tenían un modo de erguirse en el combate, al terminar la batalla habían obtenido la victoria. Tenían una ventaja... la misma que tenemos nosotros.*

A. ¿Cuál fue la ventaja de los discípulos? ¿Por qué la nuestra es exactamente la misma que la de ellos?

B. Lea Mateo 24:30-31. ¿Cómo estimula este pasaje a todos los que están soportando pruebas? ¿Por qué es un estímulo? ¿Lo alienta a usted? ¿Por qué o por qué no?

C. Lea Filipenses 1:6. ¿Qué promesa ofrece este versículo? ¿Está condicionada? ¿Cómo está dirigida esta promesas a ayudarnos en nuestro andar de fe? ¿Ayuda?

4. *Puede que me equivoque, pero pienso que la orden que pone fin a los dolores de una era y da comienzo al regocijo del cielo, será de dos palabras: "No más".*

A. ¿Por qué sería apropiada la frase "No más" para iniciar los goces del cielo? Si tuviera que imaginar cuáles podían ser esas palabras, ¿cuáles cree que serían? ¿Por qué?

B. Lea 1 Tesalonicenses 4:16-18. ¿De qué forma está dirigido este pasaje a estimularnos? ¿Qué escena le viene a la mente cuando usted lee estos versículos? ¿Por qué es significativo que sea el mismo Señor quien descenderá del cielo?

C. Lea Apocalipsis 19:11-16. ¿Qué impresión de Cristo tiene usted aquí? ¿Es para usted esta impresión estimulante o descorazonadora? ¿Por qué?

Capítulo 17

Relatos de castillos de arena

1. *Dos constructores de dos castillos, tienen mucho en común. Le dan forma a los granos hasta conseguir grandes cosas. No ven nada y hacen algo. Son diligentes y determinados. Y para ambos, vendrá la marea y vendrá el final.*

A. Estudiando su vida, ¿qué clase de castillos piensa usted que ha estado construyendo? ¿Qué actitud ha estado manteniendo en relación con ellos? Si la marea fuera a venir mañana, ¿cómo se sentiría usted?

B. Lea Lucas 12:16-21. ¿Qué clase de castillo estaba construyendo el hombre del relato? ¿Qué clase de marea llegó? ¿Cuál fue el resultado final? ¿Qué aplicación le dio Jesús?

C. Lea Hebreos 9:27. ¿Cuál es el destino de todos nosotros? ¿Qué clase de marea es esta? ¿Está preparado para la llegada de esta marea?

2. *Usted ha visto a gente que trata este mundo como si fuera un hogar permanente. No lo es. Usted ha visto a gente que derrocha energía en la vida como si fuera a durar para siempre. No será así. Usted ha visto a gente*

tan orgullosa de lo que han hecho, que esperan que nunca tendrán que irse... pero se irán.

A. ¿En qué forma tratamos a veces este mundo como si fuera un hogar permanente? ¿De qué modo actuamos como si la vida fuera a durar para siempre? ¿Con cuánta frecuencia en un día corriente nos detenemos a pensar que un día dejaremos este mundo?

B. Lea Mateo 16:26-27. Conteste las dos preguntas del versículo 26. ¿Anhela usted que suceda lo descrito en el versículo 27, o está nervioso por eso? ¿Por qué?

C. Lea Santiago 4:13-14. ¿Cómo puede cambiar radicalmente la forma en que hacemos las cosas al recordar el mensaje de este pasaje? ¿Por qué este mensaje parece ser tan fácil de olvidar?

3. *Yo no sé mucho, pero sé cómo hay que viajar. Llevar pocas cosas. Comer poco. Dormir una siesta. Y salir cuando llegue a la ciudad.*

A. ¿Qué se supone que nos enseñe la cita anterior acerca de la forma en que debemos vivir nuestra vida diaria?

B. Lea Hebreos 11:8-10. ¿Cómo practicó Abraham la sabiduría que Max describe en la cita anterior? ¿Cuál fue el factor clave en su habilidad de viajar ligero? ¿Cómo podemos aplicarnos el versículo 10 en la forma en que se aplicaba a Abraham? ¿Por qué nos resulta más difícil que a Abraham reconocer la sabiduría del versículo 10?

C. Lea Hebreos 11:13-16. ¿Por qué podemos usar este pasaje como mapa de carreteras para el resto de nuestras vidas? ¿Por qué podríamos evitarnos mucho dolor si actuáramos en la forma en que se nos enseña ahí?

4. *Vaya y construya, pero hágalo con un corazón de niño. Cuando el sol se ponga y la marea suba... aplauda. Salude el proceso de la vida, tome la mano de su Padre, y váyase a casa.*

A. ¿Qué quiere decir construir con un corazón de niño? ¿Cómo se relaciona la cita anterior con la adoración?

B. Lea Lucas 19:11-13. ¿Cómo se relaciona con nosotros la exhortación del versículo 13? ¿Qué espera Jesús que hagamos hasta su regreso? ¿Qué está haciendo usted para cumplir con esta orden?

C. Lea 1 Corintios 3:10-15. ¿Cuál es la preocupación de Pablo al continuar nosotros construyendo la iglesia (v. 10)? ¿Sobre qué fundamento construimos (v. 11)? ¿Qué quiere decir Pablo con los distintos materiales que menciona (v. 12)? ¿Cuál es el día que sacará a la luz la forma en que construimos (v. 13)? ¿Cuál es el resultado de nuestra construcción (v. 14-15)? ¿Cómo va su construcción?

Capítulo 18

Esté listo

1. *Puede que le sorprenda que Jesús hizo del apercibimiento el tema de su último sermón. A mí me sorprendió. Yo hubiera predicado sobre el amor o la familia o la importancia de la iglesia. Jesús no. Jesús predicó sobre lo que muchos hoy consideran pasado de moda. El predicó sobre estar listos para el cielo y permanecer fuera del infierno.*

A. ¿Por qué cree que el apercibimiento fue el tema del último sermón de Jesús? ¿Qué efecto tiene Su último sermón sobre usted?

B. Lea Mateo 24:36-25:13. ¿Cuál es la razón reiterada a lo largo de este pasaje para mantener una vigilia? ¿Está usted vigilando? Si es así, ¿cómo? Si no es así, ¿por qué no?

2. *Jesús no dice que puede o podría regresar, sino que regresará.*

A. Cuando usted sabe que algo sucederá irrevocablemente, ¿cómo se prepara para ello? ¿Se está preparando en la misma forma para el regreso de Cristo?

B. Lea Mateo 16:27; 24:44; Lucas 12:40; Juan 14:3. ¿Qué tienen en común todos estos versículos? Cuando algo es repetido muchas veces, ¿qué quiere decir por lo regular?

3. *El infierno es el lugar escogido por la persona que se ama a sí misma más que a Dios, que ama más al pecado que a su Salvador, que ama este mundo más que el*

mundo de Dios. El juicio es ese momento en que Dios mira al rebelde y le dice: "Tu selección se cumplirá".

A. ¿Usted piensa a menudo en el infierno como un lugar que la gente escoge por sí misma? ¿Por qué o por qué no?

B. Lea 2 Tesalonicenses 1:5-10. ¿Qué hace dignos del cielo a los Tesalonicenses (v. 10)? ¿Quiénes serán castigados cuando regrese el Señor (v. 8)? ¿Cómo serán castigados (v. 9)? ¿En qué grupo se ve usted?

4. *Nuestra tarea en la tierra es singular: escoger nuestro hogar eterno. Uno puede permitirse muchas malas selecciones en la vida. Puede equivocarse al escoger la carrera y sobrevivir, al escoger la ciudad y sobrevivir, una mala casa y sobrevivir. Incluso la pareja inconveniente y sobrevivir. Pero hay una selección que es preciso hacer correctamente, y esa es nuestro destino eterno.*

A. ¿Ha escogido usted su destino eterno? Si es así, ¿qué escogió? Si no, ¿por qué no?

B. Lea Juan 3:16-18. Según el versículo 18, ¿qué certeza tiene el que cree en Jesús? ¿Qué certeza tiene quien no cree en Jesús? ¿Por qué Dios envió su Hijo al mundo (v. 17)? Parafrasee el versículo 16 en sus propias palabras.

C. Lea Juan 20:31. ¿Por qué Juan escribió su evangelio? Según este versículo, ¿cómo recibimos vida eterna?

D. Lea Hechos 17:29-34. ¿Qué pasó por alto Dios en el pasado (v. 30)? De acuerdo con el versículo 31, ¿qué suceso no ha tenido lugar todavía? ¿Cómo reaccionó la gente al mensaje de Pablo (vv. 32-34)? ¿Con qué grupo se identifica usted?

Capítulo 19

La gente
de las
rosas

1. *La verdadera naturaleza de un corazón se percibe en su respuesta a lo falto de atractivo. "Dime a quién amas y te diré quién eres", escribió Houssaye.*

A. ¿Cuál es su respuesta a lo falto de atractivo? ¿Qué piensa del comentario de Houssaye?

B. Lea Mateo 25:31-46. ¿Cuáles dos grupos de personas están representados aquí? ¿Qué le sucede a cada uno de ellos? ¿Qué caracteriza a cada uno de los grupos? Observe el versículo 46: ¿en qué tiempo están situados?

2. *El distintivo del salvado es su amor por lo insignificante.*

A. ¿Está de acuerdo con la cita anterior de Max? ¿Por qué o por qué no?

B. Lea Hebreos 13:1-3. ¿Qué quiere decir seguir amándonos unos a otros como hermanos? ¿Cuál es la exhortación del versículo 2? ¿Por qué el versículo 3 es una aplicación de la cita anterior de Max?

C. Lea Santiago 2:1-9. ¿Cuál es el problema principal al que se refiere este pasaje? ¿Cuál es la solución de Santiago? ¿Por qué el versículo 8 es el corazón de este pasaje?

3. *Jesús vive en los olvidados. Ha ido a residir entre los desconocidos. Si queremos ver a Dios, debemos ir entre los quebrantados y golpeados, y allí lo veremos.*

A. ¿Cuándo fue la última vez que usted vio a Jesús entre los quebrantados y golpeados? Describa su experiencia.

B. Lea Mateo 10:42. ¿Cuál es la forma segura de recibir una recompensa? ¿Se logra la recompensa con un gran sacrificio? ¿Cómo se logra?

C. Lea Mateo 11:2-6. ¿Qué pregunta Juan el Bautista le hizo a Jesús? ¿Qué le contestó Jesús? ¿Qué importancia tiene esto en la cita anterior de Max?

Capítulo 20

Servido por el mejor

1. *Para algunos la Cena del Señor es una hora aburrida en la cual se comen galletitas y se bebe jugo y el alma no se entera. No fue creada para eso. Se creó para que fuera una invitación de "no lo puedo creer, pellízcame que estoy soñando", para sentarnos a la mesa de Dios y ser servidos por el mismo Rey.*

A. Sea sincero: ¿cuál ha sido su actitud hacia la comunión? ¿Qué impresión le hacen las palabras de Max?

B. Lea Mateo 26:17-30. Trate de imaginarse cómo hubiera sido sentarse con el Salvador en esta comida. ¿Qué está pensando? ¿Qué está sintiendo? ¿Qué piensa de la cita de Jesús en el versículo 29?

2. *Es la mesa del Señor junto a la que usted se sienta. Es a la mesa del Señor donde usted come. Tal como Jesús rogó por sus discípulos, Jesús le pide a Dios por nosotros. Cuando a usted se le invita a la mesa, puede ser que un emisario entregue la carta, pero es Jesús quien la escribe.*

A. ¿Quién es el emisario que menciona Max en la cita anterior? ¿Por qué es importante recordar que es Jesús quien lo llama a uno a la mesa?

B. Lea Juan 17:20-23. ¿Cuál es la primera petición que hace Jesús en este pasaje? ¿Por qué esto es especialmente importante cuando se habla de la Cena del Señor?

3. *Lo que sucede en la tierra no es más que un ensayo de lo que sucederá en el cielo. Así que la próxima vez que el mensajero lo llame a la mesa, deje todo lo que está haciendo y vaya. Sea bendecido y alimentado y, lo más importante, asegúrese de que sigue comiendo en Su mesa cuando Él nos llame de regreso a casa.*

A. ¿Qué quiere decir Max cuando escribe: "Asegúrese de que haya seguido comiendo de Su mesa cuando Él nos llame de regreso a casa"? ¿Qué debemos tener cuidado de hacer?

B. Lea Lucas 22:14-18. ¿Qué palabras usa Jesús para describir su actitud acerca de comer la Cena del Señor con sus discípulos? ¿Qué suceso futuro se destaca en los versículos 16 y 18? ¿Viene usted a la mesa del Señor con este énfasis en mente?

C. Lea 1 Corintios 11:26. ¿Cómo ayuda este versículo para que usted comprenda mejor la Cena del Señor? ¿En qué forma está destinado a conformar el modo en que vivimos nuestra vida cristiana?

Capítulo 21

El lo escogió a usted

1. *Jesús sabía que antes que terminara la guerra El sería tomado prisionero. Sabía que antes de la victoria habría una derrota. Sabía que antes que el trono vendría la copa. Sabía que antes de la luz del domingo vendrían las tinieblas del viernes. Y tiene miedo.*

A. ¿Cómo lo hace sentirse el saber que Jesús tenía miedo? ¿Por qué?

B. Lea Mateo 26:36-46. ¿Cómo califica Jesús el tormento de su alma (v. 38)? ¿Qué nos dice su postura (v. 39)? ¿En qué forma los sucesos descritos en este pasaje fueron como una batalla?

2. *Es preciso que observe que en esta última oración Jesús oró por usted. Es necesario que subraye con rojo y acentúe en amarillo su amor: "Oro también por los que han de creer en mí por la palabra de ellos". Ese es usted. Cuando Jesús entró en el huerto, usted estaba en sus oraciones. Cuando Jesús miró al cielo, usted estaba en su visión. Cuando Jesús soñó con el día en que nosotros estaríamos con El, lo vio a usted allí.*

A. ¿Qué efecto le produce comprender que mientras Jesús se aprestaba para ir a la cruz, lo tenía en mente a usted?

257

B. Lea Juan 17:24. ¿Cuál es la petición especial de Jesús en este versículo? ¿Por qué El pide esto? ¿Cómo le hace sentirse esta petición?

3. En el huerto El tomó su decisión. *El prefirió ir al infierno por usted que ir al cielo sin usted.*

A. ¿En qué sentido fue Jesús al infierno por usted? ¿Por qué este conocimiento debe afectar la forma en que vivimos? ¿Es así? Si lo es, ¿en qué forma? Si no, ¿por qué?

B. Lea Efesios 4:7-10. ¿Cómo ilumina este pasaje la cita anterior de Max? ¿Qué importancia tiene la frase "a fin de llenar todo el universo"?

C. Lea Hebreos 12.2 De acuerdo con este versículo, ¿por qué Jesús soportó la cruz, desdeñando su vergüenza? ¿Qué importancia tiene que El esté sentado a la diestra del trono de Dios?

Capítulo 22

Cuando el mundo se vuelve contra uno

1. *La traición es un arma que está solamente en las manos de alguien a quien amamos. Nuestro enemigo no tiene esa arma, porque sólo un amigo puede traicionar. La traición es un motín. Es una violación de una confianza, un crimen cometido por un allegado a la víctima.*

A. ¿Ha sido usted traicionado alguna vez? Si es así, ¿qué es lo más doloroso de esa situación?

B. Lea Mateo 26:47-56. En este pasaje se describen dos traiciones. Menciónelas.

2. *La forma de enfrentar la conducta de una persona es comprender la causa de ella. Una manera de tratar con las peculiaridades de una persona es tratar de comprender por qué son peculiares.*

A. ¿Qué maneras puede usted ensayar para comprender las peculiaridades de una persona? ¿Cómo puede llegar, al menos parcialmente, a comprender la causa de los actos de alguien?

B. Lea Gálatas 6:2. A fin de sobrellevar los unos las cargas de los otros, ¿qué debemos saber primero? ¿Cómo se llega a saber esto?

C. Lea Filipenses 2:19-21. ¿Por qué Pablo quería enviar a Timoteo a los filipenses? ¿Qué hace suponer esto en cuanto a las relaciones entre Timoteo y los filipenses?

D. Lea Hebreos 12:14. ¿Qué se nos manda hacer aquí? ¿Cómo podemos lograrlo? ¿Por qué es tan importante lograrlo?

3. *Mientras usted odie a su enemigo, se mantiene cerrada una reja y dentro permanece un prisionero. Pero cuando usted trata de comprender y liberar a su enemigo de su odio, entonces queda libre el prisionero... y ese prisionero es usted.*

A. ¿En qué forma lo mantiene prisionero su odio? En este momento, ¿es usted su prisionero?

B. Lea Mateo 5:43-48. ¿Qué nos dice aquí Jesús que debemos hacer con los enemigos? ¿Cómo puede usted llevar esto a la práctica?

C. Lea Hebreos 12:15. ¿Qué le hace la amargura a una persona? ¿Qué le hace a quienes están alrededor de esa persona? ¿Cómo se nos dice que tenemos que enfrentar la amargura?

4. *Para mantener su equilibrio en un mundo torcido, mire a las montañas. Piense en el hogar.*

A. Lea Juan 18:36. ¿A qué mundo se refiere Jesús? ¿Qué evidencia ofreció Jesús para mostrar que esta tierra no es su reino?

B. Lea Salmo 25:15. ¿Qué recomienda el salmista para mantenerse recto en un mundo torcido?

C. Lea Salmo 73:2-5, 13-20. ¿Qué causó en el salmista ciertos problemas serios de actitud en los versículos 2-5? ¿Cómo recuperó él su equilibrio espiritual (vv. 16-17)? ¿Cuál fue su evaluación final de la situación (vv. 18-20)? ¿En qué sentido este pasaje reitera el mensaje que Max cita arriba?

Capítulo 23

Su
elección

1. *Jesús no está asustado. No está airado. No está al borde del pánico. Porque no está sorprendido. Jesús conoce su hora y la hora ha llegado.*

A. Lea Juan 2:4; 7:6,8,30; 8:20; 13:1. ¿Qué progresión advierte en estos versículos? Todas estas referencias, ¿en qué forma aclaran que Jesús estaba perfectamente consciente de su misión?

2. *Quizás usted, como Pilato, sienta curiosidad por éste llamado Jesús; como Pilato, esté perplejo por su declaración, y conmovido por su pasión. Usted ha escuchado las historias: Dios desciende de las estrellas, retoña en carne, clava una estaca de verdad en el globo. Usted, como Pilato ha escuchado a otros hablar; ahora preferiría que hablase El.*

A. ¿Siente curiosidad por Jesús? ¿De qué maneras? ¿Lo desconcierta El? ¿Por qué? ¿Cuáles relatos acerca de El le son más difíciles de aceptar? ¿Por qué?

B. Lea Lucas 22:67:70. ¿Qué declara Jesús de sí mismo en este pasaje? ¿Por qué es ésta la más extraordinaria declaración de todas?

3. *Uno tiene dos opciones. Puede rechazarlo. Esa es una opción. Puede, como han hecho muchos, decidir que la*

261

idea de Dios convertido en carpintero es demasiado extravagante... y alejarse. O puede aceptarlo. Uno puede viajar con El. Puede acudir a escuchar Su voz entre los cientos de otras voces y seguirle.

A. ¿Qué ha decidido usted en cuanto a Jesús? ¿A qué voz está atendiendo de entre los cientos que reclaman su atención?

B. Lea Juan 6:60-69. ¿Por qué algunos discípulos dejaron de seguir a Jesús? ¿Por qué Pedro continuó siguiéndolo? ¿Cuál decisión se parece más a la suya. ¿Por qué?

4. *Pilato pensó que podía librarse de tomar una decisión. Se lavó las manos. Se subió a la cerca y allí se sentó. Pero al no escoger, escogió.*

A. ¿Cómo hizo Pilato una elección al no haber elegido? ¿Cómo podemos cometer el mismo error?

B. Lea Mateo 12:30. ¿Cómo nos advierte este versículo contra el sentarse en la cerca?

C. Lea Juan 5:22-29. ¿Cómo nos enseña este pasaje que es imposible ser neutral en cuanto a Jesús?

Capítulo 24

El mayor milagro

1. *Esa es la hermosura de la cruz. Tuvo lugar en una semana normal, implicando a gente de carne y hueso, y a un Jesús de carne y hueso.*

A.¿Por qué es hermoso que la cruz tuviera lugar en una semana normal, implicando a gente de carne y hueso? ¿Qué significa para usted la normalidad de la semana?

2. *Dios nos llama en un mundo real. No se comunica haciendo trucos. No se comunica amontonando estrellas en el cielo o reencarnando abuelos sacados de la tumba. El no le hablará a usted mediante voces en un campo de maíz o un hombrecito gordo en una tierra llamada Oz. Hay tanto poder en el Jesús de plástico que tiene en el tablero de su automóvil, como en el dado plástico que cuelga de su espejo retrovisor.*

A. ¿Alguna vez ha anhelado que Dios se comunique con usted "amontonando estrellas en el cielo" o mediante "voces en un campo de maíz"? Explique su respuesta. ¿Cómo se relaciona la importancia que la Biblia le otorga a la *fe* con los métodos normales en que Dios se comunica?

B. Lea 2 Corintios 5:18-20. ¿Qué nos dio Dios a nosotros (v. 18)? ¿De qué nos ha hecho responsables (v. 19)? ¿Qué título nos ha dado Dios (v. 20)? ¿Qué parte tiene usted en esta comisión?

C. Hechos 10 nos relata cómo un ángel le dijo a Cornelio que mandara a buscar a Pedro para que éste le pudiera explicar el evangelio al centurión. Puesto que el ángel no tuvo dificultades en comunicarse con Cornelio, ¿por qué cree que el mismo ángel no le explicó el evangelio a Cornelio?

3. *No se pierda lo imposible por mirar a lo increíble. Dios habla en nuestro mundo. Sólo tenemos que aprender a escucharlo. Preste oído a Su voz en medio de lo ordinario.*

A. ¿Presta atención a Dios en medio de lo ordinario? Si es así, ¿cómo? ¿Qué ha descubierto hasta ahora?

B. Lea el Salmo 19:1-4. ¿De qué manera sigue Dios hablando a través de lo ordinario? ¿Cómo le afecta este mensaje?

C. Lea Hechos 17:26-28. ¿Qué intenta Dios conseguir (v. 27) dirigiendo los asuntos humanos (v. 26)? En qué sentido Dios "no está lejos de cada uno de nosotros"? ¿Cómo se relaciona el versículo 28 con la cita anterior de Max?

4. *En la última semana, aquéllos que demandaban milagros no vieron ninguno, y se perdieron el mayor de todos. Se perdieron el momento en que una tumba para los muertos se convirtió en el trono de un rey.*

A. ¿Es posible que nosotros estemos tan interesados en los milagros que no veamos a Dios? Si es así, ¿cómo?

B. Lea Mateo 12:39-40. Según Jesús, ¿qué tiene de malo pedir una señal milagrosa? ¿Qué señal les dio El a quienes se la demandaban? ¿Qué lección podemos sacar de este encuentro?

Capítulo 25

Una oración
de
descubrimiento

1. *¡Tú eres Dios! Tú no podrías ser abandonado. Tú no podrías quedarte solo. Tú no podrías sufrir la deserción en tu momento más doloroso.*

A. ¿Por qué es tan duro aceptar que Jesús fue en realidad abandonado por un tiempo en la cruz? ¿Por qué piensa usted que El fue abandonado?

B. Lea Mateo 27:45-50. ¿Qué imagen le viene más claramente a la mente en esta escena?

C. Lea el Salmo 22:1. ¿Qué impresión le causa que incluso las palabras exclamadas por Jesús en la cruz fueran profetizadas cientos de años antes que las pronunciara?

2. *Pensé que tú simplemente enviarías el pecado lejos. Lo desterrarías. Pensé que tú sencillamente te pararías frente a las montañas de nuestros pecados y les dirías que se fueran. Tal como les dijiste a los demonios. Tal como les dijiste a los hipócritas en el Templo. Pensé que tú le ordenarías al mal que se fuera. Nunca observé que tú lo quitaras. No se me ocurrió que tú lo tocaras en realidad... o peor todavía: que él te tocara a ti.*

A. ¿Por qué no era posible para Dios sencillamente enviar lejos el pecado? ¿Por qué tenía que ser *quitado*?

B. Lea 2 Corintios 5:21. ¿Qué le hizo Dios al que no tenía pecado? ¿Quién no tenía pecado? ¿Por quién hizo El esto? ¿Por qué lo hizo? ¿Cuál es su reacción a esto?

C. Lea Gálatas 3:13-14. ¿Quién nos redimió de la maldición de la ley? ¿Cómo lo hizo? ¿Por qué lo hizo?

3. *Tu pregunta era real, ¿no fue así, Jesús? Realmente tenías miedo. De verdad te sentías solo. Como yo lo estaba. Sólo que yo lo merecía. Tú no.*

A. ¿Por qué merecíamos quedarnos solos? ¿Por qué Jesús no lo merecía? ¿Por qué Dios cambió nuestros papeles?

B. Lea Isaías 53:4-5. ¿Cuánto de este cambio de papeles puede descubrir en este pasaje? ¿Cuál es la principal impresión que este pasaje le deja?

C. Lea 1 Pedro 3:18. ¿Por qué murió Cristo? ¿Qué inversión de papeles se describe aquí? ¿Cuál fue el propósito de esta inversión? Lo que este versículo describe, ¿se lo ha apropiado usted?

Capítulo 26

La tumba escondida

1. *Jadeando para alcanzar a Joe, le pregunté: "¿Esta calle era un mercado de carne en tiempos de Cristo?" "Sí lo era", contestó. "Para llegar a la cruz El tuvo que atravesar un matadero".*

A. ¿Qué es especialmente patético en la observación de la cita anterior?

B. Lea Mateo 27:26-31. En su opinión, ¿cuál fue la tortura más cruel infligida a Jesús? ¿Por qué piensa usted que Dios permitió que sucediera todo esto?

C. Lea 1 Corintios 5:7. ¿Qué era un cordero pascual (vea Exodo 12:1-13)? ¿En qué sentido fue Cristo nuestro Cordero Pascual?

2. *Mientras hablaba, sonreía: "¿No sería irónico que fuera éste el lugar? Está sucio. Desatendido. Olvidado. El otro de allá está elaborado y adornado. Este es simple y abandonado. ¿Ni sería irónico si éste hubiera sido el lugar donde enterraron a nuestro Señor?"*

A. ¿Qué hubiera sido irónico en lo descrito más arriba? ¿Por qué habría sido irónico?

B. Lea Mateo 27:57-61. ¿Qué detalles se dan de la tumba? ¿Por qué cree que no se dan más?

C. Compare Isaías 52:14; 53:2 y Lucas 2:7. ¿Qué tienen en común todos estos versículos? Tomados en conjunto, ¿qué dicen acerca de la necesidad de Dios de hacer las cosas ostentosamente? ¿Por qué piensa que El actúa así?

3. *Dios se puso en un cuartito oscuro, claustrofóbico y estrecho, y permitió que lo cerraran y sellaran. La Luz del mundo fue envuelta en una tela y sellada en la oscuridad negra como el carbón. La Esperanza de la humanidad, encerrada en una tumba.*

A. ¿Cómo lo hace sentirse la cita anterior? ¿Por qué?

B. Lea Mateo 12:40. ¿Esperaba Jesús morir? ¿Esperaba ser sepultado? ¿Qué actitud parecía tomar El en este versículo?

C. Lea 1 Corintios 15:3-4. ¿Por qué Pablo dice que la información que él brinda en este pasaje es "de primera importancia"? ¿Qué asuntos cruciales nombra él? ¿Por qué son todos ellos cruciales?

4. *Cuando usted entre en la tumba, inclínese, entre silencioso y mire de cerca. Porque allí, en la pared, puede ser que vea las marcas quemadas de una explosión divina.*

A. ¿En qué sentido la tumba vacía pudiera considerarse un mejor símbolo de la fe cristiana que la cruz? ¿Cuál símbolo expresa mejor el poder de Dios? ¿Por qué?

B. Lea Hechos 2:22-24. De acuerdo con el versículo 24, ¿qué era imposible? ¿Por qué era esto imposible?

C. Lea 1 Corintios 6:14. ¿Cuál atributo de Dios se destaca en este versículo? ¿Qué logró este atributo? ¿Que logrará?

Capítulo 27

Pienso que siempre recordaré esa caminata

1. *¿Qué hace uno con un hombre así? Se llamaba a sí mismo Dios, pero usaba las ropas de un hombre. Se llamaba a sí mismo el Mesías, pero nunca comandó un ejército. Se le consideraba un rey, pero su única corona fue de espinas. El pueblo lo reverenciaba como regio, pero su único manto fue cosido con burla.*

A. Responda la pregunta anterior: ¿Qué hace uno con un hombre así?

B. Lea Mateo 28:1-10. ¿Por qué piensa que el ángel se sentó en la piedra en el versículo 2? ¿Por qué habló a las mujeres pero no a los guardas? ¿Cómo es que las mujeres pudieron sentir al mismo tiempo miedo y gozo (v. 8)?

2. *¿Dónde estaba usted la noche en que las puertas se abrieron? ¿Recuerda el toque del Padre? ¿Quién anduvo con usted el día en que fue puesto en libertad? ¿Puede ver todavía la escena? ¿Puede sentir el camino bajo sus pies?*

A. Trate de responder a las preguntas anteriores de Max. Si puede, describa la escena.

269

B. Lea Hechos 26:12-18. Enumere los elementos que Pablo usa en su testimonio. La forma en que él expresa su testimonio, ¿le da alguna idea de cómo podía dar el suyo? Explique su respuesta.

3. *Le dije a mi padre que yo estaba listo para entregarle mi vida a Dios. El pensó que yo era demasiado joven para tomar una decisión. Me preguntó qué yo sabía. Le dije que Jesús estaba en el cielo y que yo quería estar con El. Y para mi papá, eso bastaba.*

A. ¿Cómo puede saberse cuando alguien está listo para entregarle su vida a Dios?

B. Lea Romanos 10:9. Según este versículo, ¿cómo uno entrega su vida a Dios?

C. Lea 2 Corintios 6:1-2. De acuerdo con este pasaje, cuándo es apropiado entregar la vida a Dios?

4. *Pero la peregrinación no ha terminado. El viaje no está completo. Hay otro trayecto que debe recorrerse. El prometió: "Yo regresaré". Y para probarlo, rasgó en dos el velo del Templo y abrió de par en par las puertas de la muerte. El volverá. El, como el misionero, volverá por sus seguidores. Y nosotros, como Tigyne, no podremos contener nuestra alegría. Gritaremos: "¡El que nos redimió ha regresado!" Y la peregrinación habrá terminado y tomaremos asiento en Su banquete... para siempre. Nos veremos junto a la mesa.*

A. ¿Espera ansiosamente el día descrito en la cita anterior? Si es así, ¿cómo esta esperanza moldea la forma en que usted vive ahora? ¿Espera estar a la mesa? Si es así, ¿cómo? Si no es así, ¿Por qué no?

B. Compare 1 Tesalonicenses 3:12-13 y 5:23-24. ¿Cómo relaciona Pablo la espera del regreso de Cristo con nuestra conducta ahora mismo? ¿De dónde viene el poder para vivir santamente (5:24)?

C. Medite en los conocimientos que aporta este libro. Si tuviera que nombrar, de éstos, el que más lo ha impresionado, ¿cuál sería? ¿Cambiará su vida por la influencia de este conocimiento? ¿Cómo?

D. Tómese tiempo para detenerse y dar gracias a Dios por enviar a Su Hijo a la tierra a morir en su lugar. Déle gracias por su amor. Déle gracias por su paciencia. Agradézcale su provisión. Tómese un largo rato para disfrutar de la benevolente presencia de Aquel que hace bien todas las cosas.

Notas

Unas palabras iniciales

1. He limitado este libro a los acontecimientos de la última semana de Cristo según los registra Mateo.

Capítulo 1. Demasiado poco, demasiado tarde, demasiado bueno para ser verdad

1. 1 Corintios 1:26.

Capítulo 2. De Jericó a Jerusalén

1. Marcos 10:32-34.
2. James Michener, *Texas* (Nueva York, N.Y.: Random House, 1985), 367.
3. Mateo 20:18-19.
4. Hechos 2:23.
5. Jeremías 29:11.
6. Romanos 8:1.
7. Oseas 11:9b.
8. Efesios 3:18-19.

Capítulo 3. El general sacrificado

1. "El Día D. Reconstruyendo el juego militar que configuró la historia", *Time*, 28 de mayo de 1984, 16.
2. Mateo 20:28.
3. Daniel 7:4.

4. Daniel 7:5.
5. Daniel 7:6.
6. Daniel 7:7.
7. Daniel 7:13-14.
8. Para más abundante referencia consideremos el Libro de Enoc, un libro intertestamentario terminado alrededor del año 70 A.C. Este antiguo manuscrito nos describe la imagen que viene a la mente de la gente cuando escucha el título de "El Hijo del Hombre".
Observe estas frases extractadas del Libro de Enoc:

Y este Hijo del Hombre a quien tú has visto, destronará a los reyes de sus tronos,
Y soltará las riendas del fuerte
Y romperá los dientes de los pecadores.
Y depondrá a los reyes de sus tronos y reinos porque ellos no lo exaltan y alaban a El... (Enoc 46).

Cuando ellos vean a ese Hijo del Hombre
Sentado en el trono de Su gloria.
Y los reyes y los poderosos y todos aquellos que poseen la tierra Lo bendecirán y glorificarán y Lo exaltarán a El que reina sobre todo, quien estaba escondido.
...y los elegidos estarán ante El en ese día.
Y todos los reyes y los poderosos y los exaltados y aquéllos que rigen la tierra
Caerán ante El sobre sus rostros,
y Lo adorarán y pondrán su esperanza en el Hijo del Hombre, y le pedirán y suplicarán misericordia en sus manos.
... El los entregará a los ángeles para que los castiguen, para cumplir Su venganza sobre ellos porque ellos habían oprimido a Sus hijos y a Sus elegidos (Enoc 62).

Porque ese Hijo del Hombre ha aparecido,
Y Se ha sentado en el trono de Su gloria,
Y toda maldad desaparecerá de delante de Su faz,
Y la palabra de ese Hijo del Hombre prevalecerá
Y será fuerte ante el Señor de los Espíritus (Enoc 69).
9. Mateo 19:28

10. Mateo 24:30; Marcos 13:26; Lucas 17:26,30

11. Mateo 26:64

12. Marcos 9:31

13. Marcos 9:32

14. Mateo 20:28 no es el único pasaje que habla de la dualidad de Dios: El es el Señor "misericordioso y piadoso... pero que de ningún modo tendrá por inocente al malvado" (Exodo 34:6-7). El es el único "Dios bueno". Al mismo tiempo es el "Salvador" (Isaías 45:21). Es igualmente "lleno de gracia y de verdad" (Juan 1:14). Es el Dios que en la ira puede acordarse de la misericordia (Habacuc 3:2). En un precioso discernimiento Miqueas declara de Dios: "No retuvo para siempre su enojo, porque se deleita en misericordia" (Miqueas 7:18). Pablo declara: "Mira, pues, la bondad y la severidad de Dios" (Romanos 11:22). El es capaz de "ser el justo, y el que justifica al que es de la fe de Jesús" (Romanos 3:26).

Capítulo 4. Deplorable religión

1. Mateo 20:29-30.

2. Mateo 20:34.

3. "Las peleas de Wilford Hall ponen en peligro a sus pacientes", *La Luz de San Antonio,* 3 de febrero de 1990, A1, A16.

4. 2 Crónicas 30:18-20.

5. 2 Crónicas 30:20.

6. Jeremías 29:13.

Capítulo 5. No es todo hacer algo, quédate quieto

1. Lucas 4:16.

2. Salmo 39:6.

Capítulo 6. Amor arriesgado

1. Mateo espera hasta el capítulo 26 para contar una historia que cronológicamente debía aparecer en el capítulo 20. Al referirnos al Evangelio de Juan, vemos que el ungimiento por María en Betania tuvo lugar la noche del sábado (Juan 12:1). ¿Por qué Mateo espera hasta tan tarde para registrar la historia? Parece que a veces le concedía más importancia

al tema que a la cronología. La última semana de la vida de Jesús es una semana de malas noticias. Los capítulos 26 y 27 elevan un coro de traiciones. Primero, los líderes, después Judas, entonces los apóstoles, Pedro, Pilato, y finalmente todo el pueblo se vuelve contra Jesús. Quizás con el deseo de contar una buena historia de fe en medio de tantas otras de traición, Mateo espera hasta el capítulo 26 para contar lo de Simón y María.
2. Mateo 26:13.

Capítulo 7. El tipo del asno

1. Mateo 21:2-3.
2. Mateo 5:41-42.

Capítulo 8. Los mercachifles y los hipócritas

1. *Por lo que vale, de Paul Harvey,* ed. Paul Harvey, Jr. (Nueva York, N.Y.:Bantam Books, 1991), 118.
2. Marcos 11:11.
3. Mateo 21:12-13.
4. Tito 1:11.
5. Romanos 16:17-18.
6. Mel White, *Engañado,* citado por John MacArthur, Jr. en *Comentarios de MacArthur sobre el Nuevo Testamento, Mateo 1-7* (Chicago, Ill.:Moody Press, 1985), 462.

Capítulo 9. Valor para volver a soñar

1. Es obvio al comparar Mateo con Marcos que el incidente tuvo lugar en dos días. Parte el lunes y parte el martes. El saneamiento del templo ocurrió entre estas dos partes.
¿Por qué la diferencia entre los dos relatos? Mateo prefiere explicar el tema del incidente, mientras Marcos lo describe cronológicamente. Marcos declara que Jesús maldijo el árbol el lunes por la mañana (11:12-14) y después saneó el templo (11:15-19). La segunda parte de la historia de la higuera —el asombro de los discípulos (11:20-24)— sucedió el martes por la mañana, cuando los discípulos y Jesús regresaban a Jerusalén.
Mateo es temático en su enseñanza. El reúne los dos sucesos, pero al hacerlo, no contradice a Marcos. Desea contar la

historia sin interrupciones. Comienza diciendo: "Por la mañana,..." (21:18). No dice que es la siguiente mañana. Y cuando comienza a describir el asombro de los discípulos, simplemente dice: "Viendo esto los discípulos..." (21:20). Al combinar a Mateo y a Marcos, vemos que la maldición del árbol tuvo lugar el lunes y el comentario sucedió el martes. No hay contradicción. Un escritor es temático y el otro es cronológico. Cada uno tiene sus ventajas. (Véase William Hendricksen, *El Evangelio de Mateo* [Grand Rapids, Mich.:Baker Book House, 1973], 773).

2. Mateo 21:21-22.
3. Apocalipsis 3:15-16.
4. Mateo 21:22.

Capítulo 10. De callos y compasión

1. Mateo 21:33-45.
2. Mateo 22:1-14.
3. Deuteronomio 4:32-34.
4. Oseas 11:8-9.
5. Romanos 8:16.
6. 2 Samuel 7:19.
7 2 Samuel 7:15.
8. Mateo 21:43.
9. Hechos 13:46.
10. Mateo 12:24.
11. Deuteronomio 4:35.
12. Romanos 2:4.
13. Apocalipsis 3:20.

Capítulo 11. Estas invitado

1. Isaías 1:18.
2. Isaías 55:1.
3. Mateo 11:28.
4. Mateo 22:4.
5. Marcos 1:17.
6. Juan 7:37.
7. Mateo 21:28-32.
8. Mateo 22:1-14.
9. Apocalipsis 3:20.

10. Hebreos 9:27.

Capítulo 12. Manipulación de boca a boca

1. Mateo 21:23.
2. Mateo 21:26.
3. Mateo 22:15-17.
4. Salmo 12:3.
5. Proverbios 28:23.
6. Paul Aurandt *El resto de la historia de Paul Harvey* (Nueva York, N.Y.: Bantam Books, 1977), 123.
7. Dennis Tice, "¿Tenían ombligos Adán y Eva?" Trabajo inédito. Usado con permiso.

Capítulo 13. Lo que el hombre no se atrevió a soñar

1. Mateo 22:42.

Capítulo 14. El cursor ¿o la cruz?

1. Mateo 23:5.
2. Mateo 23:5.
3. Mateo 23:6.
4. Mateo 23:7.
5. Mateo 23:5.
6. Mateo 23:13-24.
7. Mateo 23:33.
8. Romanos 3:28.

Capítulo 15. Fe sin confusiones

1. Mateo 18:2-3.
2. Mateo 23:8-12.
3. Mateo 23:8.
4. Mateo 23:9.
5. Mateo 23:10.

Capítulo 16. Vida sobreviviente

1. Mateo 24:1-2.

2. William Barclay, El Evangelio de Mateo, Vol. 2, *Edición Revisada de la Biblia de Estudio Diario,* (Filadelfia, Penn.:The Westminister Press, 1975), 305.

3. El tiempo imperfecto se usa, implicando una acción continua sin terminar.

4. Mateo 24:2, paráfrasis del autor.

5. Mateo 23:38.

6. Barclay, 307.

7. Juan 16:33.

8. Mateo 24:5.

9. Mateo 24:6.

10. Mateo 24:7-8.

11. Mateo 24:9.

12. *The Wall Street Journal,* 15 de enero de 1992, A-P1.

13. Mateo 24:13.

14. Mateo 24:14.

15. Hechos 2:5.

16. Mateo 24:14b.

Capítulo 17. Relatos de castillos de arena

1. Mateo 24:36.

2. Mateo 25:1-13.

3. Mateo 25:14-30.

4. Mateo 25:31-46.

Capítulo 18. Esté listo

1. Mateo 24:45-51.

2. Mateo 25:1-13.

3. Mateo 25:14-30.

4. Mateo 24:42.

5. Mateo 25:31.

6. Mateo 24:44.

7. Hechos 1:11.

8. Hebreos 9:28.

9. 1 Tesalonicenses 5:2.

10. Mateo 25:32-33.

11. Mateo 25:41.

12. 1 Tesalonicenses 5:9.

13. Hebreos 9:27.

14. Mateo 7:24-27.

15. Mateo 7:13-14.

16. Paul Lee Tan, *Enciclopedia de 7007 Ilustraciones* (Rockville, M.D.: Assurance Publishers, 1979), 1086.

Capítulo 19. La gente de las rosas

1."Promesas que cumplir", *revista Enfoque a la familia,* Junio de 1989, 21-22.

2. Mateo 25:35-36.

3. Hebreos 11:6b.

4. Mateo 25:40. Me gusta el comentario de Martín Lutero acerca de este versículo: "'Aquí abajo, aquí abajo', dice Cristo. 'Me encontraréis en los pobres: Yo estoy demasiado alto para vosotros en el cielo, están tratando de subir allá por gusto'. Por eso sería buena idea si esta ordenanza de amor se escribiera con letras de oro en las frentes de todos los pobres para que pudiéramos ver y comprender cuán cerca de nosotros está Cristo en este planeta". S. D. Brunes, *Mateo, V, II, El libro de la iglesia* (Dallas, Tex.:Word Publishing, 1991), 923.

5. *San Antonio Express-News,* 3 de abril de 1991, 2.

Capítulo 20. Servido por el mejor

1. Mateo 26:18b.

2. Juan 13:5.

3. Un sacramento es un regalo del Señor a Su pueblo.

4. Un sacrificio es un regalo del pueblo al Señor.

5. Hay momentos de sacrificio durante la cena. Ofrecemos oraciones, confesiones y agradecimientos como sacrificio. Pero son sacrificios de agradecimiento por la salvación recibida, no sacrificios de servicio por una salvación deseada. No decimos: "Mira lo que hemos hecho". En lugar de eso, arrobados, miramos a Dios y adoramos por lo que El ha hecho.

Tanto Lutero como Calvino tuvieron poderosas convicciones con respecto a la forma correcta de considerar la Cena del Señor.

"El sacramento y testamento de Dios, los cuales debían ser un buen regalo recibido, ellos (los líderes religiosos) lo han convertido en una buena obra realizada". (Martín Lutero, *Edición americana de las Obras de Lutero,*. 36:49.)

"El (Jesús) invita a los discípulos a recibir: Por consiguiente, El mismo es el único que ofrece. Cuando los sacerdotes pretenden que ellos ofrecen a Cristo en la Cena, están partiendo de un punto muy distinto. Qué magnífico caso de mundo al revés, patas arriba, el de que un hombre mortal, para recibir el cuerpo de Cristo, arrebate para sí el papel de ofrecerlo". (Juan Calvino, *Una armonía de los Evangelios,* 1:133.) (Según lo cita Frederick Dale Bruner en *Mateo V. 2, El libro de la iglesia)* [Dallas, Tex.:Word, Inc., 1991], 958).

6. Romanos 8:34.
7. Lucas 12:37.

Capítulo 21. El lo escogió a usted

1. Juan 17:20-21.

Capítulo 22. Cuando el mundo se vuelve contra uno

1. Mateo 26:46.
2. Mateo 26:56.
3. Mateo 26:59.
4. Mateo 26:50.
5. Mateo 26:15.
6. Mateo 26:48-49.
7. Mateo 26:49.
8. Santiago 1:2.
9. Mateo 26:64.
10. Juan 18:36.
11. Hebreos 13:5.

Capítulo 23. Su elección

1. Mateo 27:22.
2. Juan 18:34.
3. Juan 19:11.

Capítulo 25. Una oración de descubrimiento

1. Juan 11:43.
2. Mateo 8:32.

3. Mateo 14:27.
4. Juan 1:29.

Capítulo 27. Pienso que siempre recordaré esa caminata

1. *Mi gente no quiere que yo hable de la esclavitud,* ed. Belinda Hurmence (Winston-Salem, N.C.:John F. Blair Publishing, 1984) 14-15.
2. Raymond Davis, *Fuego en la montaña* (sin información editorial).

Las Puertas de Sion
Bodie Thoene

Una magnífica novela de valor y esperanza surgida de las cenizas del Holocausto.
Este primer libro de LAS CRONICAS DE
SION destaca de manera muy vívida las
luchas del pueblo judío después del
Holocausto y las presiones tanto externas
como internas que, hasta el día de hoy, son
el conflicto del Oriente Cercano y Medio.

494580   ISBN 1-56063-371-9

¿Se siente usted limitado en su "vida cristiana"?

Una Fe Sencilla

CHARLES R. SWINDOLL

Una fe sencilla
Charles R. Swindoll

¿Por qué tantas personas acaban atrapadas por sistemas de fe complicados que se basan en lo que uno hace? ¿Por qué esforzarnos en sobrepasar nuestros límites, empeñados en realizar más obras de las que cualquier fariseo razonable habría demandado? Hemos de correr a un paso que está entre lo frenético y lo desequilibrado para demostrar que somos de los fieles? "¡No!" es la respuesta enfática del autor de varios de los libros de gran demanda, Chuck Swindoll.

Aquí, al fin, tenemos una estimulante invitación a la fe sencilla. Abandone el cristianismo de emulación y rompa los barrotes que aprisionan a los espíritus.

498515 ISBN 1-56063-212-7

Adquiéralo en su librería favorita
Distribuido por Spanish House, Miami FL 33172

Cómo ser pentecostal
sin hablar en lenguas
Tony Campolo

El mensaje de este libro, escrito con la
acostumbrada vivacidad del autor, es a la
vez estimulante y serio: *el ser cristiano
debe proporcionar un brote de energía
espiritual que destierre del alma la inercia
y genere una gloriosa conciencia del
poder de Dios en nuestras vidas.*

498519   ISBN 1-56063-262-3

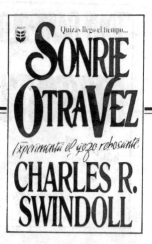

Quizás llego el tiempo...

SONRIE OTRAVEZ

Experimenta el gozo rebosante

CHARLES R. SWINDOLL

Sonríe otra vez

Charles R. Swindoll

Swindoll escribe para el hombre de negocios, cuyo ocupado día puede dar cavida a un poco de buen humor... para el ama de casa que está en la disyuntiva de reír o llorar... para aquellos que ansían que un rayito de sol penetre la nube del dolor y tristeza. El afirma que cualquiera de nosotros puede cambiar la aflicción por el gozo al:

- Vivir en el presente, en vez de en los fracasos del pasado o en los interrogantes del futuro.
- Decirle no al negativismo, y sí al gozo.
- Renunciar a la necesidad de controlar todo y a todos.
- Darse cuenta de que nadie es perfecto,

"o ¿para qué es el cielo entonces?"

490276   ISBN 1-56063-288-7

Adquiéralo en su librería favorita.
Distribuido por Spanish House, Miami FL 33172